Sten Nadolny
Ein Gott der Frechheit

Zu diesem Buch

Hermes, der Bote zwischen den Welten, Gott der Kaufleute, der Diebe und der geraubten Küsse, wird 1990 nach 2187 unbequemen Jahren aus der Gefangenschaft befreit – von Hephäst, dem Gott der Vulkane. Zeugin dieses seltsamen Vorgangs ist Helga, eine junge Touristin aus Sachsen-Anhalt, in die sich Hermes prompt verliebt. Staunend folgt er ihr in wechselnden Gestalten überallhin, durch Mitteleuropa und Nordamerika. Er schlüpft in die Köpfe von Neurochirurgen, Rap-Musikern oder Graffiti-Künstlern und gewinnt die Erkenntnis, daß das lebenswichtige Element der Frechheit, von dem nur Zynismus und Skrupellosigkeit überlebt zu haben scheinen, wieder in etwas Göttliches zurückverwandelt werden muß.

Sten Nadolny, geboren 1942 in Zehdenick an der Havel, lebt in Berlin und München. Ingeborg Bachmann-Preis 1980, Hans-Fallada-Preis 1985, Premio Vallombrosa 1986, Ernst-Hoferichter-Preis 1995. Nach seinem ersten Roman »Netzkarte« (1981) erschien 1983 »Die Entdeckung der Langsamkeit«, die in alle Weltsprachen übersetzt wurde, und 1990 »Selim oder Die Gabe der Rede«.

Sten Nadolny

Ein Gott der Frechheit

Roman

Piper München Zürich

Von Sten Nadolny liegen in der Serie Piper außerdem vor:
Die Entdeckung der Langsamkeit (700)
Das Erzählen und die guten Absichten (1319)
Netzkarte (1370)

Unveränderte Taschenbuchausgabe
April 1996
2. Auflage Mai 1996
© 1994 R. Piper GmbH & Co. KG, München
Umschlag: Büro Hamburg
Simone Leitenberger, Susanne Schmitt, Andrea Lühr
Umschlagabbildung: Loomit (ΟΔΌΣ ΈΡΜΟΥ,
»Weg des Hermes«, Graffito 1995; Foto Maren Koehler)
Foto Umschlagrückseite: Claudia Jenke
Satz: Kösel, Kempten
Druck und Bindung: Clausen & Bosse, Leck
Printed in Germany   ISBN 3-492-22273-0

Inhalt

Für K. N. und Sagals

Erstes Kapitel

Eine Art Auferstehung

Das Schiff durchquerte ein Gewässer von lauernder Ruhe. Hier war Schlimmes passiert, und vielleicht kehrte es wieder. Es war kalt. Noch zwei Tage bis zum griechischen Osterfest.

Außer der jungen Frau war niemand an Deck.

Das Ausflugsschiff näherte sich der Engstelle zwischen zwei Inseln von melancholischem Aussehen. An der einen ragte, wo sie der anderen am nächsten war, eine Steilwand aus schwarzem Fels auf, senkrecht fast, hoch wie eine Festung. Nicht die kleinste Pflanze schien dort zu gedeihen. Von weitem sah es aus wie eine Narbe, verhornt und verwachsen, beim Näherkommen bekam die Nacktheit des Gesteins einen metallischen Glanz. Von der Gegend ging Gewalt aus. Da stand etwas und drohte, überall zwischen Himmel und Wasser, vibrierend und unsichtbar. Eine Kraft vor dem Sprung, ein Blitz, noch lichtlos, kurz vor dem Aufzucken und Zuschlagen.

Sie nahm den Schal enger um den Hals und zog die Schultern hoch, denn sie fror. Sie versuchte in der schwarzen Wand zu lesen wie in einem Buch. Es gab dort durchaus Vorsprünge, Risse und Höhlen, Mulden und Nasen, Verfärbungen ins Rötliche oder Fahle, und je näher das Boot herankam, desto zerklüfteter und vielfältiger wirkte das Gestein. Aber in sich lesen ließ es nicht.

Da erkannte die Frau mitten in dem Irrgarten aus

Basalt eine menschliche Figur. Sie fuhr hoch. »Du lieber Gott!« schrie sie und stand dann reglos mit aufgerissenen Augen, um zu sehen, ob die Gestalt sich bewegte. Nein, tot. Der Mann war schwarz wie der Hintergrund, aber Kopf, Schultern, Arme und Beine waren trotzdem deutlich zu erkennen. Er war nackt. Eine Kultfigur, eingemeißelt in den Stein? Aber das wäre ein seltsamer Kult, dachte sie, denn die Gestalt war angekettet. Der Mann trug schwere eiserne Schellen um Hand- und Fußgelenke und um den Hals. Ein Hingerichteter? Dann war sein Tod nicht lange her; die vielen hungrigen Vögel machten aus einem Leichnam gewiß rasch ein Skelett.

Sie hörte ein Geräusch, ein Dröhnen und Rumoren, von der Wand, nein, von überall her schien es zu kommen und nahm immer noch zu. Es schwoll zu einem Poltern und Grollen an. Die Frau löste den Blick von der Felsgestalt und sah angstvoll zu der anderen Insel hinüber, auf der es einen tätigen Vulkan geben sollte – brach der etwa jetzt aus, dieser Ausflugs- und Postkartenvulkan, um auf seine Weise die Saison zu beleben? Wahrscheinlicher war, daß sich ein neuer Kegel über die Wasseroberfläche schieben würde, eine dritte Insel, stinkend vor Neuheit und Schwefeldampf. Nichts davon geschah. Nur ein lautes Platschen war zu hören. Ein Gesteinsbrocken mußte ins Meer gefallen sein, sie sah noch, wie das Wasser zusammenschlug und emporschoß.

Sie drehte sich wieder zur Felswand, an die das Schiff jetzt nah herangekommen war. Von dort hörte sie ein Geprassel, begleitet von einem bohrenden Summen wie von Hornissen. Jetzt sah sie es: der Fels platzte auf. Ein Riß eilte quer durch die schwarze Fläche und verbreiterte sich, wo er begonnen hatte, bereits zum

Spalt. Ein Federstrich, dachte sie und begann, Gutes zu erwarten – es machte jemand einen Strich durch diese Wand. Die Linie war trotz der Unebenheiten schnurgerade. Sie lief direkt auf die menschliche Gestalt zu und teilte sie auseinander – doch nein, das tat sie nicht. Sie ging hinter ihr hindurch, kehrte zurück, umfuhr sie in Zickzackbewegungen, lief dann so gerade weiter fort wie zuvor. Jetzt ein Klirren: Schellen und Ketten lösten sich, Eisenteile fielen herab, schlugen ein paarmal an der Wand an, klatschten ins Meer. Der leblose Körper rutschte ein wenig herab und blieb auf einem Vorsprung zusammengesackt sitzen.

Das Grollen und Stöhnen wurde leiser. Keine Flutwelle bisher. Aber was war das? Die Gestalt im Fels bewegte die Arme. Der Mann stützte sich ab, um sich aufzurichten. Und jetzt drehte er die Hände nach innen und nach außen – er prüfte seine Beweglichkeit.

Ja kam denn niemand, um zu sehen, was sie da sah? Geschah das alles nur für sie – das Beben, die Befreiung, das Aufrichten? Nein, die Reisenden im Schiffsinneren mußten taub sein, der griechische Skipper im Führerhaus blind. Sie stolperte zu ihm und klopfte an die Scheibe, aber der Mann lächelte nur mit hochgezogenen Brauen, sah wieder nach vorn. Sie waren jetzt über die Engstelle schon hinaus, die Felswand wurde optisch schmaler. Aber die Gestalt war immer noch deutlich zu sehen, denn sie war an die äußerste Kante des Vorsprungs getreten und breitete die Arme aus, sah mit erhobenem Kopf übers Meer. Und da kam etwas angeflogen, in niedriger Höhe von Osten her, eine kompakte kleine Wolke, wie ein angreifender Bienenschwarm, gerade auf den Mann zu und hüllte ihn ein. Er sah nun aus, als trüge er einen Pelz. Im selben

Augenblick lösten sich seine Füße vom Boden, waagrecht lag er in der Luft. Einen Moment noch schwebte er neben der Felswand, dann driftete er von ihr ab, wurde davongetragen, immer schneller, und verschwand im Osten hinter der Vulkaninsel.

Es war still wie vorher, leer und tot, aber das Bedrohliche war vorüber, die vibrierende Kraft nicht mehr zu spüren. Die Reisenden kamen eben aus der Kajüte herauf und bedauerten, die berühmte »Schmidt-Wand« verpaßt zu haben. Sie hörten, was die junge Frau in rasender Geschwindigkeit von einer Gestalt im Fels erzählte. Sie lächelten nachsichtig. Der Skipper konnte sich nur daran erinnern, daß ein Stein herabgefallen war. Ein kleines Hin und Her jetzt: die einen wollten lieber sofort, wie vorgesehen, den Vulkan auf Nea Kaimeni besichtigen, um rechtzeitig zum Mittagessen in Phira zu sein, die anderen zurück und den Felsabsturz betrachten. »Die Ketten hängen noch am Felsen, ihr werdet sehen«, sagte die Zeugin. Das wollten sie denn auch. Der Skipper zwang sich zur Geduld und drehte um.

Niemand erwartete, daß an der Geschichte etwas Wahres dran sei. Die Frau kam aus der ostdeutschen Republik und machte ihre erste Reise ins westliche Ausland. Rasend schnell sprach sie immer, und sie las offenbar zuviel. Außer ihr gab es noch einen anderen Deutschen an Bord, das pure Gegenteil: ein schwerer Mann mit einem unerschöpflichen Vorrat an Dosenbier, aber gewiß nicht an Phantasie. Er besaß ein Fernglas, und mit dem suchte er jetzt die schwarze Wand ab. Nach einer Weile ließ er es sinken und reichte es an die holländische Lehrerin weiter.

»Es sind keine Ketten zu sehen«, sagte er. Der Skipper nickte mehrmals wichtig, als habe man ihm endlich das Vertrauen ausgesprochen. Er wandte sich wieder dem Ruderrad zu.

»Aber es sind bis vor kurzem welche angebracht gewesen«, fuhr der Deutsche fort. »Da waren fünf handgeschmiedete Kettenanker, drei davon sind noch halb dran. Solche hat man bei uns in den Ställen gehabt, für die Viehketten, es waren einfach Ösen, angeschlagen für schweren Zug. Diese hier sind nicht abgesägt, sondern weggebrochen nach Ermüdung oder Hin- und Herbiegen oder Vibration. Auf jeden Fall Schmiedeeisen. Gußeisen zerwackelt sich anders.« Noch nie hatte der Dicke so lang gesprochen.

»Es ist da jemand befreit worden«, sagte die junge Frau. »Einer, der lange gefangen war.«

»Woraus schließen Sie das?«

»Weil er sich kaum noch bewegen konnte.«

Alle suchten mit den Augen den Felsen ab – ohne Erfolg. Die Lehrerin am Glas runzelte die Stirn. »Also, ich sehe nichts. Wie wollen Sie denn da überhaupt Metall erkennen?«

Der Dicke maß sie mit einem melancholischen Blick. »Ich habe Schmied gelernt, in dem Beruf kenne ich alles. Sogar Pferde hab ich noch beschlagen, beim alten Münch in Freystadt.«

»So.«

»Meine Dame, wenn ich was Geschmiedetes sehe, kann ich den Mann beschreiben, der's gemacht hat.«

*

Vor über dreitausend Jahren hat an der Stelle der heutigen Caldera, der Bucht von Santorin, eine große, runde Insel gelegen, reich besiedelt, mit dem Namen

Strongyli: Plato wußte noch von ihr und nannte diesen Namen. Ob sie das vielberedete Atlantis gewesen sein könnte, ist umstritten. Bei einem Vulkanausbruch oder Erdbeben um 1500 v. Chr. brach ihre Mitte ein, das Meer flutete in den entstandenen Riesenkrater, nur von den Inselrändern blieb etwas übrig. Man sagt, die bei dieser Katastrophe entstandene Flutwelle sei die Sintflut des Alten Testaments gewesen.

Die stehengebliebenen Randteile der Insel waren bald wieder besiedelt, der Hauptort hieß Thera – heute Phira. Die Bewohner ernteten auf dem Lavaboden guten Wein, waren auch kluge Seeleute und Händler und zeitweilig die Reichsten weit und breit.

Im Jahre 197 v. Chr. wuchs in der vor Hitze dampfenden Caldera ein glühender Kegel aus dem Meer, kühlte ab und wurde zu einer kleinen pflanzenlosen Mittelinsel, welche die Griechen »Hiera«, die Heilige, nannten – sie bauten auf ihr einen Tempel für den Vulkan- und Schmiedegott Hephaistos oder Hephäst. Erst nach Jahrzehnten wurzelten die ersten Pflanzen in den Ritzen des schwarzen Gesteins.

Mehr als anderthalb Jahrtausende später begann abermals die Geburt einer Insel: Ein Vulkankegel hob sich östlich der Hiera aus dem Meeresgrund, so daß diese entzweibrach. Heute nennt man die östliche, neue Insel »Nea Kaimeni« oder »Volkano« (weil es auf ihr nach wie vor raucht) und die Reste der alten Hiera »Paläa Kaimeni« – die »alte Verbrannte«.

»Schmidt-Wand« oder »Kap Schmidt« heißt der fast senkrechte, vierzig Meter hohe Felsabsturz, die Abbruchkante der Insel Paläa Kaimeni nach Osten hin. Ein deutscher Geologe Schmidt hatte sie im 19. Jahrhundert untersucht und vermessen und ein deutscher

Maler, der ebenfalls Schmidt hieß, auf einer Studienreise um 1850 tagelang skizziert und später für den »Griechischen Saal« des Neuen Museums zu Berlin gemalt. Das Bild ist vermutlich 1945 verbrannt, vielleicht auch nach Auslagerung verschollen. Der Maler ist vergessen, der Geologe wird noch genannt – aber nur deshalb, weil er mit größerer Wahrscheinlichkeit der Namenspatron jener Steilwand ist.

Die Insel Paläa Kaimeni bietet am Nordende den Fischerbooten einen kleinen Nothafen. Touristen werden nur vorbeigefahren, aber nicht an Land gebracht. Die Insel ist, sieht man von etwa fünfzehn Schafen ab, unbewohnt. Vom Tempel des Hephäst wurden keine Reste gefunden. Daher ist zu vermuten, daß er auf dem nach Phira zu gelegenen östlichen Teil gestanden hat und mit diesem 1457 ins Meer gestürzt ist.

*

Die alten Götter gibt es noch, denn sie sind unsterblich. Athene, Zeus, Apollon, Hephäst – solange noch Menschen leben, können Götter nicht sterben, nicht einmal, wenn sie wollen. Es sei denn, sie begehen diesen Selbstmord durch Vernichtung der Menschenwelt. Dann aber würden sie gründlicher sterben als die Menschen: an diese mag sich bei Ratten oder Bienen noch eine gewisse Erinnerung halten, die Götter hingegen wären gelöscht, spurlos wie nie gewesen.

Ewiges Leben bringt Beschwerden mit sich. Das erotische Vergnügen kann unmöglich Jahrtausende lang bleiben, was es einmal war. Dann der Ärger mit den Gelenken – täglich müssen Sülze oder Gelee verzehrt werden, um sie gangbar zu halten. Schließlich alle zehn bis zwanzig Jahre der Wechsel des äußeren Erscheinungsbildes und der Identität, ein strenges Muß, um das Fehlen des Älterwerdens zu verbergen. Meist sind es wohlgeplante »plötzliche Todesfälle«, die das Leben einer Gottheit scheinbar beenden, in Wirklichkeit aber seine Fortsetzung in anderer Gestalt ermöglichen. Lebten die Götter noch auf dem Olymp, dann hätten sie diese Sorge nicht. Aber sie sind heute aus guten Gründen mitten unter den Menschen, ihre Tarnung muß standhalten. Mit den Menschen müssen sie leben, mehr denn je: schließlich gilt es, den eigenen Kult aufrechtzuerhalten. Die göttliche Existenz ist heute, da kaum mehr Tempel gebaut und gepflegt, keine Rinder mehr geopfert werden, elend genug. Wenigstens die Namen müssen aber so oft wie möglich genannt, alte und neue Geschichten über Götter erzählt werden. Altertumsforscher sind dafür wichtig, vor allem aber Leute, die von den Göttinnen und Göttern träumen – und nicht nur allgemein. Geschieht dies nicht ausreichend, dann werden Götter stumpf, sie verkümmern trotz Götternahrung und Sportlichkeit und tragen zum Leben der Menschen nur eines bei: unsterbliche Schlechtgelauntheit.

Die Schicksale der Götter während der letzten Jahrtausende sind sehr unterschiedlich. Von manchen weiß niemand mehr, was aus ihnen geworden sein könnte, man hofft aber noch immer, daß sie wiederkehren. Von anderen kennt die Menschheit zwar die Namen, glaubt aber irrtümlich, es habe sich um Sterbliche gehandelt. Und einige Götter sind ganz und gar vergessen, etwa Anteros, der Gott der erwiderten Liebe. Tätig blieb nur Eros, der Sohn von Aphrodite und dem Kriegsgott Ares. Er entzündet Liebe, wo es ihm paßt, und kümmert sich nicht um Erwiderung. Im Gegenteil, der ungebärdige Knabe spielt gern mit Eifersucht und Rachedurst.

Götter können ohne ein Ende der Menschheit nicht sterben. Wohl aber können sie dahinvegetieren, äußerlich und innerlich verwahrlosen, zur Ungestalt verkommen. Und einige sind ganz verschollen, warten tief unten im dunklen Tartaros auf bessere Zeiten. Ohne Folge bleibt nichts von alledem.

*

Die Menschen hatten keine Ahnung davon, daß die Götter zu ihrem Pessimismus beitrugen. Sie sahen diesen gewöhnlich wohlbegründet durch Ereignisse und allgemeine Lage. »Die Welt ist da angekommen«, sagte einer in Bebra nach dem Frühstück beim Bezahlen seiner Hotelrechnung, »wo nur noch ein Schelm sie retten kann.« Er meinte, daß, wer sie jetzt noch retten wolle, nur ein Aufschneider sein könne.

Europa war zu der Zeit aufgeregter als sonst, sowohl politisch als auch unpolitisch, alles schien in Bewegung geraten, gewaltige Möglichkeiten sah man – aber auch solche des Untergangs, und in keinem Fall eine sichere Zukunft. In dieser Situation verwirrten sich zuallererst denen die Sinne, die in ruhigen Zeiten anderen zu sagen pflegten, was gut und was böse sei. Sie wurden ratlos, empfindlich, spitzten Hoffnungen oder Befürchtungen blindlings zu, denn mit irgend etwas mußten sie sich und anderen Eindruck machen. Das war ihre Methode, um nicht zu verzweifeln. Auf Schriftstellerkongressen war es am schlimmsten, die Götter wußten es: »Wir hätten ihnen die Sprache gar nicht erst geben sollen.«

Nur noch ein Schelm könne retten, hatte an einem Frühlingsmorgen in Bebra einer vor sich hin geschimpft und keine Ahnung davon gehabt, daß dieser Satz, meißelte man ihn in Stein, ebensogut eine große, zuversichtliche Wahrheit bedeuten konnte. Aber irgend etwas ahnten sie doch, die Menschen. Im Europa des Frühjahrs 1990 fiel so etwas wie eine Götterdämmerung auf, und zwar eine morgendliche des Aufbruchs. Von Mythen war mehr die Rede als in den letzten zwei Jahrtausenden zusammengenommen, von der Wiederverzauberung, von Metamorphosen, Erhabenheit und letzten Welten, vor allem eben von Göttern. Und einige begannen sich auch an Hermes zu erinnern, obwohl der offensichtlich nichts zum Aufleben seines Kults beitrug.

Aber selbst die, die auf ihn vage Hoffungen setzten, wußten nicht wirklich, wer Hermes gewesen war: Schelm von Anfang an, Welt-Schelm und doch Sohn des Zeus. Kaum hatte ihn die Nymphe Maia in einer Grotte des Gebirges Kyllene geboren, da schälte er sich in einem unbeobachteten Augenblick aus den Windeln, schweifte umher, stahl dem Apollon eine Rinderherde, führte sie mit List von dannen und versteckte sie. Wenig später lockte er eine Schildkröte durch kühl kalkulierte Komplimente, bis sie ihren Kopf herausstreckte und er sie packen und töten konnte, denn er wollte aus ihrem Panzer und einem Kuhdarm jenes Musikinstrument bauen, das später »Lyra« hieß. Als Apollon ihm wegen des Rinderdiebstahls doch auf die Schliche kam und bei Mutter Maia anfragte, lag Hermes schon wieder als Säugling unschuldig in den Windeln, als könne er kein Wässerlein trüben. Apollon packte ihn dennoch, wollte ihn vor den obersten Richter Zeus schleppen, doch Hermes log weiter und ließ währenddessen einen so gewaltigen Furz, daß der vornehme Apollon ihn schockiert losließ – fast hätte er ihn nicht bis zu Zeus gebracht. Auch dort leugnete der Tunichtgut weiter, und zwar so frech und geschickt, daß sein Vater Zeus sich das Lachen nicht verbeißen konnte und stolz auf ihn war. Hermes war seitdem der Gott all derer gewesen, die sich unauffällig ihr Glück stahlen, statt zu warten, bis es ihnen zugeteilt wurde.

Die Welt, so fühlte man 1990, war an dem Punkt, an dem sie vielleicht mit göttlicher Hilfe verspieltes Glück zurückstehlen konnte. Aber die alten Götter wurden dennoch nicht verehrt, die Sehnsucht nach ihnen blieb begriffslos. Der Name »Hermes« war zwar noch verbreitet, aber die Pflege eines ernstzunehmenden Kults wurde dadurch eher gestört. Sein römisches Pseudonym »Merkur« war als Name von Zeitungen und Schiffen, Reisebüros, Botendiensten und kaufmännischen Liedertafeln bekannt. Mit dem vornehmeren griechischen Namen waren so verschiedene Dinge bezeichnet wie Raumfährenprojekte, Kreditversicherungen, Versandhandlungen, Vitamintabletten, Seidentücher. Auch ein Raddampfer in Magdeburg hatte so geheißen und war noch in Erinnerung.

Jetzt kam immerhin einiges wenige hinzu, was schwerer wog: Hermes als Titel philosophischer Werke in Frankreich und Deutschland, als Figur in Theaterstücken und Romanen. Eine Zwei-Mann-Band (Harfe und Gitarre) nannte sich »Hermes« – ihr Album »Wildsau mit Gespür« führte die Hitlisten an. Und in Paris pflegte ein Chirurg zu sagen »Operieren wir à l'Hermès!« Man argwöhnte erst Zynismus, aber es war nur eine Abwandlung jener seltsamen Redensart, die sich gerade jetzt in Ost und West verbreitete: »Fort von hier mit Hermes!« Immer mehr Menschen sagten es, keiner hatte eine Erklärung dafür. Die Bedeutung konnte ironisch-pessimistisch bis feierlich-zuversichtlich sein.

An den verschiedensten Orten Europas – auf einem Golfplatz in England, bei einem Management-Seminar in Frankfurt, in einer psychiatrischen Anstalt Madrids, im litauischen Parlament, sogar einmal bei der Krisensitzung eines Geheimdienstes, dem seine Regierung abhanden gekommen war – sprachen Sterbliche plötzlich von Hermes. Tauchte er vielleicht doch wieder auf, der Gott der Kaufleute, Diebe, Redner und Ringer, Hermes der Seelenführer ins Totenreich und Götterbote mit den Flügeln an Hut und Sandalen? Der Gott des Sprungs, des raschen Griffs, des glücklichen Fundes und der Frechheit – war er im Kommen? Die übrigen Götter, ebenfalls vernachlässigt, waren gespannt darauf, denn sie kannten sein Schicksal während der letzten zweitausend Jahre. Vielleicht begann da bei Übersensiblen, Verrückten und bei den notorischen Selbstdarstellern des alten Europa etwas Neues. Frechheit war eine Art Wahrheitsliebe. Sie räumte alle tröstlichen Lügen weg, sie war kalt. Hermes war der Gott einer Kommunikation, die auf mystische Nebel verzichtete.

Einige Autoren hatten über Hermes etwas geschrieben oder waren gerade dabei. Kerenyi, Thomas Mann, Ranke-Graves und Walter F. Otto hatten ihn im Auge gehabt; Rombach ging zum Angriff über, ohne daß es hinreichend bemerkt wurde; Serres sah kristallklar, verstörte aber dann durch Brillanz; Nadolny war sich noch nicht schlüssig, bat sich Zeit aus; Pictor dichtete eine vorsichtige Hymne, die auch ironisch verstanden werden konnte (auf Altgriechisch, was ihrer Verbreitung einen Riegel vorschob); Freya Zangemeister verfaßte einen Beitrag im archäologischen Fachblatt und teilte unaufgefordert mit, daß Hermes nicht erscheinen werde. Denn seine Präsenz liege stets nur darin, daß sein Fehlen bemerkt werde. »Immer wieder in den letzten zwei Jahrtausenden«, so Zangemeister, »hat es den Ruf nach Hermes gegeben, zeitweilig sind ganze Gesellschaften davon erfaßt worden. Wer dann ausblieb, war Hermes.« Das sei eben sein Prinzip: immer der kommende Gott zu sein, aber nie zu kommen.

Dann gab es noch etliche Brieffreundinnen, die »mit Hermes leben« wollten. Wie das praktisch aussah, blieb abzuwarten.

Und es gab die junge Frau in der Bucht von Santorin. Sie war die einzige Zeugin der Befreiung. Daß es sich um Hermes handelte, ahnte sie. Jedenfalls hatte sie ihn gesehen, schwarz und ungelenk, wie er aufstand und sich zu bewegen suchte und dann von einem Bienenschwarm zur Hauptinsel hin getragen wurde übers Meer. Sie hätte gern bewiesen, was sie gesehen hatte, aber niemand half ihr. Der dicke Schmied war wieder in Lethargie versunken – schon während der Besichtigung des schwefelstinkenden Vulkans auf der Nea Kaimeni hatte er an der Geschichte nur noch Desinteresse gezeigt. Warum, blieb trotz des vielen Dosenbiers rätselhaft.

*

Es gab auf der Insel einen Spezialisten für Götter. Die Wirtin im »Selini« wußte sogar, wo er wohnte. Henry Pictor hieß der Mann, ein dem Alkohol verfallener Engländer, der hier hängengeblieben war. Er besaß ein

Haus in Pyrgos hoch am Berg, wo es kein Wasser gab – was ihm nun wirklich nichts ausmachte. Als sie ihn aufsuchte, bestätigte er ihr sofort, daß ihre Beobachtungen stimmten. »Oh, natürlich, das war Hermes. Er ist also endlich freigekommen? Great! Dann war er – Moment – genau 2187 Jahre lang gefangen, davon die ersten dreihundert Jahre mitten im Rauchfang. O ja, das macht schwarz!« Er erzählte ihr von Hermes und von seinem eigenen Versuch einer Hermes-Hymne. »Verlieben Sie sich nicht in ihn«, sagte er. »Götter betrachten Menschen mit Ironie.«

Er war zu betrunken oder zu faul, um mit der jungen Frau zur Schmidt-Wand zu fahren. »Die kenne ich doch. Hundertmal habe ich sie skizziert und oft gemalt, sogar auf die Wand im griechischen Saal ...« Er trank sein Glas aus, hatte danach den Faden verloren und interessierte sich für ihren Ohrschmuck – sie trug Clips, deren halbmondförmige Scheiben fast das ganze Ohr bedeckten. Er meinte: »Ihre Ohren sind hübsch, wozu die Panzerung?« Da sie kaum Englisch konnte, verstand sie nur, daß er nicht mitkommen wollte.

Knidlberger, ein bayerischer Entdecker und Kenner Santorins, der für immer auf der Insel wohnte, empfing die junge Frau, gab aber nicht zu erkennen, daß er verstand, wovon sie sprach. Statt dessen machte er ihr Komplimente: ihre Augen hätten so ein flachländisches Blau, wunderbar. »Sie sollten hierbleiben«, sagte er. »Ich komme aus Rott am Inn und geh auch nicht zurück. Die Götter wohnen halt hier. Wo fahren Sie als nächstes hin? Waren Sie schon in Athen?«

Sie zuckte die Achseln. »Ich wollte. Aber mein Reisebüro – eine unerfreuliche Geschichte, lassen wir das. Ich muß nach Venedig, und dann zurück nach Stendal.«

Er lächelte und schenkte ihr Wein nach. »Und dann heißt es doch nur: ›Fort von hier mit Hermes‹. Übrigens, hören Sie denn noch gut mit diesen Halbmonden auf den Ohren?«

Für weitere Versuche ließ der Reisefahrplan keine Zeit. Am Tag nach Ostern sollte das große Schiff wieder abfahren. Die Sache mit Hermes, eine Schnapsidee, ein Traum? Warum hatte der Schmied plötzlich das Interesse verloren? Schwefeldampf schien seinen Geist zu ernüchtern oder im Gegenteil zu verdunkeln; beides führte zum gleichen befremdlichen Ergebnis.

*

Schwarz und verkrustet kauerte Hermes zwischen zwei kleinen Gebüschen aus dornigem Wolfsmilchkraut, den Rücken an einen Stein gelehnt, und versuchte mit den Händen seine Füße hin und her zu drehen, um die Gelenke beweglich zu machen. Sie knisterten und knackten wie Feuersglut. Immerhin, er konnte das hören. Dazu die Stimmen der Möwen. Und Schwalben gab es: ein kaltes Frühjahr also, sie waren noch nicht nordwärts geflogen. Sie schienen sich von ihm fernzuhalten, er konnte keine von ihnen fragen, wie es im Norden sei.

Ein wenig Erinnerung kam in Gang. Wie gern hatte er als Kind in Wäldern und Sümpfen, an Quellen und in prächtigen Wiesen gesessen, vor allem an den Wegkreuzungen der Menschenwelt, regungslos und einsam wie ein Steinkegel, und sich vorgestellt, er wäre unsichtbar. Später hatte er den Stab bekommen, der dies bewirken konnte, und er war gern unsichtbar. Faul daliegen, für niemanden erkennbar, den salzigen Wind spüren und mit kühlem Amüsement das Leben der Käfer und Libellen, der Menschen und Götter beobachten, das wollte er, das mußte wiederkommen.

Gerade mit dem Sehen ging es leider noch schlecht: die Augen waren vertrocknet wie Dörrobst. Er blickte auf die Caldera hinaus und versuchte die vulkanischen Mittelinseln zu sehen, die so lange sein glühendes und steinwälzendes, schwefelstinkendes Gefängnis gewesen waren. Er erkannte nur eine schwarze Riesenkröte, die in der Mitte der Bucht lag, einen öde lauernden Dreckhaufen. Was in nächster Nähe war, sah er etwas besser: Fenchel, Rosmarin, rote und violette Kräuterblüten, Disteln, Kakteen – alles, was kaum Wasser brauchte. Es war dürr und staubig hier. Einige Schritte von ihm entfernt – die er sich noch nicht recht zutraute – lagen Steine übereinander, gewiß nicht zufällig. Es gab also noch Menschen, die ihn, Hermes, verehrten? Aber womöglich hatten Steinpyramiden inzwischen eine andere Bedeutung.

Die Bienen hatten eine ihm unbekannte Weisung befolgt und ihn nicht zu menschlichen Behausungen oder göttlichen Tempeln bringen wollen. Sie hatten ihm keinerlei Nachrichten zugesummt und wußten nicht einmal, daß er einst ihr Herr gewesen war. Jetzt hatten sie jedenfalls einen anderen. Demeter vielleicht? Bedenklich war auch, daß niemand von den Göttern kam, um ihn zu begrüßen und ihm zu helfen. Sicher war Iris in seiner Abwesenheit Götterbotin gewesen, wie während des Trojanischen Kriegs, als er keine Lust gehabt hatte. Oder war es inzwischen der traumhäuptige Pan? Aber der erschrak zu oft, vor allem vor sich selbst. Vielleicht Athene – aber auch das war unwahrscheinlich. Sie mischte sich zu sehr ein, sie war nicht Diplomatin genug. Was sie zu überbringen hatte, wurde zuverlässig zu ihrer eigenen Botschaft. Wie bei mir, dachte Hermes, aber bei mir hat es niemand gemerkt.

Beißender Qualm drang ihm in die Nase. Es war mit Sicherheit kein Opferrauch, aber auch kein vulkanischer Gestank. Jenes Feuer vielleicht, von dem ihm die Möwen erzählt hatten. Diese Möwen! Statt von Göttern und Menschen zu erzählen, rühmten sie die warmen Aufwinde eines Dauerfeuers auf einem Abhang nahe der Stadt, und wie man sich davon emportragen lassen konnte. Oder sie beklagten sich über Katzen in Thera, die ihnen Fischreste weggekrallt hatten. Was wußten schon Vögel. Sonst war niemand gekommen, nicht einmal Athene, auch sie vielleicht aus Angst vor Zeus und dem Urteilsspruch. Die ersten Jahrhunderte war er noch tief innen in der Vulkaninsel eingeschlossen gewesen, es gab höchstens hin und wieder einen Fisch, der ihm durch eine Felsritze aus dem Wasser eine kleine Nachricht von Poseidon zublitzte. »Bald wirst du wieder frische Luft atmen.« Ein übler Scherz im Grunde. Zwar brach die Insel entzwei, aber seine Fesseln blieben. Von dem Platz an der neu entstandenen Steilwand konnte er dann immerhin noch einige Zeit die hellgetünchten Häuser Theras sehen, bis Hephäst, mit dem üblichen Aufwand an Rauch und Feuer, eine neue Insel wachsen ließ zwischen Hermes und den Menschen. Die Augen waren ohnehin trübe geworden aus Mangel an Feuchtigkeit. Die letzten Bewegungen, die er in der Ferne hatte erkennen können, waren die von Segelschiffen. Sie belieferten eine Garnison auf dem Berg.

Die Fußgelenke ließen sich jetzt ohne äußeren Zugriff bewegen, wenigstens das! Unsterblichkeit war nichts als Last. Er dachte an den armen Tithonos, für den die Göttin Eos von Zeus Unsterblichkeit erbeten hatte, ohne daran zu denken, daß auch ewige Gesundheit, Schönheit und Jugend nötig waren, um den Geliebten in der von ihr geschätzten Form zu erhalten. Tithonos war immer älter und grauer und runzeliger geworden, zusammengeschrumpft, bekam eine Fistelstimme. Im Schmuckkästchen hatte sie ihn schließlich mit sich geführt. Unsterblich, wie er war, krabbelte er wohl noch heute irgendwo herum, als die absolut müdeste Grille der Welt.

Er machte ein paar Schritte. Was er zuvor für einen Steinhaufen gehalten hatte, war ein kleiner Berg von dünnwandigen Metallbehältern, aus denen es nach verdorbenen Speisen stank. Dazwischen Fischköpfe, halbverwest, mit lückenhaften Skelettkämmen und Schwanzflossen. Ein bleicher Katzenschädel. Rostige, sechseckige Metallstücke mit einer interessanten Gewindebohrung in der Mitte. Außer Schmeißfliegen und Eidechsen kein lebendes Wesen. Wehmütig dachte er daran, wie er früher Eidechsen mit den Augen verfolgen und in der Zeit eines Lidschlags alle Punkte auf ihrer Haut hatte zählen können. Sein Puls wurde allmählich etwas schneller, und mit ihm das Denken und Erinnern. Im Vulkanfels hatte sein Herz langsamer geschlagen als bei Hamstern im Winterschlaf. Jetzt sah er ein Büschel Thymian, beugte sich schweratmend nieder, riß es aus und fraß es im Stück. Ja, Mut brauchte er jetzt, und Thymian, möglichst vermischt mit dem Kraut des Hyperion, konnte ihn liefern.

Wie war denn die Situation? Er war an einem Anfang, der wahrscheinlich das Ende von allem war.

Nach weiteren zwanzig wackligen Schritten stieß er

auf ein rostiges Metallgestell, verbogen und halb überwachsen – eine Tierfalle? Und überall lagen Räder, kleine oder große. Die Menschen hatten in der Zwischenzeit eine Menge erfunden, und Hephäst, der in die Menschen als Gattung auf so ungöttliche Art verliebt war, hatte ihnen gewiß seine Künste beigebracht. Wenn Hephäst jemanden liebte, war Flucht angeraten. Wenn er einen haßte, ebenso. Alle Götter wußten: bei Hephäst gab es zwischen Liebe und Haß zu wenig Unterschied. Auf Erpressung lief beides hinaus.

Von Hephäst stammte die Idee, das Rad sei mehr als ein Symbol oder Folterinstrument, man könne in dieser Form einen neuen Menschen schaffen. Er hatte einen menschenähnlichen Körper gebaut, aber nicht mit zwei Beinen und zwei Armen, sondern mit acht Beinen. Die Füße, extra groß, ausgestreckt nach allen Richtungen, bildeten wirklich ein Rad. Der künstliche Mensch ging oder lief nicht dadurch, daß er die Füße abwechselnd nach vorn hob und belastete, sondern er drehte sich selbst immer weiter fort wie ein Knäuel trockenen Seetangs vor dem Sturm. Zeus hatte kopfschüttelnd abgelehnt, diesem Radmenschen Leben einzuhauchen – zu wenig erotisch schien ihm denn doch ein Geschöpf mit acht Beinen. Hephäst konnte offenbar nicht einsehen, daß für die Augen von Göttern nicht der schnellste, sondern der hübscheste Gang interessant war. Unwirsch murmelnd und zischelnd hatte er sich zurückgezogen und weiter Räder gebaut. Was er nicht mehr »Bein« nennen durfte, hieß fortan »Speiche«. Er hatte dann immerhin den Karren erfunden, womit er bei Helios Begeisterung auslöste und bei vielen anderen, die schwer zu schleppen hatten. Unterschätzen durfte man Hephäst nicht, auch wenn er der geborene Angeschla gene war. Sofort nach seiner Geburt hatte seine Mutter Hera ihn wegen seiner Häßlichkeit aus dem Olymp geworfen – sein Verhältnis zu ihr war seither gestört –, und er war ins Meer gefallen. Später, als er schon Schmied war, ärgerte sich sein Vater Zeus über ihn und warf ihn abermals hinunter. Diesmal schlug er auf der Insel Lemnos auf und blieb ein Krüppel, lernte aber dort die letzten Feinheiten seiner Kunst, bevor er in den Olymp zurückkehrte. Großes Können besaß er, blickte aber voll Haß, Gier und Götterverachtung auf das heitere olympische Leben, das an ihm vorüberging. Er hielt sich lieber an die Menschen. Von ihnen erwartete er Ordnung, Treue, Achtung vor der Kunst – alles, was Götter vermissen ließen.

Was ihm am deutlichsten fehlte, war Zartheit in der Begierde und damit, kein Wunder, irgendeine Anziehungskraft für die Zärtlichkeit anderer. Sowohl Eros als auch Anteros, der Gott der erwiderten Liebe, machten um Hephäst seit jeher einen großen Bogen. Daher war auch Aphrodite der von Zeus befohlenen Ehe mit dem verschwitzten Hammerschläger so rasch überdrüssig geworden. »Schönheit und Handwerk, symbolisch vereint« – eine bessere Formel für Langeweile gab es doch kaum! Sie hatte sich lieber heimlich von der bei weitem angenehmsten Lanze des Ares verwöhnen lassen. Außer Hephäst selbst war darüber niemand so recht entsetzt oder auch nur verwundert gewesen. Und Zeus war damals noch keineswegs auf die Seite des Hephäst getreten, sondern hatte völlig normal reagiert: vor Lachen gewiehert und sich auf die Schenkel geschlagen. So war Zeus gewesen, bevor seine ängstliche Verdrießlichkeit von Ewigkeit zu Ewigkeit reichte. Diese allein war auch der Grund für das harte Urteil gegen

Hermes gewesen. Die Verführung Aphrodites, von allen ohnehin erwartet, hätte noch in eine erstarrende und sich verdüsternde olympische Welt hineingepaßt. Nicht aber Hermes selbst, der Gott der quecksilbrigen Beweglichkeit und des Schabernacks.

Das Metallgestell war keine Falle, sondern ein ehemaliges Bett. Die auf ihm gespannte Kuhhaut war verwittert. Wieso schliefen die Menschen jetzt auf metallenen Spiralen? Ein unwissender, zurückgebliebener Gott zu sein war bitter. Aber der Thymian tat Wirkung, er mußte das auch. Ein Gott ohne Mut, was war das schon?

Die Möwen hatten mit einemmal andere Stimmen, sie bellten. Doch nein, da kamen ja wirklich Hunde, fleckige Hunde mit hängenden Zungen. Hunderte von Hunden – scheußlich. Und natürlich mittendrin Hekate, die Hundsgöttin, mit Säbelbeinen und Damenbart. Sie trug des Hermes Schwungsandalen und seinen Flügelhut, sogar den Schmetterlingsstab, das Phalaion. Die als Götterbotin? War Iris etwas zugestoßen?

Hekate versuchte sich mit ihren O-Beinen in jenem schwebenden Gang, mit dem Boten nach der Überlieferung vor die Empfänger hinzutreten hatten. Gut, sie wollte ihm Zeus' Aufhebung des Urteils verkünden und die Hermes-Insignien aushändigen, den Zauberstab eingeschlossen. Er nickte ihr freundlich zu. Schließlich mußte sie aufgeregt sein: dem Hermes eine Botschaft des Zeus zu überbringen, weiß Gott und Göttin, so was macht befangen.

Hekate stellte sich so erhaben wie möglich in die staubige Gegend und begann zu sprechen. Die Hunde setzten und langweilten sich gehorsam. Hekates Sprache war einfach und plump – Hermes konnte sie kaum verstehen. Vielleicht sprach sie sonst nur mit ihren Hunden?

»Guten Tag, Hermes. Der Herr der Welt schickt mich. Du bist frei und kannst dich auf den Weg machen. Meide aber das Festland von Hellas und meide vor allem Athen! Wenn du diese Verbote mißachtest, kommst du wieder in den Rauchfang. Folge der ersten Menschenfrau, die du triffst, zum Mittelpunkt der Welt. Dort wirst du erfahren, was der Herr mit dir vorhat. Hut, Stab und Sandalen bekommst du jetzt noch nicht – du erfährst es, wann es so weit ist. Hier ist eine Wegzehrung für den Anfang. Alles weitere mußt du dir selbst besorgen.«

Sie stellte einen Korb hin, in dem sich zittriger Geleepudding, Nektar und Ambrosia befanden, übrigens nicht allzuviel davon. Die Hunde schnüffelten und wollten sich auf den Korb stürzen, Hekate mußte sie anschreien, um sie zurückzuhalten.

»Ist das alles?« fragte Hermes.

»Ja.«

»Das heißt, ich kann noch nicht fliegen, nicht unsichtbar sein, niemanden in Schlaf versetzen mit dem Stab? Was, bitte, kann ich eigentlich?«

»Alles, was du ohne Sandalen, Hut und Stab immer konntest. Ich gebe zu, daß das nicht viel ist, aber es dauert ja nicht ewig. Leb wohl. Und vergiß nicht: du darfst nicht nach Athen, das wäre ein schnelles Ende deines Ausflugs.«

Die Hunde spürten, daß sie jetzt wieder belfern, schubsen, beißen und hecheln durften, ihre Herrin brach auf. Hermes hätte bei dem Lärm ohnehin keine Frage mehr stellen können, obwohl er viele parat hatte. Wo war denn der Mittelpunkt der Welt? Um so einen Unsinn hatte er sich nie gekümmert, Fragen der Mitte waren Sache Apollons. Aber da war sie auch schon wieder dahin, die überforderte Alte, die fehlbesetzte Hundsgöttin. Wie hatte Zeus sie aus der Unterwelt herausreißen und ausgerechnet zur Götterbotin machen können?

Und wieso nannte sie Zeus ständig nur »den Herrn«?

Hermes merkte, daß er einige Arme voll Thymian brauchen würde, um nicht melancholisch zu werden über der ganzen Armseligkeit seiner Wiederkehr. Jetzt gab es noch eine Hoffnung: die Menschen. Sie waren immerhin von den Titanen geschaffen, und eine Titanin war auch seine Mutter. Andererseits war er viel zu sehr Olympier geworden, um in ihnen etwas anderes zu sehen als ein Spielzeug. Sie hatten mitunter hübsche Schenkel, es war lustig, sie zu verführen. Auch veränderte sich das Spielzeug ständig selbst und sorgte so für Überraschungen, sogar bei gelangweilten Unsterblichen.

Inzwischen war zwar auch allen Olympiern deutlich geworden, daß sie ohne die Gehirne von Menschen nicht existieren konnten. Aber deren gab es ja genug.

Hermes machte sich mühsam, Bein vor Bein, auf den Weg nach Norden. Hoffentlich war der Mittelpunkt der Erde nicht zu viele Schritte entfernt.

*

Die helläugige junge Frau, die angab, die Befreiung des Hermes gesehen zu haben, stammte aus Stendal in der Altmark und hieß Helga Herdhitze. Den Nachnamen verwünschte sie. Er symbolisierte so gut wie alles, was sie hinter sich lassen wollte. Mit ihrem Vater verband sie eine Haßliebe – sie haßte ihn, weil er so weit hinter dem zurückblieb, was sie an ihm liebte. Er konnte auf seine wortkarge Weise fast jeden brauchbaren Gegenstand ausrechnen und herstellen, aber er konnte nicht lieben und nicht leben.

Ihr Nachname war für Helga der einzig erwägenswerte Grund zu einer frühen Heirat. Fehlte nur der passende Mann. Die, die ihr am beharrlichsten den Hof machten oder nachstellten, kamen am wenigsten in Frage. Es lag eindeutig daran, daß keiner von ihnen der kleinen Statue im Winckelmann-Museum, die sie schon mit zehn Jahren für sich entdeckt hatte, auch nur entfernt ähnlich sah. Von der Heiterkeit und Klugheit des Gesichts abgesehen – sie konnte und wollte sich nicht vorstellen, jemals einen Mann anzufassen, der nackt anders aussah als genau dieser Hermes aus Bronze.

Seit dem 9. Dezember 1989 war sie neunzehn. In ihr herrschte eine alles bedrohende Sehnsucht – mit der Gefahr der Haltlosigkeit –, vielleicht eine versteckte Kraft. Darüber wollte sie mehr herausfinden.

Sie liebte nichts, was gleich blieb oder sich nur auf eine vorhergesagte Weise veränderte, dagegen alles Überraschende, und wäre es der Tod. Langeweile tat ihr physisch weh. Um Langweiliges nicht hören zu müssen, pflegte sie sich im Unterricht die Ohren zuzuhalten. Sogar im Schlaf wechselte sie ständig die Lage; morgens sah ihr Bett aus, als hätten in ihm Kämpfe stattgefunden. Und ihr Interesse an der Geologie war nur des Vulkanismus wegen entstanden und auf mögliche Erdbeben oder Ausbrüche gerichtet. Darauf konnte sie hier allerdings lange warten. Stendal lag in einer sogenannten »letzteiszeitlichen Niederterrasse«, beschrieben auch als »Toteisdepression mit Stauchmoränen« – da regte sich nichts.

In Stendal war am 9. Dezember 1717 Johann Joachim Winckelmann geboren worden, der »beredte Verkünder der Kunst des Altertums«, so stand es auf seinem Bronzedenkmal in der Nähe des HO-Kaufhauses »Magnet«. Helga, die sich schon seit der Kinderkrippe fragte, ob die Welt überhaupt von ihr Kenntnis nehme, war oft zu Winckelmann gegangen, um wenigstens ihr eigenes Geburtsdatum, wenn auch nicht mit dem richtigen Jahr, in Bronze geschrieben zu lesen. Manchmal dachte sie auch daran, wie es wäre, wenn sie wirklich schon seit 1717 auf der Welt wäre und entsprechend viel wüßte. Ihre kindliche Gestalt und Sprechweise wären dann nur Tarnung einer riesigen Überlegenheit.

Ganz klein stand auf der Rückseite des Denkmals »LAUCHHAMMER« und »FUDIT«. Lauchhammer war eine Stadt und eine Gießerei, also mußte ein Mann namens Fudit die Figur gegossen haben. Ihr Vater konnte so etwas sicher auch, er verstand sich auf alles, was aus Metall zu machen war. Schade, in seiner Werkstatt am Tangermünder Tor waren Esse und Amboß selten in Funktion: er mußte Betriebsschlosser in einem landwirtschaftlichen Kollektiv sein und war fast nur noch dort. Arbeitete er wirklich einmal in der Schmiede, dann wurden neue Achsfedern für alte Autos daraus, aber niemals edle Gliedmaßen und kluge Gesichter. Und er war so mutlos geworden, hatte Mutters Tod vor elf Jahren nie verkraftet und sprach immer wieder offen vom »Schlußmachen«.

Inzwischen wußte sie, daß »fudit« die Perfektform eines lateinischen Verbs war: Lauchhammer, die Gießerei, »fudit« – hatte gegossen. Ferner war sie gegen Winckelmann eingestellt. Der hatte eine Art ewiger und allgemeiner Schönheit erfunden, und der mißtraute sie wie jeder anderen Allgemeinheit. Sie witterte sogar Direktverbindungen zwischen der »edlen Einfalt« Winckelmanns und einer erlogenen Einheit ringsum. Und »stille Größe«, das war doch immer die des Opfers! Sie wollte lieber sterben als Opfer sein.

Sie war stets »die Dünne« gewesen, wirkte fast magersüchtig, war blaß, sommersprossig und in ihren Bewegungen so spinnenartig schnell, daß ihr Gesicht sich nur ganz wenigen wirklich einprägte. In der Schulzeit gehörte sie zu den besten Tischtennisspielerinnen, träumte dann von schweren Motorrädern und machte den Führerschein, wurde aber trotzdem nur lernend oder lesend angetroffen, oft auf den Bänken bei den Denkmälern Winckelmanns und Lenins. Sprach man sie an, redete sie so schnell, daß man zweimal um Wiederholung bitten mußte. Sie saß immer öfter in der leeren Schmiede des Vaters, sogar nachts im Lichtkegel einer grellen Arbeitslampe.

Nach der Schule arbeitete sie eine Zeitlang in der Bibliothek des Reichsbahn-Ausbesserungswerks. Sie wollte mit Büchern zu tun haben, vielleicht Geologie oder Archäologie studieren – denn Interessantes war hierzulande bestimmt nur noch unter der Erde zu finden –, außerdem reisen, um zu sehen, ob die Welt jenseits der Grenzen mehr mit ihr zu tun hatte als die um sie herum. Sie lernte die Sprachen der Länder, in die sie vielleicht einmal fahren konnte: Polnisch, Ungarisch, sogar Serbokroatisch, obwohl sie kaum Hoffnung hatte, je nach Jugoslawien zu kommen – das war ja schon wie Westen. Sprachen zu lernen fiel ihr leicht, und wenn sie einen Ausländer zu fassen bekam, konnte sie seine Sätze bald fehlerlos nachsprechen.

Sie saß in der Werkstatt, weil sie hier den Beginn und Mittelpunkt allen Unglücks sah, auch des eigenen. Die angerosteten oder fettglänzenden Werkzeuge, deren Namen ihr von Kind an vertraut waren, der Bodenbelag aus Ruß, Staub und Feilspänen, der unter den Schlägen der Hämmer bucklig gewordene Amboß mit dem mächtigen Dorn und dem viereckigen Loch, in das der Meißel zum Abschroten gesteckt wurde, Setz- und Vorschlaghämmer, Gesenke, langstielige Zangen – Denkmäler vergangener Geschäftigkeit, stumpf und blind jetzt, eisentot wie der Lenin am Tangermünder Tor.

Wenn ein Geruch zum Selbstmord führen konnte, dann der nach kaltem Schmierfett und Kohlenasche. Aber gerade hier wollte sie lesend Anlauf fürs Leben nehmen. »Fort von hier«, sagte jeder Gegenstand in diesem Raum. Angefangene Reparaturstücke und gerissene Ketten, der geborstene Karren, hohe Haufen von Hufeisen längst toter Pferde, starre Türme aus kaputten Autofedern, das war jene einst ehrwürdige Vergangenheit, die von irgendeinem Zeitpunkt an nur noch in Richtung Einsamkeit, Langeweile und Verrotten unterwegs gewesen war. Irgendwann hatten die Schmiede ihren großen Verrat an Esse und Amboß begangen. Als Kind hatte sie ihren Vater noch Gartentore schmieden sehen. Er hatte sogar Neues erfunden, ein fußgesteuertes Schwungfahrrad für einen Armlosen und eine noch nie dagewesene Fuchsfalle. Und er machte alles aus Resten, sah sofort Möglichkeiten, improvisierte. Er konnte alles, aber jetzt sah er keinen Sinn mehr darin, und das war Verrat am Können, aus Mutlosigkeit.

Hier saß sie und las: über Griechen, Vulkane, Romane, Schiffe auf hoher See, Schmuck aus Gold. Hier war der Eisenkeller, aus dem sie ausbrechen wollte, die Asche, aus der sie sich erheben würde, um in den Westen zu gehen, dorthin, wo jeder sich etwas ausdenken und es verwirklichen konnte, wo das Leben nicht aus dem bestand, was man sollte oder nicht sollte, wo alles gut aussah und gut funktionierte und Freude machte statt Angst und Melancholie. Und sie würde nie, nie zurückkommen. Sie liebte den Westen, den unerreichbaren, als Idee. Fehler und Fehlentwicklungen wurden dort als Chance erkannt, eingebaut, ausgeschöpft, zu neuen Wegen und Quellen gemacht, Fehler brachten Gewinn. Im Osten führten sie stets nur zu weiterem Nichtkönnen, weiterem Mangel, weiterem Nichtdürfen. Im Osten waren Fehler nur Fehler.

Vater hatte niemanden sonst. Im Frühjahr des Jahres 1990 – er war tagelang nicht nach Hause gekommen – hörte sie mit großem Schrecken, daß auf der Mülldeponie ein Mann gefunden worden war, mit einer Wäscheleine in eine Tischdecke aus Plaste eingebunden. Sie rannte zur Polizei, aber es war nicht Vater gewesen, nicht einmal jemand aus der Gegend. Wie sich ergab, hatte der Mann sich selbst gefesselt und in den Container gelegt, um auf die Kippe gefahren zu werden. Er lebte und sagte auf Befragen: »Legion heiße ich, denn wir sind unser viele.« Dann lief er fort, man sah ihn nicht wieder.

Dies hatte sich unmittelbar vor Helgas Abreise abgespielt. Sie war entschlossen gewesen, Athen zu sehen, und hatte von einer ehemaligen Tischtennisfreundin, die jetzt in München lebte, Geld geborgt. Bei einem der neu eröffneten Reisebüros buchte sie die Kreuzfahrt

»Ewiges Griechenland« einer Firma namens »Mythos-Tours Bob Cazzola«. Man versicherte ihr, daß für Athen auf solchen Reisen immer automatisch ein Tag eingeplant sei. Kurz vor Ostern bestieg sie in Venedig das Schiff und erfuhr erst dort zu ihrem Verdruß, daß Athen nicht angelaufen würde. Sie sah Ithaka, Delphi, Olympia, Korinth, Mykene, Naxos.

Santorin war die letzte Station vor der Rückkehr.

Zweites Kapitel

Schiffsreise mit Musik

Schon näherte sich der Abend des zweiten Tages nach seiner Befreiung oder besser Entlassung. In der zweiten Nacht wollte Hermes endlich Fuß fassen bei Menschen und Göttern.

Das schwelende Feuer auf dem Abhang konnte er sich jetzt erklären: Abfälle brannten da, und zwar wegen der großen Menge eines papyros-ähnlichen Materials, das neuerdings überreichlich vorkam. Dennoch erinnerte der Geruch an die stinkende Esse des Hephäst – die kannte er, seit ihm der Schmiedegott die Ketten angelegt hatte. Er wußte, wie es stank bei Hephäst, unter und über der Erde. Der lenkte ja die Menschen durch Gestank, machte sie gefügig durch Qualm, wenn er ihre Botmäßigkeit brauchte. Konnte er nicht etwas anderes nehmen – Obstgeruch wie die Musen, Parfum wie Aphrodite?

Schmerzen am linken Knöchel. Die Fußfessel hatte arg eingeschnitten, wahrscheinlich war Hephäst darauf aus gewesen, daß Hermes, käme er jemals frei, genauso hinke wie er. Das Wetter war miserabel. Wind, Regen und die Kälte waren nicht geeignet, seine Glieder beweglicher zu machen.

Zwei Tage und eine Nacht, und bisher nur ein lurchenhaftes Kriechen im Abfall. Aber er war bereits schneller geworden. Jetzt mußte er auf Götter oder Menschen stoßen, die er sich zu Verbündeten machen konnte, um Sandalen, Hut und Stab zu finden, endlich zu fliegen und – zu lieben. Zweitausend Jahre keine sanfte, bewegliche Brust unter den Händen, kein gekräuseltes Haar, keine Schenkel, plötzlich entblößt und geduldig. Sein Untergang mochte kommen, aber vorher wollte er ein paar Frauen verführen, Menschen oder Göttinnen, egal, sie umschlossen in derselben Weise, was ragte und schlüpfte. Beifällig erkannte Hermes, daß ihm, wie früher, sein anhänglichster Geselle bei solchen Gedanken voranzugehen anfing und eine Richtung anzeigte.

Rundherum war jetzt eine Landschaft aus hartgeschweißter gelber und schwarzer Lava, aus Terrassen gebildet wie Weingärten im Fels. Aber diese waren größer und häßlicher, und Wein wuchs hier nicht. Ein weiter Kessel nur, ein Stadion, das eine Erdwunde war, denn hier hatte man Gestein aus der Hinterlassenschaft des Hephäst abgebaut: Tuff oder Bimsstein, erstarrten Höllenschaum mit ungleichmäßigen Blasen und Poren, für jeden der Vorausschau Kundigen mühelos lesbar.

Hermes las, daß er diese Nacht bei einer Frau liegen würde.

Es gab viele Bienen rundum – vielleicht bauten sie in Luftblasen des Steins ihre Nester? Es war allerdings unwahrscheinlich, denn sogar wilde Bienen waren zu ordentlich, um sich auf die verquaste Starre vulkanischen Tuffs einzulassen. Jetzt sah er ein vierstöckiges Gebäude, unansehnlich, elend hinausglotzend auf die weite Caldera, es stand am anderen Rand der ausgeschürften Geisterarena. Da kamen die vielen Bienen hergeflogen, und da summten sie hin.

In der Mitte des Kessels war eine Riesenpfütze, vom Regen übriggeblieben. Sein Spiegelbild gefiel ihm nicht: in der Hitze des Vulkanrauchs waren die Haare zu einem schwarzen, gekräuselten Teppich zusammengebakken worden. Er wusch sie und den ganzen Körper mit Wasser und Sand gründlich durch. Der dunklen Hautfarbe war nicht beizukommen, und auch das Haar wollte sich nicht strecken.

Bei dem Gebäude traf er keinen Menschen. Es war halbverfallen. Große Teile der Mauern, die nicht aus Steinen, sondern aus Felsplatten bestanden, waren herausgeplatzt. Ein Erdbeben wohl. Drinnen die Bienennester, alle oben in dem Winkel zwischen Wand und Decke. Im großen, kahlen und leeren Raum hallte das Gesumm wie jene nervöse Musik, die dem Erscheinen der Erinnyen vorausging. Das Gebäude hatte unter der Obhut des Hephäst gestanden: überall Eisenräder, die einen mit einem Zackenkranz, andere glatt und breit, um die Bewegungen langer Lederbänder zu verlängern, die wiederum zu anderen Rädern reichten. Daneben Räder mit Griffen, Räder unter verrosteten Karren, zahllose kleine Zackenräder in einem geborstenen Kästchen auf dem Boden.

Vom Fenster im ersten Stock aus konnte Hermes die Häuser Theras sehen. An einer hohen Mauer stand: TAVERNA MYTHOS, allerdings in den ihm noch wenig geläufigen lateinischen Buchstaben. Gab es vielleicht doch keine Griechen mehr? Wein schien immerhin noch da zu sein, das war für den Umgang mit Menschen wichtig. Er bekam Lust, wieder in den Städten unterwegs zu sein und durch erleuchtete Fenster Liebende, Trinkende, Streitende oder Lesende zu betrachten. Schon als Kindgott war er dafür nächtelang unterwegs gewesen, neugierig darauf, wieviel Göttliches in den Menschen noch sein mochte, wenn sie sich unbeobachtet fühlten.

Den Sonnenuntergang wollte er noch abwarten, dann losgehen. Wie die Frauen sich jetzt wohl kleideten? Das Wichtigste war: würde er seinen berühmten Sprung wieder beherrschen lernen, den Sprung ins rechte Außenohr eines lebenden Wesens? Würde er sich wieder schonend durchs Trommelfell winden und ohne lärmerzeugende Ausrutscher die Gehörknöchelchen erklettern können, um dort mit den lenkenden Einflüsterungen zu beginnen? Niemand hatte es früher besser gekonnt als er, und manche Götter hatten es nie versucht.

Eines war sicher: angeödet zwischen Menschen herumzulaufen, an deren Kopf er nicht herankam, das war nicht sein Fall. Wenn es ihm nicht gelang, sich in andere Wesen hineinzuversetzen, fremde Welten in sich aufzunehmen, Spuren in ihnen zu hinterlassen, dann wollte er lieber zurück in die Ketten, eindösen und verdorren für weitere tausend Jahre im Rauch. Alles, nur keine Langeweile bei wachem Bewußtsein.

*

Das Klettern ging besser als erwartet. Den Korb hatte er im kahlen Palast der Bienen gelassen. Direkt zu jenem einladenden Schild wollte er hinauf, hinter dem die Taverne liegen mußte. Die Löcher im Lavagestein waren fest genug, um dem Griff Halt zu geben. Ein Skorpion, aufgeschreckt, stach ihn in den Daumen. Gut, daß er Schmerzen von sich schleudern konnte wie ein Hund das Wasser. Dann kam eine glatte, hohe Mauer, wahrscheinlich die Befestigung von Thera, das letzte Hindernis. Aber als er darüber hinwegsehen konnte, sah er keine Taverne.

Ein Heiligtum mußte das sein, mit Zypressen, Steinbänken und einem Obelisken in der Mitte. Auf diesem erkannte er Reliefbilder und eine Inschrift zum Gedenken an griechische Krieger, die in einer Schlacht mit den TURKOI gestorben waren. Ein neues Volk, vermutlich vom Rand der Welt zugezogen. Wer die Schlacht gewonnen hatte, stand nicht verzeichnet.

Auch hier kein Mensch. Nur ein Hund trottete heran, beschnüffelte ihn und beschloß, ihm vorübergehend wie einem Herrn zu folgen. Hermes überlegte, ob er den Sprung ins Hundehirn wagen und so seine nackte, schwarze Originalfigur verschwinden machen sollte. Aber für Hundeohren brauchte er mehr Übung und Geschicklichkeit. Sie waren durch einen gewissen Haarvorhang geschützt, außerdem pflegte sich ihr äußerster Trichter blitzschnell hin und her zu wenden, während man just im Anflug war. Ein weiterer Nachteil war, daß Tiere nicht oder kaum auf Einflüsterungen reagierten, man mußte über den Hörnerv bis ins Kleinhirn vordringen. Es war ein Sport, mehr nicht. In Notfällen taugten sie auch als Versteck und Tarnung – in der Gestalt eines Ziegenbocks hatte er den Pan gezeugt, was wirklich nicht einfach war –, man mußte dabei sehr viel weiter vordringen als bis ins Gehirn. Und ein solches Versteck durfte nicht währenddessen vom Messer des Schlachters oder vom Pfeil des Jägers getroffen werden, dann wurde es peinlich.

Er mußte sich nun etwas suchen, um seine Nacktheit zu bedecken. Da war ein hoher Mast, und an dessen Spitze wehte ein viereckiges blaues Tuch mit weißen Kreuzstreifen im Abendwind. Schnell war er oben, löste es aus den Ösen, merkte beiläufig, daß er es auch am Seil nach unten hätte ziehen können. Er rutschte wieder hinunter, knotete es sich um die Hüften und ging weiter. Vor einem Haus stand ein Mann mit einem erstaunlich hervorhängenden Bauch. Er schimpfte, denn er hatte den Raub des Tuchs gesehen. Sein Griechisch war noch schlimmer als das von Hekate und voll von Wörtern, die Hermes ganz unbekannt waren. Er antwortete ihm: »Sprich wie ein Mensch, damit ich dich verstehe!« Er überlegte, ob er sagen sollte: »Ich bin Hermes und wünsche deine Gastfreundschaft«. Oder konnte er ihm in den Kopf springen? Der Mann hatte das typische Salatblattohr des Denunzianten, womöglich schlecht gereinigt, verlockend war es nicht, aber er mußte so bald wie möglich mit den Studien beginnen.

Der Dicke ging ins Haus, und Hermes folgte ihm trotz seines Protestes, um den günstigsten Moment für das rechte Ohr abzuwarten. Aber der Mann hob soeben einen weißen Knochen an seinen Kopf, das eine Ende an den Mund, das andere genau vor das Ohr, als kenne er den göttlichen Trick und suche sich zu schützen, dabei redete er erregt zu sich selbst. Es war übrigens eher eine kleine Skulptur als ein Knochen, sehr glatt poliert, und an ihr hing ein dünnes Seil. Jedenfalls kam Hermes nicht in das Ohr hinein. Nun gefiel ihm der Mann sowieso nicht, und das Innere des Hauses stieß ihn ab – überall spiegelte und blitzte es, und alle Gegenstände hatten scharfe Kanten. Er ging wieder hinaus und wollte nun die Taverne finden. Der Hund war noch da. Er hob gerade das Bein gegen eine der Zypressen.

Eine schlanke, hübsche Frau ging vorbei und warf Hermes einen Blick zu, der sich für einen Moment auf sein Bekleidungsstück hinabverirrte. Sie war allein und offenbar in das Heiligtum unterwegs, um mit den Göttern Zwiesprache zu halten. Dann war sie die, der er ohnehin zu folgen hatte, um zum Mittelpunkt der Welt zu kommen! Ihre Augen waren hell, die Haare blond und befremdend kurz. Das Gewand war durchaus unweiblich: die Jacke riesenhaft mit ausgestopften Schultern, und die Beine steckten in langen blauen Röhren aus dickem, hartem Stoff. Aber wie sie sich in dieser Festung bewegte, war vielversprechend: zierlich und gelenkig – vermutlich konnte sie äußerst behende sein. Er folgte ihr und lächelte sie an: »Du hast Glück, ich bin Hermes. Du wirst Halbgötter gebären und lange leben.«

Sie lachte, zuckte mit den Achseln und sagte etwas in einer eckigen, zischelnden Barbarensprache, die bestimmt nicht vom Griechischen abgeleitet sein konnte. Sie sah seinen Körper an, lange und neugierig, was sehr herausforderte, auch wenn sie wahrscheinlich nur erstaunt war. Er gedachte diesem wunderbaren Lausejungen von Frau so rasch wie möglich aus der Männerjakke und den Beinkleidern zu helfen. Angst schien sie nicht zu haben, das traf sich gut. Zwar gehörte es zu seinen einfachen Künsten, Angst in Freude umzuzaubern, aber er brauchte dafür seinen Flügelstab, und den hatte zur Zeit Hekate. Natürlich wollte er später auch in ihren Kopf hinein, um zu lernen, was sie wußte und wohin sie auf dieser Welt unterwegs war. Und er wollte einiges von ihrer Sprache aufsaugen, damit er ihr während der nächsten Tage Liebesworte sagen konnte. Sie mußte unbedingt den metallenen Ohrschmuck ablegen, denn der war so groß, daß er Göttern den Weg ins Innere verstellte.

Ein Heiligtum war für innige Verbindungen zwischen Göttern und Menschen genau der richtige Platz.

Hermes faßte die Frau sanft an der ausgepolsterten Schulter und drehte sie zu sich. Ihr Gesicht war klug, anmutig, energisch und zeigte im Augenblick jenen Ausdruck beginnender Hingabe, auf den er jahrtausendelang gewartet hatte. Diese Frau wußte ahnungsvoll stillzuhalten, wenn ein Gott kam. Ich werde sie auf mir reiten lassen, dachte Hermes, sie wird Steinbänke nicht gewöhnt sein. Sein Herz klopfte rasch, mit der Winterschlaf-Gangart war es vorbei.

Plötzlich Männerstimmen. Da kam der Dicke von eben, begleitet von zwei hohen Figuren mit steifen Mützen, und ihre Hände hielten schwarze Stöcke. Unhöfliches Geschrei jetzt – sie schienen ihm sogar Anweisungen zuzurufen. Die Menschen wußten ganz offensichtlich nicht mehr, was ein Gott war. Wohin also, in den Kopf der Frau? Daran hinderte ihr Ohrschmuck, und der Sprungzauber wirkte nicht, wenn er selbst den Zugang frei machte. Nein, da blieb nichts übrig: er mußte sie loslassen und flüchten. Er hatte noch nicht wieder die ganze Sekundenkraft, dennoch konnten ihm die Männer mit den Mützen kaum folgen. Allerdings kannten sie den Ort besser. Er rannte in eine mit Menschen gefüllte Straße hinein – einige Frauen schrien auf – und prallte fast gegen eine große glasige Schildkröte auf Rädern. In ihr saßen Menschen, entsetzt über seinen Anblick. Die Straße hatte ein totes Ende, also stahl er sich durch die offene Tür in eines der Häuser. Da saßen Menschen vor einem kastenartigen Fenster, aus dem bläuliches, vibrierendes Licht drang. Er sprang die Treppe hinauf, durch ein Zimmer hindurch, zog sich aufs Dach und verbarg sich hinter einem der Schlote. Ein Bemützter versuchte ihm zu folgen, während der andere von der Straße Hinweise heraufrief. Der Verfolger betrat das Dach, aber er war zu schwer. Unter Krachen und Scheppern brach er durch die Ziegel und landete im Stockwerk darunter. Hermes hörte, wie er stöhnte und schimpfte. Auf dem Dach stand ein langer Stiel mit einem kammartigen Gestell aus Metall, eine Sitzgelegenheit für Vögel. Es gab jetzt also einen Vogelkult.

Er hörte die Stimmen vieler Menschen unter dem Dach und beschloß, in einigen Sprüngen über die Häuser wieder zum Heiligtum zurückzufinden – die Frau saß ja auf der Steinbank und wartete auf seine Rückkehr. Die Sprünge gelangen ihm, er brach auch nicht ein – schließlich wiegen selbst stattliche Götter kaum mehr als eine wohlgenährte Katze, wenn sie sich nicht willentlich schwer machen. Einige Menschen sahen ihn, aber jetzt waren Kraft und Geschick wieder da – niemand konnte ihm folgen.

Die Frau war verschwunden. War sie in der Gewalt des Dicken? Hermes ging zu ihm ins Haus und fragte ihn. Der griff schon wieder nach der Skulptur am Strick. Hermes nahm sie ihm weg, haute damit auf seine Finger und wiederholte die Frage. Aber der Dicke verstand nun einmal nicht das Griechisch von früher. Hermes ging zu der Stelle, wo die Frau zuletzt gestanden hatte, nahe dem Obelisken, und sog die Luft ein. Nach Blumen hatte sie gerochen. Wo war der Hund? Da kam er angetrottet. Hermes kauerte sich nieder, wie um mit ihm zu spielen, sprach leise auf ihn ein, damit er die Ohren aufstellte und ruhig hielt. Dann löste er das blau-weiße Tuch von den Hüften, denn um in einen Kopf zu springen, mußte er nackt sein. Schon war er drin, kein Problem mit den Haaren! Sehr vorsichtig schlüpfte er durchs Trommelfell ins Mittelohr – Hunde waren dort nervöser als Menschen – und glitt über die Brücke in die ausgebreitete Welt von Gerüchen und Geruchserinnerungen unzähliger Hundegenerationen. Unter den frischesten Eindrücken fand Hermes den Blumenduft der Frau. Im Kleinhirn konnte nicht einmal ein Anfänger fehlgehen. Schnell hatte er wieder Überblick über den Verlauf der Nervenstränge, reizte und kitzelte an den richtigen Stellen. Ohne viel Mühe fachte er den Jagdinstinkt an, leitete ihn auf den Duft, und schon nahm das Tier die Fährte auf und schnüffelte sich durch die Stadt. Hermes schlidderte nach vorn zum Sehnerv, der bequem zu begehen war, und sah zu den Hundeaugen hinaus. Gleich bekam er einen Schreck, weil wieder eine der Riesenschildkröten auftauchte. Er wußte, im Kopf eines getöteten Hundes bliebe er auf lange Zeit elend gefangen, denn nur entweder aus lebenden oder aus ganz zu Staub gewordenen Wesen ließ sich wieder herausspringen.

Aber der Hund kannte sich aus, blieb ruhig, schlüpfte gefahrlos überall durch und folgte dem Duft der Frau zuverlässig bis in deren Herberge. Er schlich durch die Tür – ein Pförtner versuchte es zu verhindern. Aber wer den Hermes trug, war durch Geschrei und Wurfgeschosse nicht aufzuhalten. Dann war da eine Treppe, ein langer dunkler Gang, und dort setzte sich der Hund vor eine Tür und winselte. Hermes sprang durchs Ohr hinaus, der Hund sah ihn plötzlich wieder in voller Größe und floh erschreckt.

Wie machte man eine heutige Tür auf? Gut, daß der Hund gewinselt hatte, die Frau öffnete von innen. Sie war nicht einmal erstaunt, sondern lachte und ließ ihn eintreten. Auf dem Tisch standen eine große Phiole und zwei enge Röhren aus Glas, aus denen man nicht trinken konnte, ohne mit der Nase anzustoßen.

Wieviel Glas es gab! Früher war ein Stück von der Größe eines Unterarms eine Kostbarkeit gewesen, für deren Transport Könige ein Schiff ausrüsten ließen. Dreihundert Riemen hatten sich dreihunderttausendmal ins Meer gesenkt für ein paar Trinkschalen aus blauem Glas. – Die Menschen schienen jetzt alles zu lieben, was Licht zurückwarf, blitzte und schillerte. Spiegel gab es, blankes Metall, und noch einen anderen Stoff, eine durchsichtige, glänzende Haut, mit der sie jetzt viele Gegenstände verzierten. Belustigt beobachtete Hermes, wie die Frau über die ganze Länge seines erstarkten und sehr hervorragenden Gesellen eine schimmernde, enge Hülle aus solchem Stoff ausrollte und erst dann ihre helle Freude daran hatte, obwohl auf diese Weise bestimmt keine kleinen Halbgötter entstanden. Nicht einmal gemeine Sterbliche, gar nichts.

*

Als es Mittagessen gab, tauchte in Fahrtrichtung Ägina auf, von wo aus es nach Athen nicht einmal weit gewesen wäre. Sie haben mich in den April geschickt, dachte Helga und beschloß, künftig statt »April April!« »Athen Athen!« zu sagen und dann jedesmal von der Unfähigkeit jenes Reisebüros zu erzählen, mit Namensnennung! Um den Ärger nicht zu sehr aufsteigen zu lassen, ging sie dazu über, sich auf den Kanal von Korinth zu freuen, der sie schon bei der Herreise fasziniert hatte. In den Schichten und Scharten seiner hohen Wände konnte sie eine riesige Geschichte lesen über versäumte, erfüllte, verratene Liebe und über das Ende der Welt.

Das war nicht schwer, man mußte nur wissen, wo man selbst steckte in dieser Wand, und dann für sich einen Weg suchen wie ein Fluß im Entstehen. Hoffentlich fuhr das Schiff diesmal noch langsamer.

Der Schmied beugte sich über den Tisch und fragte, ob sie Lust hätte, mit ihm Pingpong zu spielen. Der Ärmste hatte keine Ahnung, was es hieß, gegen eine mehrmalige Meisterin des »ESV LOK Stendal« im Tischtennis antreten zu wollen. Er schien jetzt ihre Nähe zu suchen. Im Grunde tat er ihr leid. Ein ehrlicher Mann, der unter irgendeinem Einfluß stand. Sie antwortete: »Ich ruhe mich aus für das Abschiedsfest.« Das sagte sie zu schnell und mußte es wiederholen.

Ihr war bang vor der Rückkehr nach Stendal. Kein dunkelhäutiger Geliebter dort, keine Liebe von der plötzlichen Art, die packte und berauschte. Statt dessen der künstliche Käfigvogel am Spielwarengeschäft in der »Straße der Einheit« (sie hieß noch nach der alten, der Einheits-Einheit). Die Tonbandstimme des Vogels quakte seit Februar ununterbrochen dasselbe: »Hallo! Ich kenne deinen Namen! Ich habe auch ein Geschenk für dich!« Worauf er den Schwanz schüttelte, in Schweigen versank und nach einiger Zeit alles wiederholte. Sie hatte ihn fürchten gelernt und die Straße der Einheit gemieden. Aus Stendal wollte sie so rasch wie möglich ganz fort.

In Santorin leben! In einem Haus am Abgrund mit Blick auf den Sonnenuntergang, als Gastgeberin und Geliebte eines rauchfarbenen Gottes aus den Anfängen der Menschheit. Sie mußte nur Griechisch lernen. »Chronia polla« – »auf viele Jahre«, so hieß der Ostergruß, der Auferstehungs-Jubelruf. Sie selbst hatte eine andere Auferstehung gefeiert – mit dem Auferstandenen selbst, und er stand wirklich nicht schlecht. Dann hatte sie ihm aus einem der Höfe einen Jeansanzug geklaut, gefahrlos, weil alle bei der mitternächtlichen Prozession zusahen. Sie waren dann selbst durch die Stadt spaziert, um Menschen und die Prozession zu sehen. Auf einem weißen Tablett voller Blumen hatte man das Tabernakel getragen. Oben im Turm, beleuchtet wie ein Fisch im Aquarium, stand der Glöckner und läutete. Dazu krachten, wie schon den ganzen Tag über vereinzelt, die Böller. Sie sollten vielleicht jene Erdbeben ersetzen, die alle richtigen Auferstehungen begleiteten.

Helga lehnte sich zurück und schloß lächelnd die Augen. Ein Gott. Listig und zupackend im rechten Moment. Dunkel. Sie hatten sich verstanden ohne Sprache. Der Klang der Stimmen genügte, die Melodie des Erzählens. Helga hatte viel gesprochen, und immer noch mehr, weil sie merkte, wie begierig er lauschte. Davon, daß es bei ihr zu Hause nur wenig Leben gebe, es sei denn in der Vergangenheit. (Da erzählte sie ihm von der Liebesnacht des französischen Soldaten Henri Beyle, 1807, mit einer gewissen Minette in der Straße Schadewachten – jetzt Straße der Freundschaft – Nr. 19, wonach er den Namen der Stadt als Pseudonym gewählt habe und Romanautor geworden sei). Westlich von Stendal liege die Mitte der Welt, im Dorf Poppau bei Klötze. Im Grunde sei sie nur ein großer Stein, aber an ihm hingen die starken Ketten, die die Erdteile zusammenhielten. Er lauschte ergriffen, sagte dann Griechisches. Sie verstand mühelos: sie sei die schönste, verrückteste, leidenschaftlichste, zauberischste – ach was – die Frau, für die er sterben würde, wenn ihm das als Gott möglich wäre. Sie solle bitte nur einmal hören, wie bei ihrem Anblick das Blut in seinen Ohren klopfe. Und wirklich, so war es.

Ja, Ohren: der schwarze Gott war verrückt danach. Er wollte ständig ihre Ohren küssen, vor allem das rechte. Deshalb war ihm auch ihr Ohrschmuck nicht recht, und nicht das Kopftuch, das sie während der Osternacht trug. Aber da war nichts zu machen. Sie hatte zwar den Instinkt, ihm alles zu geben, ihm alles zu eröffnen, immer wieder und wann er wollte – aber nicht das rechte Ohr! Und hatte dafür nicht die geringste Erklärung.

Dann war plötzlich der französische Versicherungsmathematiker aufgekreuzt, Jean-Claude, und hatte sie angesprochen, um ihr etwas zu zeigen, was hinter einem Fenster zu sehen war, in einem der kleinen weißgetünchten Häuser mit Kuppeldach in der Nähe der Kirche: ein Ölbild des Canal Grande in Venedig. Brükken, schwarze Gondeln, und auf dem Balkon eines Palazzo eine ruhige Gestalt, nackt, dunkelhäutig mit hellem Blick. Ein Botschafter und zugleich eine Botschaft, aber welche?

Als sie sich wieder zu ihrem Begleiter umdrehte, hingen seine Jacke und Hose über einem Fahrradlenker neben dem Fenster, er selbst war verschwunden. Nur der Franzose stand noch neben ihr und lächelte sie an. Er wollte ihr dann sogar bis ins Zimmer folgen, aber da kannte er sie schlecht. Entweder Gott oder keiner.

Sie glaubte nicht an das Ende. Nackt, wie er gekommen war, hatte er sich wieder aus dem Staub gemacht, der Liebhaber aus dem Fels, Hermes. Götter nahmen nicht lang Abschied. Sie kamen oder gingen, wann sie wollten. Jetzt hieß es nicht verzweifeln, sondern heiter bleiben, denn dann, und nur dann, kam er wieder.

*

Zum ersten Mal wieder im Kopf eines Menschen! Er saß, nach einem kurzen Besuch beim Lebensbaum des Kleinhirns, unter dem Gewölbe im Zentrum des Großhirns, von wo aus sich der Bestand am sichersten überblicken ließ, bevor er sich ins Labyrinth der Gänge und Bahnen, Gedankenquellen und Vergessens-Depots hineinwagte, in dem sich schon findige Götter gründlich verirrt hatten. Und er wußte ja nicht einmal, was die Gehirne heutzutage normalerweise enthielten, kannte außerdem noch nicht die Sprache dieses Mannes, so daß auch die Orientierung an den meistgebrauchten Begriffen nicht möglich war. Vielleicht hätte er als erstes lieber ein Kind wählen sollen und keinen MATHÉMATICIEN DIPLOMÉ – er war eine Art Rechensklave, und zwar DÉLÉGUÉ AUX ASSURANCES. Immerhin war JEAN-CLAUDE, an dem er jetzt sozusagen teilhatte, Passagier auf dem Schiff der jungen Frau, außerdem ein erwachsener Mann. Somit war kein Vergnügen ausgeschlossen. Er, Hermes, wollte dafür sorgen, daß Jean-Claude die junge Frau nicht aus den Augen ließ. HELGA hieß sie, den Namen hatte er hier vorgefunden. Zunächst hatte er allerdings Helga durch die Augen von Jean-Claude kaum wiedererkannt. Es waren keine klaren Augen, sie blickten mehr nach innen als nach außen.

Helga dagegen war ein Hermes-Wesen. Hätte sie sonst das Gewand für ihn gestohlen? Sie hatte etwas gewagt und ein Geschenk gemacht, das nicht Besitz, sondern glücklicher Raub war. Das sagte alles.

Jetzt mußte er sich einprägen, wie die heutige Welt vonstatten ging, mußte sehen, was Jean-Claude sah, lernen, welche Wörter es dafür gab und mit welch anderen sie im Zusammenhang standen. Gerade weil der FRANÇAIS kein Hermes-Mensch war, sondern ohne Begriffe nicht denken, geschweige denn sehen konnte, war er fürs Lernen geeignet. Auch pflegte er Begriffe, die ihm einfielen, in seinem Inneren nicht zu hören, sondern geschrieben zu sehen, das war von Vorteil. Sobald Hermes über alles Bescheid wußte, wollte er wieder die schöne Helga umräubern.

Jean-Claude lag in einem tuchbespannten Ruhegerät an Deck und starrte auf die Möwen, wie sie unentwegt hinter dem Schiff herglitten ohne Flügelschlag.

Das Schiff war riesengroß, weiß und hatte kein einziges Segel, es schwankte auch kaum. Aus einem Aufbau über dem Deck drang dünner Rauch. Aiolos, der Hüter der Winde, ärgerte sich vermutlich über dieses Schiff. Hephäst hatte die schwimmende Festung gebaut: Wohin man sah, starrte sie von Rädern und Metall, und die Wände waren übersät von eisernen Warzen. Im Schiffsbauch gab es eine Feuerhitze namens LA MACHINERIE. Das hatte sich Prometheus wohl nicht vorgestellt, als er ein Bröckchen Glut aus Hephästs Esse nahm und im hohlen Pflanzenstengel zu den Menschen schmuggelte. Gegen Raubtiere hatte er ihnen helfen wollen, weiter nichts.

Es ließ sich nicht leugnen, Hermes war gegen dieses Schiff voreingenommen. Es bewegte sich nach anmaßenden, unnatürlichen Regeln, und Poseidon schien das leider hinzunehmen. Wie leicht konnte er Schiffe zu sich heruntersaugen samt ihren Menschen, Tieren und Schätzen. Aber da mußte eine Vereinbarung getroffen worden sein – der Meeresgott und Hephäst schienen sich neuerdings zu vertragen. Nur durch eine Metallhaut war das Reich Poseidons, kühl und unendlich, getrennt von dem des Vulkangottes, Gewalt und Hitze. Hephäst schien an Macht gewonnen zu haben, sonst wäre das nicht gutgegangen. Kein Wunder – er stellte ja ständig etwas her (das war seine Art der Erotik), und wenn keiner ihn aufhielt, war es nur eine Frage der Zeit, bis dieser hemmungslose Demiurg schon durch seine Produkte allgegenwärtig war. Wie auch immer, sagte sich Hermes, alles, was ich möchte, ist: die Glieder strecken, viel sehen und hin und wieder ein bißchen verehrt werden. Keinen mühsamen Kampf gegen Macht- oder Materialerotiker.

Herumflanieren wollte er, als Bote ohne Botschaft, und daraus würde entweder Gutes oder gar nichts entstehen, beides war ihm recht. Wer schwarz aus dem Fels kommt wie ich, dachte er, den interessiert keine CARRIÈRE. Das Wort kam in diesem Hirn hier so häufig vor, daß der Sinn klar war. Schade, daß Jean-Claude zwar FRANÇAIS und ANGLAIS sprach, aber nicht die Heimatsprache Helgas. Irgendwann, wenn einmal ihr Ohr frei war, mußte er eben doch aus Jean-Claude heraus- und zu ihr hineinspringen. Er saß lieber in weiblichen Köpfen als in männlichen. Außer vielleicht unmittelbar während innigster Zärtlichkeiten – was aber manchmal den Reiz der Abwechslung hatte.

Den Zusammenhang der Welt mußte er auf französisch erfassen – und diese Sprache war für den Anfang sehr geeignet, weil nichts Dunkles und Rätselhaftes sie verschwimmen ließ.

Also: Die neuen, großen Häuser bestanden nicht aus Felsplatten, sondern aus BETON, die Straßen nicht aus Lava, sondern BITUME. Dann gab es noch etwas Wichtiges, von dem das Wohlergehen aller, aber insbesondere das von Jean-Claude abhing, MULTIPLICATION. Sie bedeutete jähe Vermehrung, erinnerte entfernt an die Entstehung von Reichtum, beruhte aber nicht auf Fruchtbarkeit, Glück und Genealogie, sondern auf rasend schneller Herstellung vieler einander gleicher Dinge, auf einem sklavischen Drill der Vervielfältigung.

Auf einer der Inseln hatte Jean-Claude mit einer kundigen und tätigen Hetäre geschlafen, fürchtete sich aber jetzt vor einer Krankheit namens SIDA. Was sie anrichtete, hatte Hermes bisher nicht herausgefunden. Dafür konnte er den Wert des Geldes erschließen: hundert Dollar für eine Nacht, das bedeutete, gerechnet von den Preisen für Hetären vor zweieinhalbtausend Jahren, dreihundert Obolen oder fünfzig Drachmen oder eine halbe Mine, etwa der Preis eines kleinen, einfachen Perlenhalsbandes. Der Preis für einen Krug Wein konnte demnach bei fünf Dollar liegen. Hermes rechnete nicht unbedingt gern, aber im Kopf eines MATHÉMATICIEN DIPLOMÉ war es ein Kinderspiel.

Mehr Mühe machte das Erlernen der Körperbewegungen und Handgriffe, des Lichtmachens etwa. Jean-Claude griff, wenn er einen dunklen Raum betrat, um den Türpfosten herum nach innen und betastete oder drückte einen Punkt an der Wand, den er nie ansah – weshalb Hermes ihn nicht sehen und sich merken konnte. Nicht einmal der Name dieses Wand-Ortes erschien. Ein Gott im Hirn eines Menschen lernte durch die Wörter, die er in den Spalten, Linien und Gewölben unter dem Schädeldach vorfand. Unwillkürliche oder unbedachte Handlungen konnte er sich zwar merken, aber im Vokabular nicht wiederfinden, wenn von ihnen die Rede war. Und auch sie mußte er beherrschen lernen, wenn er bald wieder in eigener Gestalt unterwegs war. Wie die Beinbekleidung PANTALON geschlossen wurde, hatte er sich gut merken können (Jean-Claude sah oft an sich herunter, also er mit ihm, und prüfte, ob alles in Ordnung war). Nach welchem Gesetz der Verschluß sich schloß, war unerfindlich – man zog, alles war zu, man zog erneut, alles war offen. Jedenfalls war die Richtung entscheidend, wie auch bei anderen Dingen, die wie dank Zauberei durch einen Handgriff (in einer winzigen, aber eben von der Richtung her eindeutigen Bewegung) etwas entstehen ließen. An den Füßen etwa: Jean-Claude trug weiße Fußbekleidungen aus Leder und Tuch, mit Sohlen aus einem weichen Harz, das nicht klebte. Schließen: die Laschen zudrücken. Öffnen: die Laschen abreißen (nichts wurde dabei zerstört). Dann gab es den Ort, an dem Verbrauchtes aus dem Körperinneren zu Tage gebracht und dann mit viel Lärm ins Meer gescheucht wurde. Es wurde zunächst in einer Schale abgelegt. Nach dem Drücken eines Metallstiels fuhr Poseidons Gewalt aus mehreren Öffnungen in die Schale, brüllte und kreiste wie die Mänaden beim Tanze, und bald ging alles auf und davon. Aber kein Wort hatte Jean-Claude dafür, er dachte keines, sprach keines, so ohne Nachdenken ging alles vor sich! Für anderes, Türen zum Beispiel, hatte er die richtigen Wörter beisammen: ClOSED, OPEN. Oder für die Waschschale: an den Röhren darüber waren Drehknöpfe. Drehte man sie nach links, kam Wasser und hieß EAU. Kam es nicht, so hieß das MERDE; wenn es verspätet doch noch kam, trug es den Namen ENFIN.

An Helga kam Jean-Claude nicht recht heran, auch

weil er ihre Sprache nicht sprach. Vor allem mochte sie ihn nicht. Da half es auch nicht, daß Hermes jedem Helga-Gedanken im Hirn des Mathematikers Vorrang verschaffte. Er zwang ihn, zu ihr zu gehen und ein Gespräch auf Englisch zu versuchen, aber sie antwortete, sie wolle lesen. Sie las aber nicht im Buch, sondern in der Wand des Kanals, durch den das Schiff fuhr. Auch das zeigte, daß sie eine Hermes-Frau war: sie erkannte die Pläne, die in Steinen und Hölzern wohnten, versuchte an den Schichtlinien von Fels und Lehm, an der Folge von Adern und Rissen zu erkennen, was in ihnen und was in ihr selbst angelegt war, die Zukunft also. Dennoch ahnte sie nicht, daß er, Hermes, im rechten Ohr des Mathematicien kaum eine Armlänge von ihr entfernt, nach ihr schmachtete. Da gab es ohnehin eine Schwierigkeit: wenn man als Gott in einer anderen Gestalt wohnte, wirkte sich der Geist des Gastgebers auf die Verfassung des Gastes aus, ähnlich wie in Häusern. Die Beeinflussung war gegenseitig. Und dieser Jean-Claude war zwar verliebt, aber die Art, wie er Helga und Frauen überhaupt betrachtete, war anders als die seine. Hermes verstand nichts von Frauen – er wollte etwas von ihnen. Jean-Claude hingegen war jemand, der eine umfangreiche Sammlung in Ordnung hielt und immer neue Einteilungen vornahm: Runde und Schlanke, extra lange Beine, spezielle Hälschen, schwarze Strähnen, helle Locken. Er glaubte von Frauen so viel zu verstehen, weil er so viele davon im Spind seines Kopfes aufbewahrte – geschlafen hatte er mit den wenigsten. Er hielt es für seine Aufgabe, Frauen richtig zu behandeln, CORRECT – das war überhaupt das Schlüsselwort zu diesem Typ. Obwohl er zum Beispiel im Bett die Socken anbehielt, und das waren wollene, kratzige. Er hatte keine Ahnung, daß juckende Füße, erstickt vom Sockenmief, ein Gehirn über Nacht veröden lassen konnten. Es stand schon schlimm genug: nur noch wenige Bilder der Vergangenheit stiegen auf, und wenn, dann waren sie starr, sie schimmerten und spielten nicht mehr. Bei ENFANTS oder FRANCE tauchte das Ölgemälde eines Vorfahren von Jean-Claude auf. Er trug darauf ein Kleid aus Eisen und hieß LE CONNÉTABLE. In dem Zusammenhang gab es einen ausgedehnten Hain namens PARC rund um ein großes, turmreiches Gebäude, wo der kleine Jean-Claude mit seiner Schwester Versteck gespielt hatte. Während sie ihn suchte, pißte er hinter die Büsche in der Hoffnung, dabei von ihr ertappt zu werden. Etliche Bilder gab es von dieser Art, aber insgesamt war es doch eine karge Ausbeute.

In stumpfen Gehirnen fanden Götter keine brauchbaren Instrumente, um die Lage zu ändern – nur in spaltenreichen, von Aufmerksamkeit und Erinnerung blitzenden Köpfen konnten sie Geist selbst entwickeln und lenken, Entdeckungen fördern, Fähigkeiten ausspinnen. Gut, daß der korrekte *Français* sich gegen Abend hinlegte und schlief, um für LA FÊTE frisch zu sein. Hermes schlüpfte aus seinem Ohr, nahm seine Kleider und suchte Helgas Zimmer. Aber sie ruhte ebenfalls – sie hatte nicht nur ihre Tür, sondern auch ihre Ohren verschlossen, um schlafen zu können. So ging er an Deck, legte sich auf das Lager neben dem dösenden Dicken, der Helgas Sprache sprach, und zog sich nackt aus, denn er wollte nun Deutsch lernen. Es handelte sich hier zunächst um ein robustes Knopfohr nach Bärenart, einen leicht schmalzigen äußeren Gehörgang und eine wenig sensible Paukenhöhle. Da Hermes sich etwas zu sehr beeilte, ins Großhirn zu kommen, verrannte er sich zunächst in die Zirbeldrüse und stolperte über einen Längsblutleiter. Als er im Gewölbe ankam, war rundum heftiges Träumen im Gange, ein Schwall von Erinnerungen und Phantasien brach über ihn herein, spülte ihn jählings bis zum Ammonshorn.

Er wußte, daß er mit träumenden Wirten vorsichtig sein mußte, aber was in diesem Hörgedächtnis im Gange war, erschreckte ihn doch: sausende Hämmer, Funkenstieben, Getöse, und mittendrin der Satz ABSCHROTEN WILL GEKONNT SEIN! Ein Schmied. Gut, daß der Traum mit einem fürchterlichen Hammerschlag endete, der Mann sich streckte und die Augen öffnete. Auf dem Stuhl neben ihm lag Jean-Claudes Kleidung. Eben ging Helga vorbei. Er eilte ins äußere Ohr. Hinüberspringen? Aber sie trug schon wieder einen unüberwindlichen Ohrverschluß, diesmal schwarz. Es waren in die Gehörgänge gesteckte Zapfen, durch einen Bügel unter dem Kinn verbunden, und aus ihnen zirpte Musik. Hermes vermutete das Schlimmste: in ihrem Kopf saß bereits ein anderer. Wie sollte dort sonst Musik zustandekommen?

Die andere Möglichkeit war, aus dem Ohr des Dicken zu schlüpfen und Jean-Claudes Sachen wieder anzuziehen. Die wählte er, obgleich einige Passagiere es bemerkten und sich wunderten. Als er schon den Pantalon in der Hand hatte, stand plötzlich einer der weißgekleideten Männer mit starrem Hut vor ihm und fragte ihn etwas Unverständliches. Es blieb ihm nichts übrig, als die Hose fallen zu lassen und wieder ins Ohr zu hüpfen. Dort lag der Name des Fragenden vor: OFFIZIER, übrigens mit einer reichlichen Portion Ablehnung – der Schmied liebte die ganze Sorte nicht. Der

Offizier machte jetzt ein so dummes Gesicht, daß Hermes laut und lange lachen mußte, dem Schmied wurde schwindelig.

Nur Helga hatte nichts von alledem bemerkt. Sie lehnte sich gerade an das Schanzkleid des Decks und schloß die Augen. Hermes brachte es durch einiges Gekitzel und Gezerre im Schmiedeshirn dazu, daß der dicke Mann sich erhob und der jungen Frau nachging. Da der Gastgeber weder *anglais* noch *français* sprach, kam Hermes ans Deutsche noch kaum heran – es gab zur Zeit also keine Möglichkeit, ihn auf deutsch sagen zu lassen: »Ich bin Hermes«. Daher überließ er dem Schmied die Wahl der Worte und hörte: »PAAR TAKTE KÖNNTEN WIR JA MAL, ODER?«, ohne zu wissen, wovon die Rede war. Sie schlug die Augen auf und fragte »WIE BITTE?«, und der Schmied sagte »NA PINGPONG« und phantasierte deutlich einen kleinen weißen Ball. Sie schüttelte lächelnd den Kopf und schloß die Augen, um sich wieder dem Gezirpe ihrer Ohrenschützer hinzugeben.

Da saß er, Hermes, in dieser Schmiedewerkstatt von Kopf, und lernte kaum DEUTSCH, dafür aber BIERTRINKEN. Für einen Gott, der zweitausend Jahre aufzuholen hatte, waren das Umwege. Hermes ahnte, welcher Art Mensch der Schmied ursprünglich einmal angehört hatte, dem Typus »guter Wirt«: wohlwollend, aufmerksam und immer zu gemeinsamen Späßen aufgelegt, ein Mann des Dionysos mehr als des Hephäst. Aber das war vorbei, er war wie gelöschter Kalk, mit der Aufmerksamkeit war das Wohlwollen gewichen, mit dem Wohlwollen die Aufmerksamkeit. Es hing mit einer Plage oder Krankheit zusammen, die ARBEIT hieß. Wie sie zustandegekommen war, ließ sich nicht mehr erschließen, aber wodurch sie einen Geist zerstörte, sehr wohl: sie raubte Freiheit und Muße. Das Ergebnis: Gedanken und Bilder bewegten sich nur noch langsam. Und dann war da ein unzugänglicher Bereich, ein Verlies fast, vom übrigen Denkapparat getrennt, kein Tumor, aber einem solchen ähnlich. Was dort vorging, fand Hermes nicht heraus. Es roch aus dieser Gegend penetrant nach Pech und Asche, mehr war nicht auszumachen.

Jetzt tauchten immerhin Bildechos zum Begriff OFFIZIER auf, Nachklänge von vorhin. Der Schmied war in einem Heer, aber nicht in einem Krieg gewesen. Er hatte meist als DRAHTGABLER mit einer langen Stange stundenlang ein schwarzes FELDKABEL hinter Baumäste geklemmt, das kein Ende nehmen wollte. Offiziere waren Anführer, die zur Eile trieben, und auf manche hätte jeder vernünftige Mensch eine lange Stange fallen lassen, nicht nur der Schmied, der dafür in den dunklen BAU kam, während der Offizier lediglich eine BEULE davontrug.

*

Ein von Glas und Chrom funkelndes Büro, aber mitten auf dem Schreibtisch ein Ölkanister, und über dem Sessel hängt ein schwarzfleckiger Overall. Am Telephon ein schwerer Mann, breitköpfig, in der rußigen Pfote eine qualmende Brasil, er wippt nervös, scheint sich zu ärgern. Zwei goldene Krücken mit merkwürdigen, barock wirkenden Ausbuchtungen lehnen griffbereit an der Tischplatte. Bei näherem Hinsehen haben die Krücken die Gestalt schlanker Frauen.

Er tritt gegen den Papierkorb. »Es heißt nicht ›ja‹,

sondern ›jawohl, Herr Konsul‹ oder ›dreimal ja, hoher Meister‹. Außerdem habe ich angeordnet, daß auch sein Name nie direkt genannt, sondern umschrieben wird.«

Er beugt den Oberkörper nach vorn, hört ungeduldig weiter zu.

»In wessen Kopf? Den Namen!«

Er hebt das Kinn, überlegt mit angehaltenem Atem und sieht dem aufsteigenden Rauch nach.

»Kenne ich. Der hat bei Münch in Freystadt gelernt. Wie alt ist die Nachricht?«

Er nimmt den Rechenschieber aus der Bleistiftschale und sucht mit Rechenübungen gegen die Ungeduld anzukämpfen. Der zungenartige Mittelteil des Geräts ist ihm nicht beweglich genug, er nimmt ihn aus der Führung und fettet ihn ein, indem er ihn durch die Haare zieht. Viel Auswahl hat er da nicht, die Glatze ist ausgedehnt. Nur am Hinterkopf und über den Ohren wuchert es. Er gähnt.

»Unsinn! Wie sollte er denn an den Code kommen – wenn ich überhaupt noch jemanden unter Kontrolle habe, dann die Kyklopen. Im Urlaub besser als an der Esse. – Glaubt ihr, ich hätte den Kyllenier freigelassen, wenn er gefährlich werden könnte? Er sieht sich im Hirn eines Schmiedes um, gut. Sehr komfortabel wird's nicht sein. Unsere Relaisstation hält er vermutlich für einen Tumor, und das lemnische Management begreift er nicht, selbst wenn es ihm erklärt wird. Keine Sorge, er ist und bleibt Ptolemäer, für den dreht sich noch die Sonne um die Erde. Außerdem versteht er sich bekanntlich nur auf Unikate. Daran kann man sich halten.«

Unvermittelt schlägt er mit der Faust aus geringer Höhe heftig auf den Tisch und legt dann die Zigarre seltsam sacht, fast zärtlich in den Aschenbecher, so groß ist sein Ärger.

»Ausgerechnet Thor! Der soll Tennis spielen und die Nr. 1 werden, sonst nichts. Auf hysterische Germanengötter ist noch weniger Verlaß als auf das eigene Gesindel. Was hat er denn auf dem Schiff zu suchen? Ich habe längst jemanden hingeschickt. Thor soll trainieren oder meinetwegen in seinem Hochmoor sitzen und darauf achten, wie schön faulendes Holz funkelt. Und folgende Anweisung: Der Sohn der Maia ist ab sofort Chefsache!«

Die Zunge des Rechenschiebers gleitet nun ohne Stockung, der Mann klemmt den Hörer zwischen Schulter und Ohr und beginnt wieder nebenher zu rechnen. Er läßt die Rechenzunge so geschwind hin und her gleiten, multipliziert so virtuos schnell, daß das Instrument davon heiß wird. Er zieht abermals die Rechenzunge aus dem Gerät, bläst darauf und schwenkt sie in der Luft. Dann wirft er den Hörer auf den Apparat, so unwirsch, daß er zunächst danebenfällt, holt die erkaltete Zigarre aus dem Aschenbecher, zündet sie an und überlegt. Was wird er mit dem Rest des Abends anfangen? Porno? Die kunstvoll gefertigte künstliche Sklavin von dem noch kunstvoller gefertigten Roboter befriedigen lassen? Oder in die Werkstatt hinübergehen, Glut anfachen, Eisen einlegen, den Hammer nehmen, strecken, stauchen, abschroten, Nieten verstemmen, Gesenke einrichten, in der Nase bohren, säumige Kyklopen auf Trab bringen? Oder eine Runde Poker, nicht unter zehn Stunden. Am besten alles, und zwar in dieser Reihenfolge.

*

Im Großhirn des Schmiedes wußte Hermes nun Bescheid. Da in ihm für alle Vokabeln des Metallhandwerks genaue Bilder und Töne vorlagen, war Hermes in diesem Metier zu Hause, bevor die Sonne sank. Er sah glühendes Eisen, hörte dessen Glockenklang unter dem Hammer, kannte Handgriffe an Esse und Amboß. Vielleicht konnte er sich als Schmied verdingen? Dann stand er sogar unter dem Schutz seines alten Widersachers.

Irgend etwas war hier nach wie vor nicht geheuer: die Gedanken liefen nicht frei, die Erinnerungen und Wünsche entfalteten sich nicht ungehindert in der Innenschmiede des Schmieds. Sie waren magnetisiert wie Metall, klebten aneinander wie Feilspäne oder stießen sich ab, aber nach welchem Gesetz? Was so entstand, war ein Chaos, nicht von der freien, räuberischen, sondern von der ängstlichen Art, Chaos im Hirn eines Opfers, und also eine fatale Anpassungsbereitschaft, wenn jemand sprach oder flüsterte, der von seiner Stellung her was zu sagen oder zu flüstern hatte. Der Schmied verstand sich auf Werkzeuge, aber er war auch selbst eines. Wer es war, der ihn ansetzte und benutzte, Gott oder Mensch, war nicht lesbar. Übrigens hegte der Schmied eine Sehnsucht nach dem Tanz, aber er wußte, daß er es nicht konnte, deshalb trank er vor oder bei einem FEST noch mehr Bier und erinnerte sich immerzu daran, daß er noch nie getanzt hatte, nicht einmal in FREYSTADT OBERPFALZ.

Sprache: Deutsch. Eine Seltsamkeit fiel auf: der Dikke verstand die anderen Deutschen gut, aber sie nicht immer ihn. Da er darüber nie nachdachte, erfuhr der Gast nicht, warum das so war. Lernen konnte er nur, was der Mund eines Gastgebers selbst aussprach oder was ihm auf der Zunge lag.

Jedenfalls war jetzt der Sinn der Sätze, die Helga in der Osternacht gesprochen hatte, zu entziffern. Das Gedächtnis des Hermes war so göttlich wie nach der Geburt in der Höhle von Kyllene. Er wußte ab sofort von der Liebschaft des Henri Beyle in Stendal, vom Quäkevogel in der »Straße der Einheit«, vom Mittelpunkt der Welt in Poppau bei Klötze.

Im übrigen war er noch nie in einem Hirn gewesen, das zu einem so grundverdorbenen Körper gehörte. Nur schwer bewegten sich die Gedanken im bauchlastigen Kopf. Die hallenden Echos eines solchen Bauches ließen das Denken verschwimmen, es war immerzu mit Hunger oder Durst oder, der dauernden Blähungen wegen, mit dem nächsten hochwillkommenen Furz beschäftigt, von genießerisch aufgestauten Rülpsern ganz zu schweigen, die bei jedem normalen Menschen eine Gehirnerschütterung verursacht hätten. Innerhalb technischer Kombinationen war der Schmied durchaus beweglich, aber im Grunde ging es auch da immer nur um diesen Bauch, den er zu sichern und zu füllen hatte. Wollte er denken, betastete er ihn. Andererseits: sobald er mit der Hand über die Wölbung hinabfuhr, fing er auch zu denken an – er stimulierte gar nicht erst das Gehirn, sondern gleich den Gegenstand, um den all seine Ideen kreisten.

Interessant war, was der Dicke mit dem Mund machte. Er säugte sich selbst, aber nicht mit Milch, sondern mit Rauch, zog ihn aus einem dicken braunen Phallus, den seine Zunge verzückt umspielte. Eine neue Art hephästischer Selbstbefriedigung. Hermes vermutete, daß alle Angehörigen von Metallberufen so etwas im Mund trugen und daran zu erkennen waren. Lernen wollte er solche Selbstverqualmung nicht. Er konnte auch nicht, denn da lag eine Grenze: Fertigkeiten, die unterhalb göttlicher Würde lagen, waren ihm verschlossen: Künste des Geizes oder des Hasses, Hirnbewegungen der ewigen Dummheit – und jetzt dieser peinliche Vulkanismus des Antlitzes. Auch Jean-Claudes sonderbare Kunst der MULTIPLICATION schien dazuzugehören, jedenfalls war es Hermes nicht möglich, sie auszuüben.

Es gab da eine seltsame Gestalt, die fast ständig in der Nähe des Schmieds saß und ihn beobachtete, ein langer, schwerer, dennoch nicht füllig, sondern kräftig wirkender Mann mit schulterlangen blonden Haaren, vielleicht ein nordischer Halbgott. Die Augen, von fahlem Hellblau, schielten leicht nach innen, der Blick war dadurch stechend, der Mann schielte vor Ehrgeiz und Konzentration. Ein Gegensatz bestand zwischen den äußerst schleppenden Bewegungen und seiner geschwinden, scharfzüngigen Sprechweise. Woher kam nun das Interesse dieses vogeläugigen, weißhäutigen Kraftmenschen am dumpfbrütenden Schmied? Ständig sah er herüber, immer wieder versuchte er das Gespräch. Schließlich brachte er ein hohes Glas, gefüllt mit einem Wasser, das er WODKA nannte. Und das war der Anfang einer wahren Hölle.

Zunächst einmal war es nur interessant: das Wasser mit dem besonderen Namen sank dem Schmied als Feuerhitze in die Brust, versetzte Magen und Nabel in rasendwohlige Glut, wie Hermes sie von keinem noch so starken Wein kannte. Jetzt war die Wahrnehmungsfähigkeit etwas besser, allerdings nicht mehr die für Einzelheiten (der Schmied fand kaum noch seinen Weg zur Schleuse des Poseidon und zurück), wohl aber die für Wahrheiten, welche die Menschen verbanden oder trennten. Nach zweien solcher Gläser wußte der Schmied mit Bestimmtheit, daß der weißblonde Geierkopf etwas im Schilde führte, und beschimpfte ihn so lange, bis dieser aufstand und ging. Dennoch tat er weiter das vom Feind Gewünschte: er soff. Wenn er sich bewegte, stieß er sofort etwas um oder rempelte jemanden an. Er versuchte dann seinen Zustand zu erklären, schaffte es nicht und sagte statt dessen mehrmals HAMS VERSTÄNDNIS.

Da sich niemand mehr mit ihm unterhalten wollte (wehmütig sah Hermes im Hintergrund Helga auftauchen), las der Dicke in einer ZEITUNG. Aber die Art, wie er das tat! Für jede einzelne Zeile machte er eine Querbewegung mit dem Kopf. Wollte er zeigen, daß er trotz Trunkenheit lesen konnte? Wollte er diese verbergen? Nein, es war etwas Drittes. Er las nämlich anders als in nüchternem Zustand. Aus jedem Wort stiegen ihm Visionen auf, allein bei dem Wort ZINSEN erschien eine Fontäne von Unglücksahnungen, so gigantisch, daß die sich auflösende Seele des Schmieds, beflackert von der Esse in seinem Bauch, in zerstörungsfrohe Euphorie umschlug: HINWERDEN MUSS ALLES, ABER RICHTIG! schrie er. Damit nun solche Wünsche ihn nicht selbst erfaßten und in den sofortigen Selbstmord trieben, versuchte er weiterzulesen – nur das konnte ihn retten. So wandte er Zeile für Zeile den Kopf hin und her in einem erzwungenen Rhythmus und schubste seine Augen immer weiter vorwärts, damit sie sich nicht festbrannten auf einem der gefährlichen Wörter. In einem so schwer benebelten Hirn zu sitzen, mußte jeden Gott in Furcht versetzen. Dieser Kopf war steuerlos für sich und andere. Aber der verdammte Schmied saß und saß, soff fort und fort, Hermes konnte schlecht aus ihm heraus mitten unter den Leuten. Und deren wurden immer mehr, man versammelte sich für LA FÊTE. Ein Musiker saß schon mit einem bauchigen Saiteninstrument auf der kleinen Bühne, seine Kollegen zogen sich noch um. Mit wilder Entschlossenheit fuhr Hermes noch einmal hinein in die verhedderten Wünsche und schlingernden Gedanken des Schmieds, vergeblich wieder, eilte dann ins Kleinhirn und verursachte ihm Niesreiz, um etwas von dem ganzen Nebel ins Freie zu jagen, brachte ihn schließlich dazu, sich müde zu fühlen, in die Richtung seiner Kabine zu schwanken und – sich in der Tür zu irren! Zum ersten Mal hatte Hermes einen Menschen gegen dessen Willen an einen Ort seiner Wahl gelotst. Es war die Kabine eines der Musiker.

*

Musik! Wie sich da aus Kratzen und Schaben, Zupfen, Pusten und Schlagen eine Weltstimmung, ein fröhlicher Hirntanz machen ließen, das war auch für Götter ein tolles Ding. Seit Hermes im Kopf des DRUMMER war, tanzte er dort vorsichtig zwischen Ammonshorn, Gewölbe und Lebensbaum auf und ab und merkte sich jeden Griff und Schlag, jeden Ton und Zusammenklang.

Eines war seltsam: die Menschen schienen jetzt die helleren Töne als die fröhlicheren zu empfinden, und tiefere zu nehmen, wenn sie Trauer und Tod meinten. In den Melodien, die er damals auf der Lyra gespielt hatte, zeigten helle Töne Entfernung und Einsamkeit, auch Kühle oder Abschied an, dunkle dagegen Nähe, Wärme, Freude. Irgend jemand hatte die Musik auf den Kopf gestellt und vielleicht mit ihr die Welt.

Der Musiker, in dessen rechtes Ohr er unter dem rauschenden SHOWER glücklich gesprungen war, hieß CHARLES, kam aus einer Stadt namens SPARTA/ILLINOIS und sorgte in der BAND für gleichbleibenden Rhythmus, dann und wann aber auch für unverhoffte Wechsel, war also wichtig. Hermes hatte in den ersten Stunden der Schiffsreise nicht unbedingt an Musiker gedacht, sondern nach eigenen Leuten Ausschau gehalten: Dieben, Kaufleuten, Rednern. Musiker galten als Anhänger Apollons. Aber das Spiel eines Drummers war Musik und Rhetorik zugleich, und für manche Bewegungsfolgen brauchte er die Sicherheit eines Meisterdiebs. Hermes fühlte sich bei ihm wohl und beschloß, ihm zu helfen. Charles war göttlicher Einflüsterung zugänglich, also vom Mittelohr aus lenkbar. Es war sogar möglich, ihn die mitgebrachte deutsche Sprache sprechen zu lassen. Mit ihm konnte er sich endlich an Helga heranwagen. Dafür sollte Charles in kurzer Zeit ein Könner werden, dem beim Spielen in traumverlorener Hingabe alles gelang.

Menschen verstanden, wie seit Urzeiten, von allem nur die Hälfte, und nicht immer die bessere. Götter erfaßten nur einen kleineren Teil, aber sie konnten aus ihm, selbst wenn er kümmerlich war, ein Ganzes zusammensetzen, neu, auf eigene Art, und das galt dann für einige Zeit als die Vollendung schlechthin. Als Hermes alles aufgesogen hatte, was Charles über Musik wußte und musikalisch bewerkstelligen konnte, war ihm auch klar, welche Möglichkeiten bisher unbeachtet oder der Schwierigkeit wegen ungetan geblieben waren. Hier konnte er eingreifen. Als Treiber der Geschwindigkeit von Menschenhirnen war er unübertroffen. Er kräftigte die Durchblutung, eröffnete neue Abkürzungswege und erreichte durch pure Gegenwart ein rascheres Weiterleiten elektrischer Spannungen. Nein, verlernt hatte er nichts.

Die Menschen unter den Girlanden begannen gerade zu singen – Charles und seine Freunde spielten ein Lied, dessen Sinn Hermes gut entschlüsseln konnte: ALL YOU NEED IS LOVE. Obwohl er die Menschen nüchtern betrachtete: sobald sie sangen, sahen sie ruhig und froh aus, fast wie Götter, weil endlich einmal ihr nervöses Zappeln, Wackeln und Stottern aufhörte.

*

So ein Schlagzeugsolo hatte Helga noch nie gehört. Und sie liebte es einfach, wenn jemand irgend etwas unverschämt gut konnte. Wenn alles ineinanderpaßte! Also liebte sie auch Virtuosen aller Art. Aufgesprungen waren die Leute und hatten dem Verrückten zugejubelt. Jetzt stand er plötzlich neben ihr an Deck, verschwitzt und hübsch, und lächelte sie an. Im Bauch fühlte sie einen wohligen Schreck, ein Kribbeln, und ihre Augen suchten vergebens Halt am Horizont. Der Schlagzeuger sagte – und zwar deutlich im oberpfälzischen Dialekt des Schmieds –, er werde von Hermes gelenkt, sei also im Augenblick sozusagen selbst Hermes, und wolle sie gern sprechen. Ob sie nicht von hier fortgehen könnten an einen ungestörten Ort?

»Ich hätte geschworen, du kommst als Jean-Claude zu mir.«

»Hätt sein können, drin war ich schon. Urenkel vom Connétable, aber großer Pisser und nix dahinter.«

»Gott, fühl nur, wie mein Herz klopft«, antwortete

sie. Er fühlte an einer Stelle, wo die Herzschläge nur gedämpft spürbar sein konnten, aber er bestätigte es.

Sie blickte aufs Meer, wo ein Schiff zu erkennen war, ein funkelnder Lichthaufen. Vielleicht tanzte man dort auch, und wenn, dann sicher mit Göttern. Es wimmelte ja nur so davon.

»Fort von hier, gut!« Dann war der Schlagzeuger in ihrer Kabine und blieb lange, denn er mußte viel erzählen, damit sie ihm glaubte. Zum Beispiel, daß sein Großvater Atlas heiße und aus Versehen, weil er ein Medusenhaupt ins Auge gefaßt hätte, zu einem Steingebirge erstarrt sei. Manchmal gerieten ihm auch Sätze dazwischen, die nicht zu ihm gehörten, die er aber einmal ausprobieren wollte: »Abschroten will gekonnt sein« oder »Brammen haben wir gossen« oder »Ich hab den Kranhaken an die Schlaufen von die Kokillen g'hängt – kannst du das verstehen?«

»Selbstverständlich, mein Vater ist in der Metallbranche ganz oben. Sag mal, warum kommst du nicht heraus und zeigst dich als der Hermes, den ich kenne?« fragte Helga.

»Und was machen mir dann mit'm Charles?« fragte Charles. Das sah sie ein. Dann wollte sie ihm zeigen, daß sie ihm glaubte und wie sehr. Es durfte gern bis in den Morgen dauern. Ihr einziges Bedenken war, ob ihre von zu Hause mitgebrachten Präservative der Marke »Mondos Gold« sich dem Entstehen kleiner Halbgötter weiter zuverlässig entgegenstemmten.

Aber sie lernte: verrückt gute Musiker waren nicht notwendigerweise auch verrückt nach ihr oder gut im Bett. Da war rasch nur noch kuschelsüchtige Weichheit und tieferschöpfte Schläfrigkeit gewesen. Nun gut, ein Künstler... Aber sie konnte damit nicht recht glücklich sein, und Hermes, der in seinem Kopf saß, ebenfalls nicht.

Das Schiff kam in Venedig an. Der Musiker kehrte zu den Kollegen zurück und packte seine Sachen. Helga wollte noch bei ihm bleiben, um Geld zu sparen – Venedigs Zimmer waren teuer. Und wenn er den Hermes trug, kam er sicher irgendwann mit sich ins reine.

Aber es war kein guter Morgen. Am Gepäck des Schlagzeugers wurde herumgeschnüffelt, erst von einem Menschen, dann von einem Hund, dem man weisgemacht hatte, er interessiere sich für Haschisch. Der Musiker wurde, obwohl er den Hermes trug, in Handschellen abgeführt. Er sah Helga traurig an – oder war es hoffnungsvoll? Eher letzteres. Hermes im Gefängnis? Das war zum Lachen!

Sie wußte jetzt, daß Hermes immer wieder zu ihr kommen würde, in der Gestalt ganz verschiedener Männer, und vielleicht nicht immer der geeignetsten. Aber ein variabler Gott war besser als gar keiner.

*

Der Kopf des Spartaners Charles aus Illinois war kein günstiger Aufenthaltsort. Vor allem war er von Angst durchdrungen: sie war in ihn hineingekrochen, als man die silbernen Metallbügel an seinen Handgelenken angebracht hatte, und lähmte jetzt durch Kälte das ganze Gehirn. So sehr Hermes sich anstrengte, die für ihn besonders wichtigen Verbindungen zwischen Sehzentrum und Wortvorrat in Gang zu halten – alles Schmiegen und Reiben half heute nichts. Charles blickte nur trübe, sah wenig und brütete in sich hinein. Das Wort SHIT, das hier unablässig in Bewegung war, hieß mehrerlei, aber Hermes konnte das noch nicht ganz erschließen. Es betraf meistens den von Hunden und Offizieren entdeckten schwarzen Lehm in den kleinen Tongefäßen, manchmal aber auch Charles' erotisches Mißgeschick letzte Nacht.

Hermes war unzufrieden. Die alte göttliche Methode, sich bei der Liebe eines temperamentvollen, kräftigen Menschen zu bedienen, schien unsicher geworden. Wieso konnte er ihn zum rasantesten Musiker der Welt machen, hatte danach aber nicht die geringste Macht über sein Begehren – ausgerechnet er, Hermes? Es war beunruhigend. Irgendwie war der Mann zu sehr mit seiner baldigen oder möglichen Berühmtheit als Künstler beschäftigt, als daß Helgas Verlangen ihn in Bewegung gebracht hätte. Selbstverständlich hatte Hermes überlegt, ob er doch noch heraushüpfen und alles selbst besorgen sollte, aber sich dann schweren Herzens davon verabschiedet: Was hatte es für einen Sinn, in der Gegenwart eines gottverlassenen, aggressiv werdenden Illinois-Spartaners Liebe zu machen? Gewiß, es wäre ein leichtes gewesen, ihn hinauszuwerfen – aber das hätte Helga nur vollends aus der Stimmung gebracht.

Vom Hafen sah er nicht viel, weil Charles kaum hinguckte. Es roch nach verbranntem Öl, das Wasser war schmutzig, die Gebäude hoch und aus BETON. Kurz spürte er durch Charles' Augen hindurch den Blick eines fledermausähnlichen Wesens hoch über dem Hafen. Vielleicht ein Ortsgeist, die hausten ja keineswegs nur an Wasserfällen im Gebirge oder in den Bäumen über Viehweiden. Überall gab es lateinische Buchstaben. STUCKY stand auf einem Gebäude jenseits des Wassers, MARILENA am Bug eines riesigen weißen Schiffs, von dessen Spitze ein blauweißes Tuch wehte – mit einem ganz ähnlichen hatte er in Thera seine Nacktheit bedeckt und war dadurch nur noch mehr aufgefallen. CARABINIERI hieß das Haus, in das Charles geführt wurde. Mit dem vom Wirt geliehenen Sehvermögen konnte Hermes zwar Buchstaben lesen, nicht aber in seiner seherischen Weise Kieselsteine, Risse und Maserungen.

Mehr und mehr mißfiel ihm dieser Charles. Er war zwar kein so gelöschtes Menschenkind wie der Schmied, aber dafür der Megalomanie verfallen, was Angst nicht ausschloß, im Gegenteil. Hermes kannte die Sorte. Alkibiades war so gewesen, allerdings, beim Zeus, in einer anderen Größenordnung! Der hatte sich als der Größte phantasiert und ganz so gehandelt, als wäre er's, und so war er zu einer gewaltigen Gefolgschaft und zur Gewalt gekommen. Weil das alles aber künstlich gemacht war wie von einem Schauspieler, hielt es nur begrenzt vor. Nachts, besoffen wie ein Hoplit nach dem Sieg, ging er hin und schlug ausgerechnet den Hermessäulen die Manneszierde ab! Megalomanen fielen meist in erstaunlicher Weise aus der Rolle, und immer bereits vor dem Sieg.

Die Offiziere, für den Kampf ausgebildete Puppen des Ares mit steifen Gesichtern und ewig vorgerecktem Kinn, begannen in ihrer Sprache ein INTERROGATORIO, von Charles als EXAMINATION erkannt, und suchten es auf englisch fortzusetzen.

Charles vertrug entweder den musikalischen Erfolg oder den amourösen Mißerfolg der letzten Nacht nicht, jedenfalls sagte er zu den glänzend bemützten Aresmännern: I'M A FAMOUS ARTIST YOU KNOW I'M BEYOND YOUR LAWS. Das war nicht schlau, denn sie verstanden es. Schon erhoben sie sich, reckten die Kinnladen noch höher als zuvor und schoben ihn in eine enge Metallkammer. Die Tür schlugen sie so laut zu wie möglich, es sollte wohl nach Erdbeben klingen. Dann rasselten Schlüssel, Schritte entfernten sich – die Sache erinnerte an die mit Sokrates. Der Unterschied war, daß der gewußt hatte, daß er nichts wußte, und daneben ziemlich genau, was er tat.

Stunden vergingen. Hermes war es egal, Charles litt. Vergebens versuchte er ihn zum rhythmischen Musikmachen zu bringen, damit wieder etwas Laune und Frechheit von der richtigen Art aufkam. Ein Musiker, der Angst hatte – durfte es so etwas überhaupt geben? Es gab in der Welt Leute, die Schiß hatten, und andere, die zwar nur faul waren, aber durch diese Faulheit Kraft sparten für guten Mut zu guter Stunde. Mit diesen hielt es Hermes, und Charles gehörte nicht dazu. Der übte ständig nur Sätze zu seiner Rechtfertigung. Für Hermes war es zum Lernen der Sprache gut, aber er wollte aus diesem Angsthasen von Spartaner früher oder später heraus, auch wenn er in der Nacht lenkbarer war als am Tage. Die Menschen waren götterschwerhörig geworden, das ließ sich nicht übersehen. Dafür trugen sie Armbanduhren.

Eben öffnete sich die Tür, man führte Charles einen Gang entlang und hieß ihn in ein Boot steigen, welches brummte wie eine Hornisse und stank wie eine Pechfackel. Der Nebel war jetzt weg, und auch das Schiff MARILENA. Das Boot schäumte unglaublich schnell zwischen vielen bemalten Häusern und Booten und Schiffen durch, und an seinem Bug blitzte ein schmerzhaft blaues Licht, dem jeder weichen mußte. Hermes konnte hin und wieder Häuser sehen, die im Wasser standen. Ihre Fenster hatten weiße Umrandungen und grüne Läden, die meist geschlossen waren. Rostige, geriffelte Metallhäute überzogen die Türen zu den Landestellen, und von den Mauern blätterte eine verblaßte Farbhaut. In alledem ließ sich lesen, wenn er aus diesem Kopf heraus war.

Dann saß Charles wieder in einer EXAMINATION, geführt von einem in Shitsachen besonders kundigen Dicken, dessen Kinn aussah wie ein kleiner Popo. Er hieß COMMISSARIO FIBONACCI – so nannten ihn unter sich die anderen Blankmützen. Charles merkte, daß der COMMISSARIO junge Männer schätzte, und tat alles, um ihm zu gefallen, dachte nur noch: Wie sehe ich aus, wie wirke ich auf ihn? Hermes wurde es zu warm hier oben im angsterfüllt-selbstgefälligen Hirngehäuse, er beschloß, den Unwürdigen und Unlenkbaren endgültig zu verlassen. Den direkten Sprung ins Ohr von Fibonacci hätte er sich zugetraut, aber der trug lavendelfarbene Knöpfe in beiden Ohren, um die Antworten von Gefangenen nicht zu verstehen. Er hätte lieber seine Augen bedecken sollen, die ständig an irgendwelchen Hosen hängenblieben. Oder wenigstens sein Kinn.

Genug, raus hier. Wie der Commissario jetzt erst guckte! Zwei Sprünge in schwärzester Nacktheit über Tisch und Bänke, dann den einen Offizier gegen zwei andere geschubst, daß es schepperte. Die Tür kriegte er auf, er hatte jetzt einiges gelernt. Luft! Himmel! Sonne! Aber wohin? Zum Mittelpunkt der Welt, gut. Halt, erst eine Hose stehlen und Nahrung beschaffen. Und nach Helga suchen – sie war gewiß nach wie vor in der Stadt.

Wo, mußte er noch lesen.

Drittes Kapitel
Venedig

»Woran denkst du?« fragte eine Kinderstimme auf russisch. Helga drehte sich um. Ein kleines Mädchen, dessen Eltern in derselben Pension wohnten. Aber da sie bisher kein Wort gesprochen hatten, erfuhr Helga erst jetzt, daß sie Russen waren. Der Frühstücksraum war ziemlich leer, auch die Eltern des Mädchens noch nicht da. Fast alle Besucher Venedigs pflegten lang zu schlafen, um dann bei ihren Irrmärschen durch die Calli und Campielli über die Hitze zu stöhnen.

Das Kind schien wirklich auf die Antwort zu warten. Helga stöberte in ihrem Schulrussisch: »Warum fragst du mich, meine Kleine?«

»Weil du dauernd lachst.«

Jetzt merkte sie erst, daß sie gelächelt hatte. Das paßte zu ihr: der Vater tot, Selbstmord, eben erst hatte sie es erfahren im Postgebäude an der Rialtobrücke. Er war bereits beerdigt. Sie hatte sich in Griechenland und Santorini amüsiert, lungerte jetzt in Venedig herum und lächelte auch noch. Und wenn sie nach Hause kam, würden alle fragen: Was war denn so wichtig an dieser Inselreise, daß du deinen alten Vater alleingelassen hast, schließlich mußt du doch geahnt haben ...

»Ich lache, weil ich an Hermes denke«, antwortete sie dem Kind. Warum eine Geschichte erst eigens erfinden, wenn doch schon eine da war? Den Götternamen sprach sie so aus, wie man es in Deutschland

tut – im Russischunterricht war Hermes nicht vorge-
kommen.

»Erzähl mir von dem Cherms!«

»Das ist ein Gott, ein Geist aus –« (was hieß »Griechenland« auf russisch?) »– aus dem Westen. Sag mal,
kommen deine Eltern nicht gleich?«

»Erst später. Bis dahin soll ich spielen. Erzähl!«

»Hermes kam in einer Höhle auf dem Berg Kyllene
zur Welt, der liegt in Europa. Seine Mutter hieß Maia
und sein Vater Zeus. Der Kleine lag in seinen Windeln
in der Wiege und schlief, und die Eltern gingen mal
weg, weil sie sich unterhalten wollten. Er wickelte sich
aus, stand auf, konnte sofort laufen und ging vor den
Eingang der Höhle. Da traf er eine Schildkröte und
sprach sehr freundlich mit ihr.«

»Darüber hast du gelacht?«

»Nein, über etwas anderes. Er baute eine Balalaika
aus dem Schildkrötenpanzer. Die Saiten machte er aus
Kuhdarm, nachdem er seinem Bruder Apollon eine
Herde Kühe gestohlen hatte. Dann spielte er Musik
darauf.«

»Und was hat Apollo gemacht?«

»Der war erst sehr böse, aber die Musik war so
schön, daß er ruhiger wurde. Außerdem schenkte Hermes ihm die Balalaika, die war mehr wert als die Kühe.
Und Apollon brachte ihm bei, wie man aus Kieselstei-
nen etwas über die Zukunft lesen kann.«

»Hast du Cherms gesehen?«

»Ja. Er sieht gut aus, seine Füße sind sehr schön,
und er hat einen Zauberstab. Manchmal ist er ganz
nackt.«

»Und darüber hast du gelacht!«

»Ja.«

Mehr brauchte sie nicht zu erzählen, denn jetzt kamen die Eltern des Mädchens. Es wandte sich abrupt um und lief zu ihnen hinüber.

Helga hatte kaum noch Geld, und die Rückfahrkarte nach Stendal war ihr verloren gegangen. Sie wohnte in einer billigen, aber nur relativ billigen Pension am Campiello agli Incurabili. Um die Tagesmitte wurde es schon sehr heiß, dann stank ihr widerlicher Koffer aus Plaste noch widerlicher. Irgendwann würde sie mit einem ganzen Satz zueinander passender Lederkoffer reisen, und zwei bis drei Männer würden sie ihr nachtragen. Jetzt aber fehlte es am Nötigsten. An Deutsche wollte sie sich nicht wenden, das kam nicht in Frage. Womöglich geriet sie an Landsleute, die darauf warteten, daß ihnen von irgendwoher endlich ein besseres Leben zugeteilt würde, und die ständig davon redeten, daß es nicht kam.

Mußte sie denn wirklich nach Stendal zurück? Jetzt noch? Warum eigentlich – Grabpflege? Sie hätte nur unter der Bedingung zugestimmt, daß sie unbegrenzt Umwege machen durfte, zum Beispiel über Amerika oder Athen. Oder in Venedig bleiben, bis sie ihrem Gott begegnet war. Sie zog die Jalousien herunter und versuchte, von ihm zu träumen.

Ganz nah wohnte Peggy Guggenheim, die Millionärin. Sie konnte hingehen und sich als eine bisher unbekannte Tochter des Hephäst ausgeben. Peggy würde sagen: »Klingt interessant! Hier sind Bilder zum Anschauen, da steht dein Bett, und jetzt komm auf den Dachgarten, dort sind Liegestühle und Sonnenschirme, der Champagner ist kaltgestellt – magst du Austern?« Und auf der Dachterrasse, mit Blick auf den Canal Grande, saßen Peggys Gäste, darunter ein dunkler Botschafter, der sich freudig erhob und selbst die Botschaft war. Draußen ein Schild: »Chiuso per restauro«. Dann legte sich Peggy schlafen, die anderen Gäste gingen ...

Nein, sie kam nicht in Stimmung und nicht in ihre Geschichte hinein. Der tote Vater geriet ihr dazwischen. Mit einem »aufgebohrten Gasrevolver« (was immer das sein mochte) in der Hand und immer wieder neuen letzten Worten: »Ausgerechnet du als meine Tochter...«, es war nicht auszuhalten.

Seit Mutter gestorben war, hatte er jede andere Liebe verschmäht, auch die seiner Tochter. Und sie hatte ihn geliebt, schon weil er ein Genie gewesen war; bescheiden hatte er sich »Schmied« genannt, dabei war er viel mehr gewesen. Letztlich sogar ein Vater. Wenn sie ihn nicht nur geliebt, sondern auch gehaßt hatte, dann deshalb, weil er nicht fähig gewesen war, ihre Liebe zu erwidern.

Jetzt wollte sie sich herausphantasieren aus ihrer Haut, und das ging sogar. Sie, Helga, war Peggy, oder sie tauschte mit ihr. Peggy marschierte mit all ihren berühmten Hunden in die Pensione degli Incurabili und dachte dort über Kunst nach. Helga war ab sofort alleinige Bewohnerin des Palazzo. Und schon steuerte aus dem Kanal eine Gondel auf ihre Landeplattform zu. Auf der Bank ein einsamer dunkler Herr, der lächelnd die Arme ausbreitete, ein Botschafter. Sie würde ihn zu einem Tee auf die Terrasse bitten, er aber würde erst die Bilder sehen wollen. Sie würde ihm die Kubisten zu zeigen versuchen, er sie aber zu küssen anfangen. Und dabei würde er sagen: »Was ich wirklich will, ist deine Freundschaft. Aber das eine schließt ja das andere nicht aus. Danach werde ich dir erzählen, wie es in den westlichen Köpfen aussieht, das könnte für dich wichtig sein; auch bringe ich dir bei, die Welt so fließend zu lesen, wie ich es kann, und lehre dich, in den Wolken Götter zu erkennen.« Sie würden tatsächlich einen Tee auf der Terrasse trinken, und danach aufbrechen, um mit Menschen und Dingen lauter herrlichen Unsinn anzurichten. Sie würden Venedig und seine Wolken lesen und dabei aus allen Frakturen und Ligaturen immer nur eines bestätigt finden: daß sie voneinander angezogen waren wie liebesverwirrte Geschwister. »Hermes und Helga«? Nein, der Vorname paßte nicht in so eine Geschichte, sie wollte ihn ablegen.

Sie legte den Arm um den Kopf und streckte sich, behaglich fast. »Helle«, so konnte der Name sein, Helle vom Hellespont. Wenn die heute noch lebte, war sie natürlich eine Göttin.

Damit schlief sie ein.

*

Da Götter und Ortsgeister ewig, und zwar unter uns leben, sind sie theoretisch jederzeit in der Lage, die bisher überlieferte Göttergeschichte in vielen Details zu korrigieren. Zwar antworten sie nicht direkt auf öffentlich aufgeworfene Fragen, aber sie haben schon verschiedentlich Hinweise lanciert. Wie käme ein Romanautor sonst auf die Idee, Hermes sei von Hephäst aus Eifersucht und Rache oder aus anderen Gründen in Santorin angeschmiedet und zwei Jahrtausende festgehalten worden? Die Mythologie wird ständig fortentwickelt, und zwar am emsigsten von denen, die selbst in ihr vorkommen. Wir verdanken diese Diagnose keinem Geringeren als Dr. Zimmertür, dem Psychoanalytiker, und es vergeht kein Tag, an dem sie nicht bestätigt wird.

1989 oder 1990 fand ein Istanbuler Maler und Bankier namens Burak Doğu auf einer kurzen Reise nach Gallipoli, nicht zuletzt dank des enzyklopädischen Lebensstils einer Cousine, an einem Tag, der dem »H« gewidmet war, zwischen länger nicht benutzten Folianten eine altgriechische Tontafel. Sie enthielt eine Hymne, in der eine bisher nicht bekannte Göttin gepriesen wurde. In klassischer Zeit hatte dort, auf dem Dardanellenufer gegenüber Lampsakos, die Stadt Krithote gelegen. Die Hymne besingt nun eine schöne Göttin namens Helle, heimliche Tochter des Hephäst und der Wolkengöttin Nephéle, damals offiziell mit dem böotischen König Athamas liiert. Der Zusammenhang liegt auf der Hand: Helle war durch ihre nur-göttliche Abkunft ebenfalls Göttin und unsterblich. Sie wurde von ihrer besorgten Mutter als angebliches Kind des Athamas aufgezogen, zusammen mit ihrem Bruder (in Wahrheit also Halbbruder) Phrixos, da Hephäst sich für seine Kinder nur dann interessierte, wenn sie in der Schmiede mitarbeiteten – dies Schicksal wollte Nephéle ihrem Kind ersparen. Als Athamas sich von ihr getrennt hatte, bekamen Helle und Phrixos mit Ino die klassische böse Stiefmutter, die ihnen das Leben vergällte, bis Zeus durch Hermes einen geflügelten goldenen Widder bringen ließ, auf dem die Kinder nach Kolchis fliehen sollten. Wahrscheinlich war zunächst Hermes selbst dieser Widder oder saß in ihm, um ihn zu starten und zu fliegen. Über der Meerenge bei Krithote und Lampsakos stürzte Helle ab, da sie sich nicht an den Hörnern hatte festhalten können wie ihr Halbbruder, sondern nur am Fell. Und goldene Haare reißen nun einmal leicht aus. Sie ertrank, so nahm man es in die Mythologie auf, in der Meerenge, die nach ihr »Hellespont« genannt wurde. In Wahrheit aber schwamm sie ans Ufer und ließ sich von Aiolos die Haare fönen. Ihr Vater Hephäst kam von Lemnos herüber und baute ihr direkt am Ufer einen Palast, aus dessen Resten später Krithote entstand. Und da die Bewohner noch von der Göttin wußten, veranstalteten sie ihr zu Ehren alle vier Jahre einen Schwimmwettbewerb. Wahrscheinlich hat Helle noch viele Jahrhunderte in verschiedensten Frauengestalten Krithote bewohnt. Auf der Stadt lag dadurch ein derartiger Segen, daß sie immer schöner wurde und schließlich nur noch Kallipolis, »Schönstadt« hieß, woraus später Gallipoli wurde. Hier, am Beginn der Kraftwerksgasse, fand ein Landvermesser und Schatzgräber aus Çanakkale in unseren Tagen ein Kristallgefäß mit zwei Büscheln goldener Schafwolle. Er vertraute dies zunächst nur engsten Freunden in Berlin an. In seinen Aufzeichnungen ist der Abschnitt »Das goldene Vlies« verdächtig knapp gehalten; der Fund selbst bleibt völlig unerwähnt.

*

In dieser Stadt hatte Hermes Orientierungsprobleme wie beim ersten Mal in einem fremden Gehirn. Sie war eine Wasserstadt, die es zu seiner Zeit noch nicht gegeben hatte. Sie war auf riesigen Flößen vor der venetischen Küste errichtet, die sich aber losgerissen hatten und nun sacht dahintrieben, um irgendwann den Styx hinunterzufahren und Leben in die Unterwelt zu bringen – Persephone würde ihre Freude dran haben! Diese Stadt zu lesen war göttliches Vergnügen. Wohin Hermes auch sah, es gab Lesestoff: rissige Türschwellen und Fensterläden, Maserungen im Rost, Sprenkelungen und helle Inseln in der abplatzenden Farbe der Hausmauern, oder Krokodilhäute, zu Taschen verarbeitet und von schwarzen Männern auf dem Campo San Stefano feilgeboten. Natürlich auch die runzlige Haut von Bettlern (feiste Menschen waren noch nie ein Lesestoff gewesen, und Götter erkannte man sofort daran, daß sich in ihrer glatten Haut nicht lesen ließ). Er las, wo immer es ging, und erfuhr vor allem, daß sich über der Welt Ungutes zusammenbraute. Daß sie nicht mehr von Zeus beherrscht wurde. Daß in allem das Innere sich nach außen kehrte und das frühere Äußere sich auflöste, und daß irgendwann aus »Oben« ein »Unten« werden würde. Und es kündigte sich ein Ende an, das endgültige, unwiderrufliche Ende von allem. Ganz wie er es ja, trotz des großen Büschels Thymian, schon auf der Abfallhalde auf Santorin geahnt hatte. Was er allerdings als erstes herausfinden wollte, erschloß sich ihm noch nicht: der Aufenthaltsort von Helga. Er wußte viel, aber nicht genug.

Am Morgen war er hier angekommen, gegen Mittag hatte er das Polizeigebäude verlassen und, da ihm Hosen noch fehlten, einige Ohren besprungen und Köpfe bewohnt, italienische zumeist, ferner deutsche und amerikanische, Männer und auch Frauen, obwohl bei diesen das Ohr häufig von offen getragenen Haaren verhüllt war. Er sprach jetzt am Spätnachmittag vier Sprachen, ohne unangenehm aufzufallen, und konnte sich in der menschlichen Gattung wieder bewegen wie ein Fisch im Wasser, Gott ist Gott. Eine bessere Hose, ein Seidenhemd hätte er sich ohne weiteres kaufen können – er hatte genügend Geld aus einladend dargebotenen Gesäßtaschen gestohlen, Lire, Mark und Dollar im Gegenwert von etwa fünf Talenten, das hätte im alten

Athen einer ansehnlichen Mitgift entsprochen, heute etwa dem Gegenwert einer Eigentumswohnung in guter Mailänder Wohnlage – selbst das wußte er. Da aber Stehlen viel mehr Spaß machte – war er nun Hermes oder nicht? –, stahl er auch Hemd, Hose, römische Sandalen, einen texanischen Hut und einen knallgelben Eimer aus Plaste, um das Geld tragen zu können.

Alles, was sich kaufen ließ, war ebensogut oder noch leichter zu stehlen: sogenannte »Götterspeise« zum Beispiel. Sie war grün und widerwärtig süß, zitterte aber immerhin ehrfürchtig, wenn sich ein göttlicher Mund näherte. Alles besser als die Pommes frites auf dem Schiff, vierkantige gelbe Würmer aus Fett und Dreck.

Was ihn wunderte: es waren nirgends Sklaven zu sehen. Daß aber ein solcher Reichtum ohne Sklaven zustande kommen konnte, war undenkbar, irgendwo mußten sie sein. Aber in keinem der Gehirne hatte er auch nur den kleinsten Hinweis darauf gefunden. Vielleicht arbeiteten sie so tief unter der Erde oder so weit weg, daß sie den reichen und freien Menschen ganz entfallen waren. Was ihn weiter wunderte: daß außer den Gondolieri kaum jemand einen Hut trug. Viele Männer hatten Glatzen, aber die setzten sie erbarmungslos der Sonne aus. In einer derart überhitzten Dachkammer hielt Hermes sich nicht länger auf als unbedingt nötig.

Er fuhr mit Passagierbooten namens Vaporetti, einmal auch in einer Gondel. Da saß er im Kopf einer jungen Frau aus Norwegen, deren Geliebter – oder Mann, sie waren auf »Hochzeitsreise« – sie plötzlich nicht mehr liebte, weil sie nicht so war und aussah oder nicht so gut singen konnte wie eine gewisse GIANNA NANNINI. Was die für eine Frau war, und ob sie ein guter

Grund für eine solche Entscheidung war, konnte Hermes nicht ermessen. Jedenfalls hatten sie sich im Hotel gestritten. Nein, eben nicht: bleiern angeschwiegen hatten sie sich, was schlimmer war. Und am Morgen war der Mann gegangen, einfach weggegangen! Sie fuhr zum Bahnhof FERROVIA. Ihr Auge war blicklos, ihr Kopf der eisigste Aufenthalt, den Hermes je erlebt hatte, sie fror sich geradezu selbst ein. Es wunderte ihn nicht. Er hatte bestimmte Dinge zehntausendmal erlebt, auch von innen. Als sie ausstieg, stieß sie mit dem Knie hart ans Waschbord und begann zu weinen, aber wie! Schleppte sich auf die Pier, warf sich hin, heulte und wand sich wie eine Rasende, und alle redeten ihr zu: das gebe bestimmt nur eine kleine Beule, das Knie sei ganz intakt und beweglich. Andere riefen »Heule nur, laß alles heraus!«, weil sie Bücher darüber gelesen hatten. Hermes wußte, daß sie sich in jedem Fall töten würde, denn er sah: ihre Zeit war gekommen, und das war mächtiger als jeder Gott. Es ließen sich auch Gehirne lesen. Aber jetzt wollte er die großartige Szene nicht verderben und etwa mitten in diesem Chor tröstender Idioten aus ihrem Ohr hüpfen, das hätte nicht gepaßt. Er tat es dann diskret, sobald sie im Zug saß. Es wurde auch Zeit: Sie hatte ein tödliches Gift in der Handtasche und wollte Norwegen nicht lebend wieder erreichen.

Der Bahnhof war interessant: lauter Gußeisen. Metallguß war eine Art von Multiplikation. Er hatte auch gelesen oder aus den Zeichen die Idee bekommen, daß Hephäst die Welt beherrschte – kein anderer kam in Frage bei so viel Eisen. Seine Sprache war nicht mehr griechisch, sondern bestand aus vielen Sprachen. Seine Schrift war die lateinische. Es gab da allerdings an manchen Wänden Schriften aus Buchstaben, die wie Bilder aussahen und nicht nach lateinischer, sondern hermetischer Art gelesen werden wollten, auch Fische und Vögel, die wie Vorboten von Buchstaben waren, hingewischt von genialen Pinseln, sicher die Zeichen aufständischer Junggötter. Wer die waren, würde sich finden.

Die meisten jungen Frauen schienen Hermes überschlank, einfach zu mager, und sie wurden recht lang jetzt, streckten sich zu sehr. Vielleicht liebten aber die Männer solche Schlangenfiguren? Meist waren die Mädchen sehr kühl und eher in sich selbst verliebt, oder sie taten so. Ihr Spiegelbild betrachteten sie ständig, was bei derart viel Glas keine Mühe machte. Wenn sie mit einem Mann ausgingen, ließen sie sich von ihm auf der Straße umarmen und betätscheln, betrachteten aber immerfort ganz andere Männer, sogar im Ristorante. Das war früher anders gewesen – eine gute Hetäre war zwar nicht billig, aber sie guckte dafür auch nur den an, der sie gemietet hatte. Und gänzlich unklar blieb, wo diese Mengen langweiliger Musik herkamen. In den kleinsten Kästchen an der Wand waren bis zu fünfzig Instrumente und dazu Leute, die sie spielten.

Auf einem der Vaporetti saß eine Schöne, die genau wußte, wie schön sie war. Sie unterhielt sich mit ihrer Freundin, aber mit jeder Mundbewegung, jedem Blick, jeder Bewegung zeigte sie ihre Schönheit – natürlich weil sie den wachsenden Strahlenblick des Hermes bemerkt hatte. Dann aber mußte sie plötzlich über einen kleinen Jungen lachen, der über ihren Fuß stolperte, sich an ihrem Schenkel festhielt und sie mit runden Augen ansah. Sie blickte sofort zu Hermes, um zu ergründen, ob er sie beim Lachen auch noch schön fand.

Vieles war eben wie früher. Wenn man eine Frau verliebt machen wollte, guckte man ihre häßliche Begleiterin aufmerksamer und bewundernder an als sie – alsbald erhielt man nicht nur von dieser, sondern auch von der Schönen selbst Blicke, die durch und durch gingen. Auf die Weise hatte er vor rund sechstausend Jahren Aphrodite zum ersten Mal in Flammen gesetzt. Im Moment machte Hermes aber keinen praktischen Gebrauch davon, er wollte Helga. Alle bisherigen Forschungen im Rissigen, Gemaserten und Durchwachsenen hatten ihm noch nichts Entscheidendes über ihren Aufenthaltsort verraten – da half nur noch blanker Marmor. Und dazu mußte er hier in eine Kirche gehen, in seiner eigenen Gestalt, aber nach Möglichkeit bekleidet.

Als er über den Campo San Stefano ging, sprachen ihn die schwarzen Männer aus Afrika an, erst in einer unverständlichen Sprache und dann auf französisch. Wie er denn heiße. Er nannte sich »Paläos Kaimenos«, was sie natürlich nicht verstanden. Sie fanden, er müsse Schuhe und eine Armbanduhr tragen – der Ruf der Afrikaner insgesamt sei für sie geschäftlich wichtig. Sie würden ihre in Hongkong gefälschten Taschen ohnehin nur schwer los.

»Ich bin kein Afrikaner. Ich war im Inneren eines Vulkans. Danach sieht man immer so aus wie ihr«, antwortete Hermes. Sie stutzten, begannen dann zu lachen, konnten gar nicht damit aufhören und mußten ihn ziehen lassen. Auf dem Platz vor San Marco gefielen ihm alle Gebäude außer der Kirche, die hatte etwas gefährlich Geschwollenes. Und es gab zu viele dummgierige Tauben und dummfütternde Menschen hier. Nur die Kinder beobachtete er gern, wenn sie Tauben aufscheuchten. Sie waren genau wie damals in Athen oder Knidos oder Kallipolis: sie genossen es, wenn die Tauben, so hofften sie wenigstens, vor ihnen Angst bekamen. Hier waren es hauptsächlich Kinder aus einem ihm völlig unbekannten Land namens JAPON, und Hermes merkte: das waren die entzückendsten Kinder, die er je gesehen hatte. Trotzdem, dachte er rasch, ich liebe die Menschen nicht besonders. Über die Eltern der Kleinen war nichts Genaues auszumachen, sie versteckten ihre Augen hinter surrenden kleinen Gegenständen. Hoch über allem thronte ein geflügelter Löwe, dem Hermes, bei aller Flugerfahrung, noch nie begegnet war. Und auf einem Turm standen zwei steife schwarze Männer, die mit langstieligen Hämmern auf einen umgedrehten Topf einschlugen – ein Heiligtum des Hephäst also.

Die Stadt gefiel ihm, aber es waren zu viele Leute hier, die nichts wußten und von denen man nichts lernen konnte. Sie wußten nicht den Unterschied zwischen Seide, Wolle und Baumwolle. Sie wußten nicht, wie RADIO oder TELEVISION es schafften, Töne und Bilder hervorzubringen, nicht einmal, woher AUTOMOBILE die Kraft nahmen, sich fortzubewegen. Ein Gutes war übrigens, daß diese gläsernen Räderschildkröten aus der Stadt verbannt waren – sie wären hier nur in die Kanäle gefallen. Sie standen auf dem Piazzale Roma in der Hitze und taten keinen Mucks.

Er befand sich, nur das war sicher, in einer ziemlich wirren Geschichte. Wie ging sie denn? Nach zweitausend Jahren Angeschmiedetsein an der Vulkanwand von Kaimeni mußte er sich wieder zurechtfinden, Sprachen lernen und herausbekommen, wer der oberste

Gott war und wo er residierte. Er hatte Auflagen zu erfüllen: Nicht nach Athen gehen. Darauf warten, daß man ihn zu seinen Zaubermitteln, Sandalen, Flügelhut und Stab, führte. Danach die Reise zum Mittelpunkt der Welt. Und nebenbei war er hinter Helga her und mußte sich den Weg herbeilesen, auf dem er zu ihr fand. Da er nicht wußte, wer jetzt seine Feinde waren und wo sie auf ihn warteten, durfte er nicht zu ausgiebig von seiner eigenen, ramponierten Göttergestalt Gebrauch machen. Unklar war ihm vor allem, wie er seinen Kult wiederherstellen sollte bei so großer Göttervergessenheit. Kein Mensch, in dem er sich aufgehalten hatte, pries hinterher strahlend seinen Namen. Alle hielten die Sache für einen störenden Zwischenfall oder gar eine Halluzination. Und es war schlicht beleidigend, wenn einer zum anderen nicht etwa sagte: »Ich habe den Hermes«, sondern »Ich glaube, ich habe den Alzheimer«. Wer, bitte, sollte das sein??

Die Maserungen in San Marco sagten ihm nicht viel, und Hermes fragte sich, warum das so war. Die Adern des Marmors, wenn er zu glatten Flächen geschlagen, geschliffen und poliert war, hatten bisher immer zu jeder Frage die richtige Geschichte herausgerückt. Aber hier waren es befremdliche Bravheitsbotschaften, Drohungen mit ewigen Strafen, vor allem Warnungen, und zwar – ja, ganz deutlich – Warnungen vor ihm, Hermes! Mehr konnte er nicht sehen, auch nicht mit dem großen, gezielten, dann in die Breite wachsenden Blickstrahl, der sonst alles zuverlässig aufschloß. Es lag wohl an ihm selbst: sein Auge war gar zu benebelt hier. Zweifellos trug der süßliche Totengruft-Geruch dazu bei, er kam von den im Gewölbe und unter den Kuppeln klebenden Resten eines Opferrauchs für die überall abgebildeten, aber nicht anwesenden Götter. Die meisten von ihnen hatten offensichtlich ein schreckliches Schicksal erlitten, waren von Pfeilen durchbohrt, verbrannt oder an Holzkreuze genagelt worden. Wenn es Götter waren, dann mußten sie ja trotzdem noch am Leben sein. So sehr aber Hermes sie sich ansah, er nahm keine Familienähnlichkeiten wahr – obwohl sie von Göttern abstammen mußten, die er gekannt hatte. Einige von ihnen hatten Flügel, aber an der falschen Stelle: nicht an Hut und Sandalen, sondern auf dem Rücken wie Vögel. Er verließ die Kirche, suchte nach einer besseren.

Auf der gegenüberliegenden Seite des Canal Grande, in einer weiteren Kirche, fesselte ihn das Bild einer jungen Frau, vielleicht einer Nymphe wie seine Mutter Maia. Sie gefiel ihm schon deshalb, weil sie sich nicht in so trauriger Verfassung befand wie die anderen Götter jetzt. Sie war ihm schon vorher aufgefallen, sogar außerhalb der Kirchen an Hausmauern, dann meist in einem kleinen Käfig oder als Steinbild unter einem winzigen Dach wie am Calle del Dose Da Ponte. Sie war an einer Stola zu erkennen, die Kopf und Körper einhüllte, und an dem kleinen Kind in ihren Armen. Diesmal war die Stola grün mit Goldrand, und der Sohn schon recht groß, er stand auf ihrem Schenkel, wie in älteren Zeiten der Dionysosknabe auf der Hüfte des Hermes. Sie hielt ihn mit wunderbar schönen Händen und blickte zufrieden, mit einem kaum merklichen Schalk sah sie von ihrem Thron herunter, einem winzigen Lächeln. Eine listige Erzählerin vermutlich, die den feierlichen alten Herren rechts und links vor ihr gerade eine tolle Geschichte über ihren kleinen Jungen aufgetischt hatte. Und die glaubten jedes Wort.

Vielleicht war sie eine Urenkelin von ihm – er mußte sie jedenfalls kennenlernen. Nicht der Liebe wegen, er hatte für sie eher brüderliche Gefühle. Bisher hatte er außer Athene noch nie eine Freundin gehabt, immer nur Geliebte der verschiedensten Art. Diese junge Mutter aber war ganz deutlich eine Freundin. Sie brauchte keinen Mann, aber einen Freund. Sie sollte nicht länger allein sein und nur so stillvergnügt und winzig in sich hineinlächeln, laut lachen sollte sie. Das konnte man nur zu zweit, und er, Hermes, wollte der Zweite sein. Vermutlich wußte sie über Männer so gut wie alles – nur deshalb konnte sie ihnen ja so gut etwas vormachen. Da sie im übrigen weit und breit die schönste Göttin war, zweifelte er nicht daran, daß es sich um Gianna Nannini handelte, die Frau, derentwegen Norweger ihre Bräute am Morgen der Hochzeitsnacht zu verlassen pflegten.

*

Der Marmor wollte nichts hergeben, nirgends. Es war jetzt schon später Nachmittag. Irgendwo, hoch über dem Dunst, schob Helios seinen Sonnenkarren. Ob der immer noch alles sah und wußte? Über die Einzelheiten in einer so diesigen Stadt sicher nicht. Und ohne Sandalen, ohne Hut und Stab konnte Hermes mit ihm sowieso keine Verbindung aufnehmen, er war auf Ahnungen angewiesen. Er ging an der Fondamenta delle Zattere entlang und sprach mit einigen Möwen, deren jede einen halbverwitterten, muschelbesetzten Pfahl zu eigen hatte. Sie schimpften über die großen Städte im Westen und Süden: die seien noch viel dunstiger, da sehe man noch weniger. Götter mit Vogelflügeln hatten sie nirgends gesichtet, auch nie von ihnen gehört. Womöglich waren sogar Gianna Nannini und ihr kleiner Junge eine glatte Erfindung.

Am Campiello agli Incurabili geriet er in ein Rudel seltsam geschniegelter und auffallend dünner Hunde, die einer kleinen Pension zustrebten und in ihr verschwanden. Wohnte dort Hekate? Und wenn, warum leistete sie sich keine bessere Unterkunft? Einige Häuser weiter hörte er aus einer Trattoria plötzlich Stimmen, die unverkennbar etruskisch sprachen, und zwar mit keltischem Akzent. Er drehte sich um und sah endlich die ersten zwei Ortsgeister aus der Nähe, sie saßen, nur für Götter und Geister sichtbar, an einem Tischchen vor dem Lokal und tranken weißen Wein. Die Gläser behielten sie in der Hand oder Klaue, damit auch diese unsichtbar blieben.

Die männlichen Ortsgeister hatten meist eine eher tierische Gestalt, nur die Nymphen sahen menschlich aus. Alle konnten ihr Äußeres nicht ändern, auch nicht in Menschen hineinschlüpfen. Deshalb waren sie unter den Unsterblichen wohlbekannt: sie sahen aus wie vor vielen Jahrtausenden. Von dem einen, einem hochbeinigen Haarhuhn mit vier Greifern hatte Hermes schon gehört, er hieß Seuss und war einst ein venetischer Sumpf- und Seehüter gewesen. Der andere war ihm unbekannt. Er hatte das finstere Gesicht vom Zackenbarsch, aber eine liebliche Stimme, vergleichbar fast dem Singsang der Sirenen. Für seinen gedrungenen Robbenkörper brauchte er keinen Stuhl, er saß auf seinem sauber aufgerollten, endlos langen Schwanz.

Hermes setzte sich zu ihnen und gab sich auf ihre neugierigen Fragen hin zu erkennen. Er mußte beim Kellner etwas bestellen, denn er war ja sichtbar. »Bestell eine *ombra*!« riet Seuss, und es kam ein sehr kleines Glas Wein. »Wir sitzen hier am Tage, wenn es den Leuten zu heiß ist, und trinken eine *ombra* – es ist so wenig, daß man ruhig mehrere davon trinken kann. Natürlich bezahlen wir nicht, wir gehen unsichtbar hinein und bedienen uns.«

»Den Stammkneipen von Ortsgeistern geht es geschäftlich nicht zum besten«, säuselte der andere, »sogar Harry's Bar hat zeitweise dichtgemacht, das gibt uns zu denken. Wir verteilen uns über die Stadt, so gut es geht. Nebenbei, ich bin Orffi, genannt Olivolo, weil ich auf einer Insel dieses Namens gewohnt habe. Sie ist verschwunden. Hoher Herr, ich war schon da, bevor die Angler den Widerhaken erfanden. Und jetzt? Als Ortsgeist ohne das Ambiente, für das man eigentlich Geist ist, das ist kein Leben! Ich trinke noch eine *ombra*!«

Hermes bestellte erneut, Seuss ging und holte Wein für sich und Olivolo, der dafür seinen Schwanz nicht aus- und wieder einrollen wollte. Hermes nutzte die Zeit und ließ sich von ihm das Wort AMBIENTE erklären, das ihm bisher nicht begegnet war. Als der Kellner das einzig sichtbare Glas vollgeschenkt hatte, fehlte in der Flasche viel mehr Wein, als nach rechten Dingen fehlen konnte. Aber so war es schon seit Urzeiten, es fiel hier niemandem mehr auf.

»Dann bist du also wieder frei, großer Kyllenier,« sagte Seuss, »aber ganz schön angeschwärzt, das muß ich sagen!« Sein Schnabel tauchte ins Glas, nahm ein Schlückchen und reckte sich dann gen Himmel, damit der Wein seinen Weg fand. »Viel Freude wirst du jetzt nicht haben. Wir wissen nicht genau, was passiert ist, aber die Olympier haben nichts mehr zu sagen oder wollen nicht mehr. Zeus hat sich zurückgezogen, er lebt in Amerika. Über die anderen wissen wir nichts. Einen obersten Gott gibt es nicht, nur einen Manager. Hier heißt er »Ingegnere Mulciebre«, aber er ist selten hier, fast immer in Deutschland. Da heißt er nur ›der Konsul‹. Entweder ist er niemand anders als Vulkanus, also Hephäst, oder er hat Vulkan alles weggenommen. Wir wissen es nicht so genau und wollen es auch nicht wissen.«

»Warum ist er denn in Deutschland?«

»Weil dort jetzt die Mitte der Welt ist, in Poppau bei Klötze. – Nehmen wir noch eine *ombra*?«

»Ich suche eine Helga aus Deutschland«, sagte Hermes, als sie die Gläser wieder voll hatten. »Sie ist sehr zierlich, hat große Ohren und meistens Schmuck oder Musikknöpfe dran.«

»Da mußt du Hezzenegker fragen«, antwortete Olivolo, »der kommt dorther, er kommt aus Bavaria, ist irgendwann mit den Römern mitgegangen und in Venezia hängengeblieben. Er ist für die Fremden hier zuständig, außerdem für das Fondaco dei Tedeschi und die Post an fremde Verliebte. Er hat ein gutes Namensgedächtnis.«

»Wo finde ich ihn?« fragte Hermes.

»Da, wo wir Geister den späteren Abend verbringen, in der Scuola Materna-Elementare auf der Giudecca. Das ist ein wunderbares Gebäude, bleibt nachts schön warm unterm Dach, und von der pädagogischen Bibliothek geht der Blick nach Süden, wir mögen es dort. Und es ist außer uns niemand drin, nur am Tag Scharen von Kindern. Deshalb sitzen wir ja dann hier. Sag mal, deine flüchtige Hetäre hat etwas im Ohr? Sie könnte eine Göttin sein, die dir Peinlichkeiten ersparen möchte. Du weißt, daß du bei Göttern nicht durchs Trommelfell kommst, hast du daran gedacht? Du würdest hart aufprallen und dir eine dicke Nase holen.«

Später trafen sie in der Scuola Materna-Elementare mit den übrigen Ortsgeistern zusammen. Sie waren dorthin mit dem Vaporetto gefahren, allerdings hatte Hermes ein paar Umwege und Sprünge über mittlere Kanäle machen müssen, weil ein Kellner und zwei Schiffskassierer hinter ihm her waren. Er hätte ihnen aus seinem Geldeimer ein paar Banknoten zuwerfen können, aber das fand er unsportlich.

Das Haus der Geister schimmerte in der Abendsonne als einladender Wohnsitz der Dämmerung, umwachsen und begrünt, und fern im Süden ließ sich der Lido erkennen, eine langgestreckte Sandinsel für Müßiggänger. Die Ortsgeister hatten etwas merkwürdige Gestalten und wirkten mitgenommen, sie waren geschwächt durch mangelnde Verehrung und unzählige *ombras* und hatten eine mißmutige Grundstimmung wie alle Ortsgeister auf der Welt – die Menschheit verdrängte sie und ließ ihnen immer weniger Plätze zum Sitzen, Schlafen oder Herumgeistern. Einem so bedeutenden Gott wie Hermes gegenüber waren sie zu Diensten bereit und respektvoll.

Hezzenegker, ein langer, dünner Mann mit roten Haaren, Schnurrbart und einer Myriade Sommersprossen im blassen Gesicht, wirkte fast energisch. Wie bei allen sehr aktiven Sumpfgeistern leuchteten seine Augen im Dunkeln bläulich. Seine Leidenschaft war es, unsichtbar an einem langen Seil hinter Booten und Schiffen herzugleiten, was ihm durch die erstaunliche Standfläche seiner Flossenfüße gut möglich war. Die Füße erinnerten an die von Schwänen, waren aber noch weit größer. Er war stolz auf sie: »Die sind mir erst gewachsen, als ich hier Geist wurde.« Über das norwegische Pärchen wußte er schon Bescheid. Er hatte am Morgen gerade ein paar Kurven hinter einem Zollboot gezogen und war etwas abgelenkt gewesen – »Ich kann nicht überall sein!« Er klagte über ein Übermaß an Pflichten, weil so viele Fremde hierherkämen. »Die einen warten auf Liebesbriefe, die anderen auf den Tod, einige auf beides. Ich besorge die Post für diese Menschen, komme aber manchmal ohne Schuld zu spät. Zum Beispiel dieser Aschenbach. Er hatte sich in einen gewissen Tadzio verliebt, einen ziemlichen Tunichtgut, aber er verwechselte ihn mit dir, großer Hermes! Stirbt natürlich, aus unmöglicher Liebe und wegen Venedig ganz allgemein. Kaum ist er tot, kommen Briefe über Briefe, und alle von Tadzio. Auf so was bleib ich sitzen, der Dachboden der Materna Elementare ist voll davon! Kommst du mal wieder in die Unterwelt?«

Dann aber erfuhr Hermes das Wichtigste: Eine Deutsche, auf die seine Beschreibung zutraf, wohnte in der Casa Venier dei Leoni, einem Palazzo voller Bilder, normalerweise Stadtsitz von Hekate, derzeit Götterbotin zwischen den Welten, nebst ihrer verwünschten Hundemeute. Aber diesmal sei sie aus unbekannten Gründen in eine Pension am Campiello agli Incurabili gezogen. Mehr wollte Hermes nicht wissen, und obwohl die Geister zum Bleiben einluden und das Haus behaglich war, hielt es ihn hier nicht länger. Einige schliefen schon, um ab Mitternacht frisch zu sein. Olivolo blies sich zu einem riesigen Ball auf und stieg in die Luft empor, bis das Ende seines langen Schwanzes gerade über der Erde hing. Seuss befestigte es mit einem gekonnten Schifferknoten am Klettergerüst des Kindergartens. »Er schläft immer da oben«, sagte er, »Olivolo hat Minusgewicht – etwa ein bis zwei Katzen unter Null. Um ihn zu wecken, muß man den Schwanz einholen und ihm sehr freundlich einen Espresso unter die Nase halten.« Dann gähnte er mit seinem Riesenschnabel so, daß Hermes vorsichtshalber einen Schritt zurücktrat. »Für mich wird es auch Zeit, Kyllenier. Sei vorsichtig mit verschlossenen Ohren und, erhabener Gott der Frechheit, mit den übellaunigen Germanen. Wahrscheinlich mußt du früher oder später zum Konsul nach Deutschland. Die Italiener sind die einzigen auf der Welt, die mit den Deutschen umgehen können …«

»Dann bin ich eben Italiener«, sprach Hermes. Seuss gab keine Antwort mehr. Er hatte die Augen geschlossen und ließ tiefe Atemzüge hören.

Er wandte sich zum Gehen. Während des Gesprächs hatte ein Dieb ihm unauffällig das gesamte Geld abgenommen. Hermes sah ihn in einiger Entfernung mit dem gelben Eimer zwischen den Häusern verschwinden. Er dachte gar nicht daran, ihm nachzujagen. Er mußte lachen: Ob ich Italiener bin oder die Italiener wie ich, macht keinen Unterschied.

*

Blicke sind etwas Geworfenes. Ihr Aufschlag läßt sich deutlich spüren, zumindest wenn man ein Gott ist. Als die Gondel, von der Giudecca kommend, auf San Marco zuhielt, wußte Hermes: Helga stand bereits irgendwo auf einem Dach und erwartete ihn. Er sah sie noch nicht, aber ihr Blick kam an, es war genau jener sehnsüchtige Blickstrahl aus den flachlandblauen Augen, den er aus der Meerenge an der Schmidt-Wand und vom Kriegerdenkmal »Taverna Mythos« in der Stadt Thera kannte. Seltsam übrigens: wenn sie ihn wirklich erwartete, woher wußte sie, daß er kam, vor allem, daß er gerade jetzt kam?

Heute würde es wieder sanft, langsam, hingebungsvoll und heftig zugehen können, ganz wie im Hotelzimmer in Thera. Der Drummer Charles aus Sparta war zwar im Gegensatz zu Jean-Claude an Frauen ernstlich interessiert gewesen, hatte aber auf sehr spartanische Weise geliebt: er stand unter dem Zwang, seine Männlichkeit zu beweisen. Nun wollte jeder, der etwas zu beweisen hatte, es so rasch wie möglich tun, daher hatte Charles bei Helga eine Schnelligkeit entwickelt, die ihm am Schlagzeug mehr Beifall eingebracht hätte. Trotz allen Gegenhaltens im Kopf sah sich Hermes rasch vor vollendete Tatsachen gestellt. Mehr als ein Notbehelf, ein hastiger Salut war das nicht gewesen. Sein Fazit: Genußreich war eine Vereinigung heutzutage nur dann, wenn man in eigener Person zur Sache ging.

In der Magengrube spürte er ein Schwirren, hörte sogar fast so etwas wie einen Saitenklang von dort: Die alte frohe Befangenheit, der vertraute Lustschreck war das. Wie würde es werden? Gelenkig genug war er nun wieder geworden, auch für die gewagtesten Liebesfiguren. Aber würde sein altberühmter Natternstab die gewohnten guten Dienste tun können, wenn er jetzt schon derart herumwulstete – eine von der Hosenenge zum Horn gekrümmte Manneswurzel, wütend den Ausweg suchend; nur gut, daß sie über keine Stimme verfügte, das wäre ein nettes Gebrüll geworden. Spaßig seine Bangigkeit bei alledem. Wie ein sehr junger, ein allzu junger Mann fühlte er sich, der mitgenommene und angebrannte alte Gott.

Warum dauerte hier bloß alles so lang? In einer Triere mit dreihundert Ruderern hätte er sitzen müssen. Ein halbes dutzendmal eingetaucht die Riemen, schon wäre er vor ihr gestanden. Poseidon, Meeresbeherrscher, laß die Späße und gib den Kiel dieser armseligen Gondel frei! Niemand glaubt dir, daß ein Boot auf der Welt so langsam fahren kann, wenn ein ausgewachsener Mann sich, auf Bezahlung hoffend, ins Ruder stemmt! Laß den Kiel los, schieb lieber etwas an: Bist du nie verliebt gewesen? Da fiele mir doch eine Anzahl von Nymphen ein, und tief ins Verderben gestürzt hast du einige von ihnen, du Vater aller Untergänge!

Oder war der Gondoliere vielleicht kein Venezianer, sondern ein Abgesandter des Hephäst, der ihn aufhalten sollte? Er fragte ihn in der Sprache des Schmieds, und der Mann antwortete in derselben Sprache, er heiße Rinaldo und sei in Nürnberg geboren. Verdächtig war das schon.

Ihm fiel ein: er mußte mit Helga behutsam umgehen. Vielleicht flößte seine Lüsternheit diesem zarten, herben Wesen aus dem Norden längst Angst ein? Vielleicht fürchtete sie, daß ihr Leben aus der Bahn geworfen würde? Wenn er diesmal in ihr rechtes Ohr kam, dann konnte er das alles feststellen. Aus der Bahn werfen wollte er sie auf jeden Fall, aber das machte nur dann Vergnügen, wenn sie mit eigenem Schwung dabei mittat.

*

Sie wußte, es konnte nur Hermes sein. Nirgends sonst saß ein einsamer dunkler Mann in einer Gondel, da brauchte sie nicht nach dem Fernglas zu suchen. Und daß er mit einer Gondel kommen würde, hatte sie gese- hen oder gelesen, jedenfalls nie bezweifelt. Er war noch weit weg, und wie langsam waren diese schweren schwarzen Kähne! Zehn Minuten noch, mindestens! Wie ruhig er dasaß, ohne jede Ungeduld! Ein Gott eben, seiner Wildheit sicher. Ein Gott in der Schnellig- keit des Zugreifens, dann aber mit dem reichen Zeit- maß des Unsterblichen gesegnet. Hermes, die einzig bewundernswerte Mischung aus Gier und Intelligenz, ein räuberischer Gott aus Dämmerlicht und Straßen- dreck, die größte Wildsau mit dem feinsten Gespür und darum Gott der Götter.

Sie würde ihm als erstes die Narben küssen, welche die kantigen Eisenschellen an Armen und Füßen hinter- lassen hatten, wozu er Hemd und Hose ausziehen muß- te. Und die Narbe am Hals. Da würde er dann zufas- sen, ihren Kopf mit der einen Hand zart einfassen und sie sacht umdrehen, um ihre Schultern zu küssen, und die andere Hand begann, ihre Zitzen zu kraulen. Sorg- fältige Vergewisserung über alle Landschaften der Haut: waren sie am Ort und wie erwartet oder anders? War alles auf ihn, ihn, IHN eingestimmt, und wie sehr? O ja, sehr! Jede Falte, jeder Falz, und die runde Haube seiner aufgeweckten Schlange tastete schon zwischen den hinteren Welthälften, suchte den Weg ins Schlüpfri- ge, während seine Zähne zwischen zwei Küssen zubis- sen und Haut im Nacken faßten. Sie aber würde sich lachend umdrehen, den wippenden Stengel ignorieren, ihm die Nase küssen und sagen: »Laß dir Zeit, Un- sterblicher – wie wär's mit Musik?« Hinübergehen zu Peggys Nußbaum-Musiktruhe (Jahrgang 1957), sich über die Platten beugen und so tun, als könne man in diesem gravitätischen Klassikkram eine Begleitmusik finden für die längste, wildeste, saftigste und glühendste Vögelei der Neueren Geschichte seit Luther. Ihr Gang, der Anblick von hinten, ihre zärtliche Zuwendung zu einem Konzertschrank und zu diesen Plattenhüllen mit göttlich blickenden Männergesichtern ausgerechnet jetzt, das würde ihn erst recht herausfordern. Einfangen würde er sie, derb wegfangen vom freudlosen Musikmöbel, und ihr die Glocken läuten, daß jede Klassik ihr abhanden kam. Seine Hand würde ihren Schenkel umfassen, in den krausen Hain der Scham packen, ihren Körper herumdrehen. Hilflos gierig würde sie umsinken und das ihre tun, um seinen geäderten Schwengel versinken zu lassen mit der Unaufhaltsamkeit einer untergehenden Yacht oder eines in der Gischt der Klippen gefangenen Schnellboots wie jenes an der Insel Rügen, das immer müder und schwerfälliger tanzte, schließlich sank und in der Tiefe Ruhe fand. – Wirklich schrecklich, wie langsam diese verdammte Gondel vorankam, sie trieb mehr, als sie fuhr! Der Gondoliere spähte während seiner Arbeit offensichtlich nicht nur an der Punta della Dogana, sondern jetzt auch am Campo della Salute nach Freunden, und er hatte schrecklich viele: ständig war er im fröhlich schreienden Dialog mit Leuten am Ufer, fühlte sich wohl dabei und hatte keine Eile, voranzukommen.

*

Nie wieder mit einer Gondel! Wie konnte man so etwas noch Fahrzeug nennen? Inzwischen hatte er in Gedanken unzählige Wege zurückgelegt zur herrlichsten Lust und sich schon fast Mühe geben müssen, um ein vorzeitiges Ankommen zu vermeiden.

Aber da, endlich, stand Helga auf der Landeplattform, die Hand auf einem der Anlegepfähle – o ihr Götter übereinander, wie sollte er denn nur unanstößig aussteigen mit dem buckelnden Gipfel unter der Leibesmitte? Gut, daß ihn ihr Erscheinungsbild irritierte, es lenkte etwas ab: denn sie trug eine Stola, über den Kopf gezogen und in demselben Grün wie bei Gianna Nannini in der Chiesa dei Frari. Dabei war das Gesicht eindeutig das von Helga, und die Ohrenränder hatten den richtigen Schwung, nur waren die Augen nicht blau, sondern von glühendem Hellbraun wie bei einer Bergziege. Wollte sie ihn glauben machen, sie wäre die junge Mutter aus der Kirche?

»Willkommen, Liebesgott!«

»Halt, halt«, antwortete Hermes, »ich bin der Gott des Phallus, fürs Ambiente sorgt Eros!«

Besonders liebeslüstern schien sie zur Zeit nicht. Eher auf spröde Weise wohlwollend wie eine höfliche Wirtin. Wahrscheinlich würde er mit ihr zunächst die ganze Bildersammlung der Hundegöttin ansehen müssen – im Augenblick eine unwillkommene Verzögerung. Oder versteckte sie ihre Leidenschaft, damit er sich mehr Mühe gab?

*

Das Bett war von Seide, aber etwas klein. Wenn zwei Leute darin ernstlich zu schlafen versuchten, blieb mit Bestimmtheit einer wach, um schließlich aufzustehen und sich woanders hinzulegen. Hermes brauchte keinen Schlaf, schon gar nicht nach zweitausend Jahren Kraterruhe. Sie hingegen schlief fest, zusammengerollt wie eine Katze. Oder tat sie nur so? Wie hieß sie denn nun, wenn ihr Name nicht Helga war, diese Frau aus Stendal und doch nicht aus Stendal? Sie hatte große Hände, eine große Nase, große Ohren. Es war nicht jeden Tag zu beobachten, daß all dies sich zu so viel Anmut vereinigte, daß Ohren groß und dennoch hübsch waren. Wäre sie ein Mensch, dachte er, ich würde mich in ihrem Kopf umsehen. Aber das war sie nicht, der Zugang war verwehrt, sie war Göttin.

Er hätte niemals angenommen, daß sie eine der Unsterblichen sein könnte. Jetzt, seit sie ihm eröffnet hatte, sie sei eine bisher wenig auffällige und »eher nördliche« Göttin, taten sich mehr Rätsel auf als je zuvor. Warum sagte sie ihren Namen nicht? Warum sprach sie kein Englisch, obwohl das heute, wie er festgestellt hatte, jeder beherrschte, statt dessen aber »Russisch«, eine Sprache, von der er noch nicht einmal wußte, in welcher Weltgegend sie gesprochen wurde? Warum entfachte und genoß sie Liebesstürme, die die erotischen Lehren der Aspasia schlicht hinwegfegten, wollte aber weder vorher noch nachher verraten, wer sie war? Anlügen durfte sie ihn ja nicht. Es war Göttern verboten, einen falschen Namen zu sagen, wenn sie sich als Götter zu erkennen gegeben hatten. Daher schwieg sie. Jeden seiner Schritte in Venezia hatte sie beobachten lassen. Seuss war einer ihrer Kundschafter oder jedenfalls mit ihr im Bunde, sogar der männerliebende Commissario mit dem lavendelfarbenen Knopf im Ohr: der hatte herausfinden sollen, wie stark Hermes Menschen beeinflussen konnte, in deren Kopf er saß. Wozu aber der ganze Aufwand? Aus Liebe? Aus Eifersucht wegen seiner mütterlichen Freundin im grünen Umhang? Diese hieß, wie er jetzt wußte, keineswegs Gianna, ja sie sang nicht einmal.

Es roch angenehm hier, fast rosenartig, nach einer weißen Kelchblume, die er gut kannte, »Gardenia«. Hermes blickte sich um und versuchte herauszufinden, wo die hier mitten im Zimmer blühen sollte. Es lag aber am vornehmen Wesen von vier zueinander passenden Lederkoffern, daß dieser wunderbare Duft entstand.

Die Schlafende räkelte sich und erwachte, die Großnasige, Schönohrige ohne Namen. Vielmehr, sie öffnete ein Auge, erkannte die Schulter des Hermes und legte zufrieden ihren Kopf darauf, um augenblicklich weiterzuschlafen. Es wärmte seine Seele. Nein, Menschen liebe ich nicht besonders, dachte er, aber diese hier ist ja Göttin. Eine, die Schlaf braucht, etwas sehr Seltenes.

Am Morgen waren sie durch die Stadt vagabundiert. Sie hatte von ihm alles über seine Sprünge in menschliche Köpfe hören wollen, und darüber, wie er dort die aufsteigenden Bilder mit den Wörtern verband. Offensichtlich wollte auch sie sich nächstens wieder in menschlichen Personen einnisten und hatte es lange nicht mehr geübt. Oder wollte sie in irgend jemands Auftrag herausbekommen, was der alte Hermes noch konnte und was nicht? Hatte sie ihn vielleicht nach Venezia gelockt, um zu verhindern, daß er Athen aufsuchte? Wenn er nur gewußt hätte, wer sie war und was es mit ihrer Neugier auf sich hatte! Zum Beispiel hatte sie Interesse dafür gezeigt, ob er sich auch in weibliche Gehirne versetzen könne. Ferner wünschte sie von ihm zu lernen, wie man aus Wolken, Sandlinien oder sich schälenden Farben etwas über den Zusammenhang und die Fortbewegung der Welt las. Dabei konnte sie es offensichtlich längst, war allerdings in allem etwas rasch. Sie wußte immer, wo sie im Gestöber der Zeichen sich selbst finden konnte, und das war es, was göttliche Geister aus dem Chaos Wissen ziehen ließ. Gesträubt hatte sie sich nur gegen die Idee, auch normale Schriftzeilen so zu lesen wie die Botschaften des Rostes oder die Tänze der Kiesel im Brunnenbecken. Dabei war das einfach, man mußte nur gnadenlos ignorieren, was der Schreiber selbst mitteilen wollte. Ihr aber waren auf ungöttliche Weise die Gedanken wichtig, denen die Autoren der Menschenwelt mit ihren Manuskripten auf der Spur zu bleiben hofften. Er teilte ihr mit, was er las: aus der Zeitung *Il Gazzettino* ersah er, daß seine Begleiterin eine Abgesandte war. Und aus den Fleckenkolonien eines Restaurantspiegels ging hervor, daß sie ihm noch heute sagen würde, wer sie sei und wie alles zusammenhing.

Kein langweiliger Tag. Sie hatten vom Dach einer Kirche den Hafen und die Wolken studiert. Dann hatten sie in jenem Restaurant zwei *ombras* bestellt und den Oberkellner, der vor lauter Vornehmheit offensichtlich kein Gelenk mehr bewegen konnte, so weit gebracht, »Götterspeise« zu servieren und selbst ein paar Löffel zu probieren, worauf er einen Schwächeanfall erlitt und hinsank, mitten in ein Blumenarrangement. In der Art hatten sie weitergemacht und herrlichen Unsinn angestellt, etwa einen reichlich wilden und dreisten Tanz erfunden, zu dem sie die ganze Breite des Campo Santa Margherita brauchten. Das zwang drei Carabinieri zu energischem Eingreifen, wonach dem einen die Mütze, dem zweiten die Pistole und dem dritten die Hose fehlte. Mit dieser Ausrüstung versahen sie wenig später die Statue eines Mannes, dessen ansehnliche Nacktheit von einem Feigenblatt so peinlich hervorgehoben wurde, daß man sie besser bedeckte. All dies, dazu einige Höhepunkte der vergangenen Nacht erzählte die Göttin dann in reumütigem Ton einem Mann in Frauengewändern; er saß in einem violett verhangenen Kirchenschrank und ärgerte sich nicht schlecht, denn er hielt alles für Aufschneiderei. Bei den erotischen Höhepunkten wurde er regelrecht fassungslos, Hermes, der in seinem Kopf steckte, hatte viel Freude daran. Zuletzt mußte der Arme alles verzeihen, denn dazu war er hier angestellt, und andere Reaktionen hatte er nicht gelernt.

Beim Lesen waren sie wieder auf die Zeichen der vermeintlichen Junggötter gestoßen. Von seiner Begleiterin erfuhr Hermes, daß es sich um Menschen handelte, er merkte sich die Ausdrücke GRAFFITI, WRITER und TAGGING. Ein »Writer« war eine Art Gegenstück zum Carabiniere, und eher ein Hermesmensch. Writer ärgerten sich über eintönige Mauern und versuchten, mittels Sprühdosen wilde und farbige Spuren auf ihnen zu hinterlassen, einmalige, an denen ihre persönliche Urheberschaft klar zu erkennen war. »Tagging« hieß es, wenn sie ihre selbstgewählten Namen an die Wand schrieben. Nur einer von ihnen hatte ohne Signatur Fische und Blitze an die Mauern geworfen, ihn erkannte man allein an der Handschrift.

*

Gegen Abend wachte die Göttin auf und schlug vor, aufs Dach des Hauses zu gehen, um die letzten Sonnenstrahlen aufzufangen. Als die beiden oben waren, zog tiefschwarz ein Gewitter herauf. Hermes wollte wieder ins Haus zurückkehren, aber sie beschloß, ein Sturm sei jetzt genau das richtige: sie wolle in seinen Armen Schutz suchen.

Später kam heraus, wozu sie das Gewitter wirklich brauchte: um ihm die Wahrheit zu sagen und ihren Namen zu nennen. Denn bei einem kräftigen Donnerwetter wurden die Horchgeräte und Lauschposten des Hephäst für kurze Zeit taub. Und niemand anders als dieser hatte sie beauftragt, die ersten Schritte des Hermes auszuspähen.

»Warum hat er ausgerechnet dich geschickt?« fragte Hermes, »und warum tust du es für ihn?«

Ein greller Blitz schoß über den Himmel. Sie wartete das Donnerkrachen ab und flüsterte ihm ins Ohr: »Weil ich Helle bin, Helle vom Hellespont. Du kannst dich an mich wohl nicht erinnern.«

Helle also, Tochter des Hephäst und der Nebelgöttin Nephéle. Beide hatten nach ihrer Geburt den Schein aufrechterhalten, sie sei eine Tochter des sterblichen Königs Athamas, darum das Märchen vom tödlichen Absturz in die Meerenge. Es blitzte und donnerte jetzt ununterbrochen. Bald würde es regnen.

»Ich kenne dich nur als sehr kleines Mädchen.«

»Und ich dich als goldenen Widder mit Haarausfall.«

Er hatte stets angenommen, man habe die Tochter des Hephäst nur deshalb seit drei Jahrtausenden verborgen, weil sie stockhäßlich sei, vielleicht seit dem Sturz verunstaltet wie ihr Vater nach dem seinigen. Statt dessen war sie stockhübsch, ein unsterbliches Wesen aus Nebel und Feuer, eine Göttin leidenschaftlicher Reisen und glücklich endender Abstürze. Kurios, daß ihr Vater sie so lange in Kallipolis hatte festhalten können. Sie schien irgendwo doch eine brave Tochter zu sein. Aus dem, was sie weiter erzählte – das Gewitter tobte jetzt zur Zufriedenheit –, fand Hermes die Annahme bestätigt. Sie war mit Thor verlobt worden, einem nordischen Hammergott, von dem sie aber eher getrennt lebte. Er spielte Tennis und haßte Tischtennis.

Glücklicherweise dauerte das Gewitter an. Sie waren durchnäßt, aber Hermes wußte bereits einiges, was er wohl nirgends hätte lesen können: Zeus wohnte in Amerika, in New Athens/Illinois oder, weil er den Neu-Athenern immer wieder einmal gram war, in Sparta/Illinois. Tagsüber spielte er Golf in St. Louis/Missouri, und sonst interessierte ihn von der Welt nichts. Für Blitz und Donner sorgte Donar, der Begriffsstutzige aus dem Norden. Ares lebte, weil er aus Vergeßlichkeit lange nicht mehr die Haut gewechselt hatte, als steinalter Schriftsteller in Deutschland und beobachtete Pflanzen und Käfer. Er hatte einen bisher unbekannten Bücherskorpion entdeckt, der jetzt seinen Namen trug. Kriege fanden auch ohne ihn ihren Weg. Sie waren durch Hephäst technisch feiner und unpersönlicher, aber nicht weniger tödlich geworden. Aphrodite hatte sich von der Schönheit bewußt verabschiedet, lebte zudem die meiste Zeit als Mann. Athene war in Athen geblieben, hielt leidenschaftliche Ansprachen und rauchte ununterbrochen, jawohl, rauchte.

»Göttin, ist das wahr?« rief Hermes ins Gewitter. »Athene ein Geschöpf des Hephäst?!«

»Nein, über Athene hat er keine Macht, sie raucht nur. Obwohl sie einige Zeit Ministerin war, aber niemals in seinem Sinn.«

»Und was macht Apollon aus Delos?«

»Ist permanent beleidigt, eröffnet Kunstausstellungen. Hephäst hat ihm die Gerechtigkeit weggenommen und zu einer Sache des lemnischen Medienmanagements erklärt. Das Licht des Deliers hat ausgedient.

Wahrscheinlich wird auch die Logik irgendwann der Lemnik weichen, es gibt nur noch geringen Widerstand.«

»Von wem?«

»Von Hypnos, Thanatos, Morpheus, den Musen, Dionysos dem Alkoholiker, also mehr oder weniger deinen Leuten. Aber sie sind nicht immer ganz bei sich, und das lemnische System hat sie im Griff: Ausnüchterungszelle, Psychiatrie, Sicherungsverwahrung, Fernsehanstalten – es ist zu fürchten, daß auch du all das kennenlernst, Kyllenier!«

»Bist du denn gegen deinen Vater?«

»Eben nicht, im Gegenteil. Es ist gut, was er macht, er schafft eine Menge Frieden. Er hat Thor den Hammer weggenommen und ihm einen anstrengenden Sport gegeben, damit er sich abreagieren kann. Auf Götter ist die Welt nicht mehr angewiesen, und das ist gut.«

»Was ist mit Menschen, die nach wie vor Götter verehren wollen, den Dionysos vielleicht? Oder den Hermes, nur so als Beispiel?«

»Für Menschen, die Göttliches brauchen, hat er einen allgemeinen Gott erfunden, der ihm logischer- oder lemnischerweise keine Schwierigkeiten macht, weil er nicht existiert.«

»Tut er nicht? Interessante Bemerkung, zumindest für eine Göttin ...«, sagte Hermes sinnend. Helle reagierte ungeduldig.

»Ich meine, er existiert einfach noch weniger. Er ist für alles zuständig, also für gar nichts. Wie auch immer, die Menschen sind keine Hilfe für dich. Es hat keinen Sinn, sich aufzulehnen oder bitter zu werden, du tust besser daran, die wunderbare Überlegenheit des Hephäst von vorneherein anzuerkennen. Sein System hat keine Fehler, weil es alle Fehler sofort einbaut und in Gewinn verwandelt. Man kann nur mitmachen.«

»Warum sollte ich mich auflehnen«, fragte Hermes, »ich bin Abenteurer und möchte ein wenig Unsinn anstellen, damit es nicht so langweilig ist, weiter nichts. Anerkennen kann ich alles, sofort.«

Daß Helle ihm glaubte, war unwahrscheinlich, aber sie ging darauf ein. »Wenn man schlau ist, lebt sich's nicht schlecht. Du bist schlau. Alles muß Hephäst ja nicht wissen, etwa über uns.«

»Es hat zu donnern aufgehört – kann er uns nicht hören?«

»Für eine halbe Stunde sind die Sensoren taub. Das Problem ist bisher nicht gelöst, und es gibt dauernd Ärger mit Donar – weshalb dieser natürlich noch mehr Krach macht. Aber sonst ist alles unglaublich intelligent ausgedacht und geregelt, du wirst sehen, es lohnt sich wieder, klug zu sein. Er hat dir die Sache mit Aphrodite verziehen, sonst wärst du nicht frei. Du würdest Sandalen, Hut und Stab wiederbekommen, zwischen Ober- und Unterwelt pendeln und die Toten begleiten, du könntest Menschen helfen, die du groß machen willst, ganze Länder und Erdteile verändern. Ich denke, er braucht dich sogar, er will, daß du dabei bist! Und noch eines: wir beide hätten alle Freiheiten für uns.«

Er legte den Arm um sie und bot ihr Schutz gegen ein Gewitter, das vorbei war, oder schon gegen das nächste, und fragte dabei listig: »Sandalen, Hut und Stab – was denkst du, wo ich sie schließlich bekommen werde?«

»Sie sind in München in der Glyptothek – aber das hast du bitte nicht von mir gehört. Es gab einmal in Griechenland einen bayerischen Gastkönig, und als der abgeschoben wurde, hat er die Sachen mitgehen lassen.

Er hielt sie für ein Kostüm und brauchte sie für das Fest, das man Fasching nennt. Der Hut ist eingebeult, sonst ist alles in Ordnung.«

Sie merkte, daß er in den Wolken las, weil er Fragen hatte, die nicht für sie bestimmt waren. Sorgenvoll sagte sie: »Hermes, ich möchte dich nicht nur in meinem Bett haben, ich will deine Freundschaft. Ich bin es leid, mit Helden zusammenzusein, die sich zu viel vornehmen, dafür gedemütigt werden und schließlich nur noch trinken. Versprich mir, daß du nicht hingehen und die Sachen klauen wirst!«

Ihm war bei alledem nicht wohl. Die Tochter des Hephäst zur Feindin zu haben war keine heitere Aussicht. Das würde sie werden, wenn sie die Wahrheit erfuhr, und die lautete: Athene war seine Freundin, Helle dagegen begehrte er, wegen ihrer Zartheit und ihrer Begabung zur Raserei, er liebte sie wegen ihrer leidenschaftlichen Zunge, wegen ihres tanzenden Hinterns. Wenn sie das erst gemerkt hatte, und wenn er obendrein Dinge tat, die gegen den Ruhm ihres geliebten Vaters gerichtet waren ...

»Ich bin der Gott, der alles umdreht, der Durcheinanderwerfer und, last not least, der Gott der Diebe.« Milde sagte er das, als wolle er noch mit sich reden lassen. »Ich bin der Gott aus Dämmerlicht und Straßendreck – von mir Versprechen zu verlangen oder deren Einhaltung zu erwarten wäre gewagt ... Aber bleibe ruhig, ich werde lesen, was zu tun ist.« Er sah in die schwarzen Wolken, aber er las nicht, sondern grübelte. Athene rauchend? Er wollte es nicht glauben.

»Was heißt ›last not least‹«, fragte Helle.

*

Erstens hatte es kaum Sinn, den unzähligen Photographien Venedigs noch mehr hinzuzufügen, zweitens besaß Helga keine unbelichteten Filme mehr, drittens mußte sie sparen. So hatte sie auf ihren Wanderungen die ältliche Pentax gar nicht erst mitgenommen, sondern in der Seitentasche des stinkenden Plastekoffers im Hotel gelassen. Nun war sie, nach vier Tagen Venedig, endgültig pleite. Sie konnte nicht einmal mehr Postkarten kaufen, was sie in der Sammlung Guggenheim gern getan hätte. Und Peggy anzupumpen war nicht einmal theoretisch möglich, denn sie war schon viele Jahre tot. Ob sie für die Kamera irgendwo genug Geld erhielt, um bis München zu kommen? Dort wohnte ihre Tischtennisfreundin. Die würde nicht davon erbaut sein, ihr nochmals Geld zu leihen, es aber tun. Helga stieg auf den Stuhl, zog den Koffer halb vom Schrank und griff in die Außentasche, um den Apparat herauszuholen. Sie erlebte eine Überraschung.

Außer der Pentax befanden sich im Außenfach zwei festverschnürte, dicke Geldbündel aus Hundertdollarnoten. Jetzt nicht vom Stuhl fallen! Mit wackligen Knien und äußerst konzentrierten Bewegungen stieg sie herunter.

Sie fühlte Dankbarkeit. Nicht für das Geld als solches, sondern dafür, daß Charles, der Drummer und Drogenhändler, ihr während der Nacht in der Kabine nicht etliche Haschischtafeln oder Heroinbeutel, sondern nur sein heißes Geld ins Gepäck geschmuggelt hatte. Ein feiner, rücksichtsvoller Zug von ihm. Oder von Hermes.

Mußte sie ihm jetzt nicht wenigstens signalisieren, daß sein Eigentum bei ihr ...? Verwirrt hängte sie sich die leere Kamera um, machte sich auf den Weg zu einer Dienststelle der Polizei und erklärte, daß ein vor vier Tagen Verhafteter bei ihr etwas vergessen habe. Leider wisse sie nicht einmal seinen Nachnamen.

Auch an diesem Tag durchmaß sie einiges von Venedig, aber nach unüblichen Gesichtspunkten: Kriminalbehörde, Zollverwaltung, amerikanisches Konsulat, Untersuchungsgefängnis – nirgends war man zuständig oder willens. Ein Polizeioffizier – er hieß weder Fibonacci noch war er schwerhörig – wußte schließlich Bescheid und stellte ihr Fragen, erst auf englisch, dann auf deutsch.

»In welcher Beziechung stehen Sie zu dem Chäftling, Signora Cherdchitze?«

»Wir haben uns auf dem Schiff kennengelernt. Er war dann auch – in meiner Kabine.« Sie fühlte, daß sie rot wurde, und ärgerte sich darüber. Schließlich war sie darauf vorbereitet gewesen, das sagen zu müssen.

»Hat er Ihnen irgend etwas zugesteckt, ins Gepäck getan?«

»Nein, aber er hat etwas liegengelassen – diese Kamera hier. Könnte man sie zu seinen Sachen tun?« Helga schob sie ihm hinüber, er öffnete das Futteral und untersuchte sie.

»Schade, kein Film! Gut, Signora, ich kümmere mich darum.«

Sie verabschiedete sich, ging zur Pension und kaufte auf dem Weg einen duftenden Lederkoffer. Sie packte, zahlte ihre Rechnung, bestieg ein Wassertaxi und ließ sich quer über die Lagune zum Flughafen fahren. Venedig versank wie Atlantis, und es hinterließ gewiß mehr Geschichten als jede andere Stadt der Welt. Und schöner als aus diesem Boot, über die Heckwelle hinweg, konnte es wohl kaum aussehen.

Jetzt hätte sie nach Athen fliegen können. Sie bestieg aber eine Maschine nach München, denn sie war längst Gefangene dieser Geschichte: Wenn Hephäst Hermes nicht nach Athen ließ, hatte auch sie dort vorerst nichts zu suchen. Und man konnte eine Geschichte nicht plötzlich annullieren. Allenfalls ließ sie sich steuern wie ein Schiff: In angemessen weitem Bogen mußte sie jetzt die Richtung ändern, bis sie auf dem Kurs nach Athen war.

Von Venedig versuchte sie schnell einen letzten Blick zu erhaschen, aber das Flugzeug stach soeben brüsk in eine Wolke.

Viertes Kapitel
Der keltische Standpunkt

Hermes hatte Tempel nie sonderlich geliebt, ebensowenig ionische Säulen, den goldenen Schnitt oder sogenannte griechische Profile. Ideale und Idealmaße waren das Gebiet des Deliers Apollon. Aber jetzt strich er doch in München wehmütig um einige tempelartige Gebäude des Königsplatzes herum, welche ihn an Athen erinnerten. Wie gern wäre er dort gewesen statt hier im Räderwerk des Hephäst! Immerhin, da drüben lag die Glyptothek, jenes Antikenmuseum, in dem man seine zauberischen Machtmittel verwahrte. Sobald er sie besaß und seine Aufgaben geklärt waren, wollte er sich ohne Umwege zu Athene aufmachen, seiner einzigen Freundin. In München war er seit zwei Tagen. In den Köpfen von fast dreißig verschiedenen Menschen war er Gast gewesen, um zu lernen, hatte sich Begriffe gemerkt und Bilder, die ihnen beim Zuhören aufstiegen.

Leute, die sich nicht kannten, etwa in der Bahn oder auf Parkplätzen, kamen nur schwer ins Gespräch, aber wenn, dann diskutierten sie alsbald über Rangfolgen des Sollens: sollte man zuallererst Menschenleben retten oder zuerst die Natur, möglichst vielen Menschen helfen oder nur den besseren, Baum- und Tierarten eher erhalten als Arbeitsplätze und Berufe? Hermes freute sich jedesmal, hier Durcheinander stiften zu können, er zimmerte aus dem, was er gehört hatte, Neues und freute sich über die mißtrauisch gerunzelten Stirnen. Er streute auch gern Sätze ein, die er anderswo gehört hatte, etwa den eines Mädchens mit wunderschönen Zähnen und anmutigen Bewegungen: »Du, ich bin fei eiskalt, gell! Ich weiß genau, ich gehöre nicht zu den Verlierern.« Es war dabei entweder um Kinder oder um Aids gegangen. Was sie nicht wußte: daß sie schöne Zähne hatte. Wenn sie lachen mußte, hielt sie sich die Hand vor den Mund. Oder ein junger Mann, Bodybuilder: »Mein Ideal ist der definierte Körper.« Alle Körperteile konnte er noch nicht definiert haben, denn sobald er in den Augen einer Frau Interesse bemerkte, flüchtete er. Zu Hause onanierte er und hatte danach Schuldgefühle. Dann übte er, um sich selbst zu bestrafen, an seinen Trainingsgeräten Muskeln, die die Menschen seit der Entdeckung des aufrechten Gangs nicht mehr brauchten, es sei denn als Sklaven in den Silberminen. Brauchbar war auch der Satz eines Berliner Architekten: »Sprechen wir von den Tatsachen: In München und Wien lohnt es sich noch, in den Puff zu gehen, dafür sind in Berlin die Kopierläden besser!«

Zuerst hatte es ihm Vergnügen gemacht, in der eigenen dunklen Haut unterwegs zu sein. Gestern abend hatte er in einem kleinen Kino den Film *Moderne Zeiten* mit Charlie Chaplin gesehen, um etwas über die heutige Welt zu lernen. Danach war er als Rosenverkäufer durch die Wirtshäuser gezogen, um Ortsgeistern zu begegnen, hatte aber keine gefunden, auch keine Menschen, die für ihn offen waren, seinen Namen nannten oder wenigstens kannten. Dabei hatte er so viele Fragen entwickelt. Fragen waren etwas Bereicherndes und Lustiges, man durfte sie bloß keinem Menschen stellen. Bald hatte ihm auch speziell die Art mißfallen, wie die Leute mit ihm sprachen, wenn er schwarz war. Sie versuchten, ihn nicht anzusehen, und wenn er Fragen stellte oder Sätze sagte, waren sie zwar überaus höflich, hüteten aber auf heuchlerische Art ihre Zungen; sie taten so, als verstünden sie ihn, glaubten aber nicht daran, daß er sie verstehen könne. Dabei war sein deutscher Wortschatz längst reicher als der vieler hier Geborener. Aber eben da lag das Problem. Wer als Ausländer zu gut deutsch sprach, wirkte unseriös, man hütete sich vor ihm. Was noch störte: Gerade die Leute, die nichts von ihm wissen wollten, stellten ihm eine Frage nach der anderen.

So war er in der Nacht dazu übergegangen, fast nur noch von Kopf zu Kopf zu springen und Begriffe von innen her zu betrachten. Seinem eigenen Namen begegnete er nur in einer ärgerlichen Form, sie lautete »hermetisch verschlossen«. Das hatte aber nichts mit ihm zu tun, nichts mit dem Sichöffnen für Unbekanntes, mit Kühnheit und glücklichem Zugriff, vielmehr meinte es einen ptolemäischen Scharlatan und Dreikäsehoch, der sich »Hermes Trismegistos« genannt hatte und dafür bekannt gewesen war, Menschen, Absperrungen und Systeme undurchdringlich zu machen. Trismegistos, »dreimal größter« Käsehoch also, machte dort dicht, wo er, Hermes, alle Wege öffnete. Das Wort »hermetisch« mußte schleunigst eine andere Bedeutung bekommen, sonst verdarb es ihm die Laune, wann immer er es hörte. Hatte Hephäst sich diese Kränkung ausgedacht?

Helle war seit Venedig spurlos verschwunden. Aus purer Eifersucht, weil er über Athene gesprochen hatte? Sicher mußte sie jetzt ohnehin einmal kurz als »Helga« in Stendal nach dem Rechten sehen. Natürlich würde sie wiederkommen, er las es in den Baumkronen, es war auch logisch: Sie war ja verrückt nach ihm.

Nirgends sah er vornehme Herren mit hübschen Knaben schlendern. Diese Art der Liebe schien es nicht mehr zu geben. Im Kopf eines angesehenen und reichen Mannes hatte er gesessen und bemerkt, daß er beim Anblick eines schönen Jungen blitzschnell woanders hinguckte und angestrengt an seinen Arztberuf dachte. Und das war immerhin ein Neurochirurg gewesen, mit einem für Menschen beachtlichen Wissen über die Einrichtung des Gehirns. Von Erotik wußte er nichts. Seine bedauernswerte Gattin hatte Hermes auch gesehen, aber gar nicht erst wissen wollen, wie es in ihr aussah.

*

»Wo wollen nacha Sie hin?« fragte der Mann an der Kasse.

»Raten Sie mal!« antwortete Hermes.

»Ja, ich muß schon fragen. Weil wenn …«

»Natürlich! Weil ich schwarz bin!«

»Nicht direkt. Aber mir schließent.«

»Ich bitte um Asyl.«

»Hier? Bei mir?«

»Freilich. Das ist doch die Antikensammlung? Ich bin Hermes.

»Hermes? Das ist doch mehr ein Gott.«

»Der bin ich. Wo soll ich denn sonst hin? Eintritt zahle ich auch, wenn Sie wollen. Keine Angst, ich geh dann wieder.«

Da der Mann nur noch Mund und Nase aufsperrte, legte Hermes die fünf Mark hin, riß sich eine Eintrittskarte von der langen Papierschlange und ging in die Ausstellungsräume. Er sah sofort einen Gegenstand, den er kannte: die nackte Spiegelträgerin auf dem Löwen, mit den beiden Eulen auf den Schultern. Ihr Lächeln war so schön wie damals im Haus von Spartas teuerster Hetäre. Der Spiegel war zerklüftet, bestand nur noch aus Buckeln und Rostnarben und spiegelte nichts mehr, dafür konnte man in ihm lesen. Hermes war sicher, daß er aus ihm sehen würde, wo Hut, Sandalen und Stab waren.

Da hörte er eine weibliche Stimme: »Grüß Gott!«

Er mochte diesen Gruß, obwohl grammatikalisch manches gegen ihn sprach. Hierzulande war er üblich, er meinte den Allgemeingott, von dem Helle gesprochen hatte. Aber Hermes sonnte sich stets in der Vorstellung, daß letztlich er selbst gemeint sein mußte. Noch lieber war ihm die Wendung »Grüß dich, Gott«, es war besseres Deutsch. Die Frau hatte ein unternehmungslustiges Gesicht und große Brüste. Dagegen war nichts einzuwenden.

»Ich Gott grüße dich auch«, gab er zur Antwort.

»Ich bin Nathalie. Nathalie Rittberger.«

»Ist das nicht ein Sprung? Ich weiß es, ich springe selbst schrecklich gern«, sprach Hermes, nestelte an seinem Umhang und nahm Maß. Das war kein leichtes Ohr. Unberechenbare Korkenzieherlocken zitterten in nächster Nähe.

»Mein Urgroßvater war Eistänzer«, sagte Nathalie etwas verlegen, »ich persönlich spiele Tischtennis.« Hermes unterließ zunächst den Sprung, denn er wollte sie so bald wie möglich Tischtennis spielen sehen.

»Helga hat gesagt, ich soll Sie führen, kommen Sie mit! Ihre Gegenstände sind nicht mehr hier, sondern in Nymphenburg bei den Wittelsbachern.«

Nymphenburg, der Name gefiel ihm, weil so völlig abwegig. Daß Nymphen sich in einer Burg einsperren ließen, war unvorstellbar. Er folgte ihr zum Ausgang. Sie wollte zum Taxistand, aber er hielt sie fest und öffnete ihr eine Autotür.

»Sie fahren Jaguar?«

»Ja, warum?«

»Sie müssen gut Geld verdienen …« Er merkte, daß sie von seiner Göttlichkeit keine Ahnung hatte. Helle schien ihr nicht alles gesagt zu haben.

»Aber ich bitte dich! Ich bin soeben dabei, das Auto zu stehlen – wofür hältst du mich denn? Ich war heute nacht mit einem italienischen Profi unterwegs, ich kann sogar Rolls Royce. Bitte einsteigen!«

Während das Auto auf der Nymphenburger Straße rollte, versicherte Nathalie, sie habe in so einem noch nie gesessen, es sei das erste Mal. In diesem Zusammenhang ging sie zum »Du« über: »Was machst du eigentlich danach?«

»Mit dir Tischtennisspielen! Auch das erste Mal. Übrigens, wo in diesem Nymphenburg liegen denn meine Sachen?«

»Auf der Galerie in einem Glaskasten bei den Skulpturen. Ich führe dich hin.«

»Geht nicht, ich muß sie stehlen. Vorschrift.«

»Welche Vorschrift?«

»Meine.«

*

Das Schloß hatte Hermes schon heute morgen einmal gesehen, durch die Augen einer schön langhalsigen Rosangela, die dort mit dem Fahrrad spazierengefahren war. Zu Hause in Pasing hatte sie ihr Rad mit aufs Zimmer im fünften Stock genommen und die vom

Schweiß feuchten Kleidungsstücke an die Lenkstange gehängt. Sie war Dichterin und übte sich in einem rasanten, aggressiven Sprechgesang namens »Rap«, einem musikalisch-rhetorischen Exzeß, der ihm außerordentlich gefiel. Leider war sie dann zum Unterricht in eine Ingenieursschule gegangen und hatte ununterbrochen rechte Winkel gezeichnet. Er war umgestiegen und hatte sich mit einem Dozenten davongemacht, der aber nur bis zum Lokus ging, um Schnaps aus einem Flachmann zu trinken – auch er durch und durch angeödet vom rechten Winkel schlechthin. Auf Rosangela, ihren langen Hals und den Rap-Gesang wollte Hermes aber zurückkommen, abends nach dem Tischtennisspiel mit der großbusigen Nathalie, und auch das nur, wenn er inzwischen trotz Flügeln und Stab die schöne Helle immer noch nicht gefunden hatte. Es roch nach Frühling. Das war der Park hinter dem Schloß.

Am Eingang ließ er sich Nathalies Adresse geben, weil sie wegen ihrer kleinen Tochter nach Hause mußte. Den Wagen wollte sie keinesfalls nehmen, sie ging zur Straßenbahn. Hermes betrat das Schloß und hatte bald in der Galerie die Vitrine mit seiner geflügelten Ausrüstung gefunden, weit hinten im Winkel neben einem Postament ohne Statue. Ein angeklebter Zettel mit blasser Schrift sagte: »Otto, Fasching 1844 zu Athen«. An der Wand hing auch ein Bild von diesem Otto: ein netter, gutmütiger Junge im Königsornat mit Zepter und Krone. Hermes öffnete die Vitrine, setzte den Hut auf und zog die Sandalen an. Da hörte er aus dem nächsten Raum ein Gewirr weiblicher Stimmen: eine Mädchenklasse! Er versuchte klare Gedanken zu fassen, obwohl die Stimmen ihn verwirrten. Daß man ihn davonfliegen sah, wollte er nicht. Da er jetzt aber in kein Ohr hüpfen und auch nicht durch eine andere Tür verschwinden konnte, warf er seinen Umhang unter die Vitrine, sprang auf das leere Postament, senkte den Kopf und erstarrte in einer Pose mit Hüftknick, Stand- und Spielbein und bedeutungsvoll in die Höhe weisender Hand. Er sah so aus, wie sonst nur Statuen es längere Zeit durchhalten konnten. Den Stab hatte er leider im Glaskasten liegengelassen. Nun strömten die Mädchen herein, und die Lehrerin begann alles zu erklären: Poseidon, den sie »Neptun« nannte und Ares, den sie »Mars« nannte.

Hermes war sich sicher, daß er nach vom Alter geschwärzter Bronze aussah und sich auch metallisch anfühlte, wenn eine ihn berühren sollte. Er konnte höchstens dadurch auffallen, daß er kein Feigenblatt da trug, wo man es in Bayern, dem Land der entlaubten Feigenbäume, zu tragen pflegte. Im Moment hätte ein einzelnes Blatt nichts gebracht, und gehalten hätte es auch nicht.

»Was ist denn mit dem da?« fragte eines der Mädchen keck die Lehrerin, welche furchtbar erschrocken herübersah, die Frage überhörte und panikartig zum Königsporträt an der Wand überging. »Das hier«, sagte sie und sprach deutlich schneller als zuvor, »ist unser junger Otto, so wie er in Griechenland als König immer aufgetreten ist in seiner Pracht. Den Stab nennt man Zepter, den haben alle Könige. Und die Krone«, sagte sie, »die Krone ...«

»Was für eine Krone?«

Keines der Mädchen hatte auf das Porträt gesehen, nur die Lehrerin. Die merkte nun, daß sie die Situation nicht mehr beherrschte und drängte die verwirrte, aber etwas widerstrebende kleine Schar aus der

Galerie hinaus. Sie hatte jetzt, wußte der Seher Hermes, nur noch eines im Sinn und mußte es so rasch wie möglich in die Tat umsetzen: eine geharnischte Beschwerde bei der Bayerischen Schlösser- und Seenverwaltung.

In Ruhe stieg er hinab, nahm seinen geflügelten Stab und den Umhang und schwang sich durchs offene Fenster in den Himmel über der Stadt, als hätte er in den letzten Monaten täglich nichts anderes getan. Die zwei Jahrtausende der Gefangenschaft waren vorbei, vergessen, aufgehoben.

*

Helle saß am Eßtisch, sie wartete auf ihren Vater und den Gießmeister Fudit. Sie wollte nicht hinüber aufs Betriebsgelände, denn sie wußte, daß Vater dort niemandem gern zuhörte, nicht einmal ihr. Der Koch fragte, ob er auftragen könne, sie verneinte, ging ans Fenster und sah zu den Fabrikgebäuden hinüber. Die uralten Ungetüme aus gelbem Backstein wirkten von weitem wie ein Industriemuseum, aus der Nähe wie eine Ruinenszenerie nach Luftangriffen.

Lauchhammer war der Ort, an dem ihr Vater sich wohlfühlen würde – er fing so gern von vorne an. Im Moment wurde hier nicht viel gearbeitet, aber in ein, zwei Jahren würde er aus dem Fenster seines Wohnhauses in Lauchhammer-Süd jenseits der Straße neue Gebäude und Schornsteine und so viel Rauch sehen, wie seine gesamten Vulkane nicht zuwege brachten. Sicher liebte er die Menschen schon deshalb, weil er mit ihnen zusammen ein Maximum an Krach und Qualm erzeugen konnte. Er haßte Wälder, liebte die Brandrodung, und wenn er Helle auf ihrem Gut in Frankreich besuchte, das von Wäldern umgeben war, tat er es nur wegen der Gänseleberpastete.

Zuerst hatte er geschwankt, ob er seinen Sitz wirklich in das Land verlegen sollte, wo die Parole »Schwerter zu Pflugscharen« entstanden war. Das hatte ihn als Schmied beleidigt: Schwerter waren handwerklich die weitaus anspruchsvollere Arbeit. Eine Mahlzeit lang hatte er über Damaszieren und Tauschieren geredet und alle Barbaren mit dem Tartaros bedroht, die solche Kunst geringachteten. Er hatte, das wußten die Götter, Marotten, aber sein System war großartig, und er entwickelte es ständig weiter.

Jetzt kamen sie. Helle hörte das Klirren und Stampfen der Krücken, dann eine kurze Unterhaltung im Flur, bevor die Tür aufging. Meister Fudit schien sich dafür zu entschuldigen, daß die Telephonleitungen in den Westen nicht funktionierten und daß etliche Auftraggeber deshalb abgesprungen waren.

Als die beiden eintraten, ging Helle lächelnd zu ihrem Vater, faßte ihn an den Händen und vollführte mit ihm das Tänzchen, das Vater-Tochter-Tänzchen. Es war nur eine simple Drehung im Kreise, er hielt die Arme mit den goldenen Krücken hoch, grinste, tappte wie ein Bär im Neuschnee und ließ sich sachte drehen. Niemand außer seiner Tochter durfte das, denn er haßte Tanzen und Tänzer wie die Pest. Schweratmend ließ er sich nieder und lehnte seine Krücken, die allzu auffällig geschwungenen goldenen, neben sich an die Tischkante. Helle hatte rechts neben ihm zu sitzen, weil er rechts besser hörte. Fudit mußte, wenn er etwas zu sagen hatte, schreien.

Erbsensuppe mit Würstchen. Wie konnte Vater sich

so etwas antun? Das war etwas für Menschen, die am Verhungern waren, aber doch nicht für Götter.

Er sagte: »Alles der Reihe nach!« Die Herren mußten sich noch über den »Aufbau Ost« und die kommende Wiedervereinigung einigen. Fudit sprach sehr lang und wurde mit dem Warnen und Schwarzsehen kaum fertig. Er meinte, es würde in einigen Jahren ein böses Erwachen geben, und zwar für alle. Vater aß mit Hingabe und ließ ihn reden. Dann antwortete er mit vollem Mund: »Ohne Weißglut kein Schweißen!« Fudit zuckte zusammen. Dabei wußte er gar nicht, daß er mit dem Beherrscher der Welt sprach, sonst wäre er noch mehr erschrocken. Er verbarg seine Irritation hinter einem ehrfürchtigen Nicken. »Genau, Herr Konsul, absolut klar!«

»So, hier haben wir Hecht grün und junge Kartoffeln!« sagte Hephäst. »Übrigens das grätenreichste Vieh, das weit und breit zu finden ist. Genau so mag ich es.« Er ging vor wie ein Chirurg, öffnete die Haut, prüfte hier, prüfte da. Dann holte er den Rechenschieber aus der Tasche und zog ihn durch die Haare über dem rechten Ohr. »Bei einem Fisch«, sagte er, »muß man wissen, von welchem Punkt aus er sich rechnet.« Er hielt das Gerät ans Licht und rechnete, griff wieder zu Messer und Gabel und zerlegte den Fisch triumphierend in drei gleich große, völlig grätenfreie Teile.

Der Fisch schmeckte besser als die Würstchen, weckte aber nur noch mehr den Wunsch nach Nektar und Ambrosia. Bei seinen Mahlzeiten versuchte Vater sich und anderen zu beweisen, daß er die Menschheit liebte und zu ihr gehörte.

»Jetzt, Helga, erzähle!« Vor Dritten, die nicht wußten, daß sie beide Götter waren, nannte er sie »Helga«.

Daß Fudit mit am Tisch saß, störte einigermaßen, denn sie mußte nun verschlüsselt reden. Es ging zwar, weil ihr Vater ein findiger Entschlüßler war, strengte aber an.

»Ich habe mit Herrn von Kühl gesprochen …« (gemeint war Hermes aus Kyllene) »… und habe vorher und nachher einige Informationen eingeholt« (sie hatte ihn bespitzelt). »Ich denke, es ist richtig, ihn heranzuziehen« (Es war richtig gewesen, ihn wieder freizulassen), »und er macht bisher einen loyalen Eindruck, bis auf gewisse Gewohnheiten, die rein spartenbedingt sind« (klauen tut er immer noch). »Das gilt gerade jetzt, insbesondere für seine eigenen Besitzstände« (er klaut Hut, Sandalen und Stab, während wir hier sitzen). Der Nachholbedarf ist groß, er ist zum Beispiel rege am Autohandel beteiligt und engagiert sich besonders beim Beratungswesen im – im durchaus engsten Sinn.«

»Ein Schulfreund von mir«, sagte Hephäst erklärend zu Fudit hinüber, »hat lange in Rauchware gemacht und ist dabei etwas unbeweglich geworden, aber Gott tut, was Gott kann.«

»Verstehe vollkommen«, antwortete Fudit konfus. Auch die Mahlzeit schien ihm nicht zu behagen, er vermißte wohl Gemüse und Salat. Aber Götter brauchten nun mal keine Vitamine, und gerade Hephäst haßte sie fast so leidenschaftlich wie Wälder und Wiesen.

»Dabei fällt mir ein, ich mache mir jetzt doch Sorgen um das ›Joint-venture‹. Man sollte bei Stahlguß West anrufen, bevor Herr Feldhoff in die Mittagspause geht! Oder sprechen Sie mit Herrn Knittel, der bleibt gewöhnlich im Büro und ißt Joghurt.« Fudit legte die Serviette weg. »Ich erledige das sofort.«

Als er draußen war, sagte Hephäst: »Wenn so einer wenigstens pokern könnte! Alles haben sie verlernt! Dabei sind vierzig Jahre Sozialismus doch so gut wie nichts, in der Zeit klappert unsereins dreißigmal mit den Augendeckeln und wird um dreihundert Milliarden reicher. Also, was ist mit dem Kyllenier – er hat Flügel und Stab gestohlen. Dann hast du ihn im Moment nicht unter Kontrolle?«

»Nein, Papa.«

»Kein Problem. Ist er denn grundsätzlich zu gebrauchen?«

»Er ist noch undefiniert, er will sich nur amüsieren und seine Neugier stillen, das ist alles. Er kann Schicksale lesen, aber die heutige Welt ist ihm noch nicht recht klar. Er ist zart. Er kann ganz zart die richtigen Zeitpunkte wählen für alles.«

»Verstehe kein Wort. Hat er dich gebumst?«

»Das gehörte schließlich zu meinem Auftrag, nicht? Ich glaube, er könnte ein recht sensibler Manager oder Entertainer sein. Nur beim Rechnen ist er – uninteressiert.«

Putengeschnetzeltes mit Kartoffelbrei, Bier vom Faß. Er war ein Fresser wie ihr ungeliebter Gatte Thor. Wenn Götter sich auf menschliche Speisen einließen, fraßen sie unmäßig. Auch hierzu kein Salat. Fudit kam nicht mehr zurück. Hephäst redete kauend.

»Hermes ist keine Gefahr. Er kann nicht multiplizieren und nicht dividieren, versteht nichts von Vervielfältigung, weiß nichts über Medien. Die lemnische Logik heißt: Dividiere und herrsche, dann multipliziere wieder und laß alle für dich arbeiten! Das verstehen zwar eine Reihe von Menschen, aber kaum einer von den Göttern, Hermes schon gar nicht! Die Frage reduziert sich darauf, ob er überhaupt zu gebrauchen ist. Ich denke, ich schicke ihn ins Totenreich, da herrscht Mangel an Betreuungspersonal.«

»Das wäre Vergeudung, Vater! Ich glaube, er kann ein wirklicher Star werden – dazu braucht man ja nicht unbedingt Überblick zu haben. Nebenbei noch eines: Er ist völlig schwarz geworden in deinem Kraterschlot.«

Hephäst grinste und schlug sich auf den Schenkel. »Schwarz. Das gefällt mir. Hätte ich nicht gedacht. Ich hatte das bisher noch nicht ausprobiert. Schwarz!« Er verschlang den Rest vom Geschnetzelten, spülte mit einem halben Liter Bier nach. »Er kann zwar nicht rechnen«, sagte er, »aber er ist wie der Springer im Schachspiel, er beherrscht den Rösselsprung. Der bringt nicht viel, aber außer ihm kann ihn niemand. Nicht einmal die Dame.«

»Und vergiß nicht«, fügte Helle hinzu, »Hermes hat bei den anderen Göttern immer noch großes Ansehen ...«

»So, so. Was haben wir denn da: Kaiserschmarrn und Apfelmus.« Auch das noch, dachte Helle und musterte den goldgelben Berg auf dem Teller. Sie stocherte neben den Schmarrnstücken auf dem blanken Porzellan herum und führte die Gabel möglichst leer zum Mund. Vater schaufelte gierig. Gesprächspause.

»Du brauchst doch Stars«, fing sie wieder an. »Sie geben den Massen das Gefühl, eine Chance zu haben ...«

»Und wenn er sich mit den anderen gegen mich verbündet?«

»Daß du das fürchtest, glaube ich dir nicht. Er ist noch ganz der Kindmann, ein Rotzlöffel, weiter nichts. Er will Streiche spielen und sich darüber halbtot lachen, zu mehr reicht es nicht – genau das richtige für's Publikum.«

Schmatzend schob Hephäst den Teller weg. Seinem Gesicht war anzusehen: alles lief nach Wunsch. Die Käseplatte schwebte herein.

»Das ist meine Tochter! Wer könnte mich besser durchschauen?«

»Sieh mal, Hermes ist doch mehr, als wir beide uns jetzt eingestehen wollen. Er ist die Gegenwelt, die du brauchst. Als er in Santorin hing, war das Hermetische nur Störung. Jetzt könnte es wieder …« Plötzlich wurde Hephäst ungeduldig.

»Moment, das geht nicht! Ich habe mir die größte Mühe gegeben, das Wort ›hermetisch‹ umzubiegen, es hat mich Hunderte von Jahren gekostet. Jetzt muß ich mir hier anhören …«

»Entschuldige, Papa, es war ein Versprecher und kommt nicht wieder vor. Ich denke so: Hermes kann der Frechheit und dem Raub wieder göttlichen Glanz geben. Du willst doch selbst, daß die Universalprinzipien jetzt wieder abgeschafft werden – du hast mir erklärt, warum. Für das, was jetzt kommt, brauchst du ihn. Sonst machen die Betrüger und die Reichen nicht mit, dann stehst du da und ärgerst dich.«

Hephäst schob ihr die Käseplatte hinüber. »Nimm! Käse schließt den Magen.«

Er versuchte ein Lachen zu unterdrücken, aber dann lachte er so heftig, daß er sich auf den Tisch stützen mußte. Eine seiner Krücken fiel zur Erde.

»Du hast dich in ihn verliebt, du Luder! Ich habe mir das schon ausgerechnet.«

Sie malmte mißmutig am Romadur. Ihr Vater war nicht der Gott, der sich in die Karten gucken ließ –

nicht einmal von ihr. Dafür guckte er anderen in die Karten. Er kannte alle Menschen und Götter, als hätte er sie selbst geschmiedet. Vielleicht waren sie für ihn aber auch nur deshalb so überschaubar, weil sie sich der Ordnung seiner Schmiedewerkstatt angepaßt hatten.

»Also gut«, sagte Hephäst, »sag ihm, er soll nach Wien kommen, und zwar in die Hermesvilla, in genau einer Woche. Ich erweise ihm eine Ehre, ich hoffe, er weiß sie zu schätzen. Dort ist alles voller Sträucher und Bäume, ich weiß noch gar nicht, wie ich das aushalte.«

»Ich kann ihn nicht erreichen«, antwortete Helle, »er ist in München. Er fliegt viel und ist frei wie ein Vogel oder Fisch. Kein Eisenbahner, Schlosser oder Schmied hat Verbindung, auch keiner der Ortsgeister, die zu uns gehören. Er sucht mich zwar, aber wie soll ich ihm sagen, wo er mich finden kann?«

»Sehr einfach: wir erregen seine Neugier. Graf Leif soll östlich von München mit einem Ballon aufsteigen, dem größten, den es gibt, und so hoch wie möglich. Den Flugverkehr leite ich um. Der Graf bringt ihn zu dir, und du zu mir!«

*

Hermes flog langsamer als alle Vögel, aber er konnte dabei noch genüßlicher Höfe und Dächer auswählen, um sich niederzulassen und Umschau zu halten. Von einem Kirchendach aus betrachtete er das majestätische Ballett der Baukräne und von einem Kran aus die Kirche, eine voll Sonne gesogene Steinpracht, und las aus ihren in allen Farben spielenden Dachpfannen, was er als nächstes anstellen konnte. Einige Häuser hatten neue, von den computergesteuerten Öfen Hephästs erschreckend gleichmäßig gebrannte Dachziegel, die nichts erzählten; aber es gab noch die anderen, älteren. Die Flügel trugen wie eh und je, auch wenn Otto im Athener Fasching etwas an ihnen gezaust hatte und die Damen an Otto. Eine Zeitlang verzichtete er aufs Fliegen und saß auf dem hinteren Sitz eines Motorrads, konnte aber wegen des Helms nicht ins Ohr des Fahrers springen und lernen, wie die Maschine bedient wurde. Es gab leider nur wenige Motorräder – Hermes mochte alles, was ordentlich Krach machte und stank, nur Vulkane nicht.

Die alte Rätselkraft des Stabs machte ihn für Menschen unsichtbar, ließ ihn mühelos durch jedes geschlossene Fenster einfliegen, jede Tür durchschreiten, ohne sie zu öffnen. Außerdem hatte er nun, wenn er in Ohren hinein- oder aus ihnen heraussprang, keine Sorge mehr mit auffälliger Nacktheit, denn Hut, Sandalen und Stab verkleinerten sich wie er und konnten mit ins fremde Gehirn. Nur den Sack mit Kleidung und Gestohlenem mußte er solange irgendwo ablegen.

In einem Konzertsaal hockte er auf der Orgel, baumelte mit den geflügelten Füßen und lauschte einem Musikstück, in dem ab und zu wunderbar mörderischer Krach herrschte, aber wohlgebaut und langsam. Ein ruhiger alter Mann schlug den Takt mit einem Stab und verhinderte jedes Durcheinander. Am liebsten sah Hermes den Streichern zu, weil sie alle Bewegungen gemeinsam machten. Wenn sie drankamen, sah es aus, als fahre der Wind in eine Wiese, alle Stengel zitterten im Gleichtakt. Er betrachtete auch gern Menschen, wenn sie der Musik nur zuhörten: sie waren dann entschieden schöner. Als die Sinfonie zu Ende war und der Alte den Stab sinken ließ, hob Hermes den seinen und ließ das gesamte Publikum für eine Minute einschlafen. Die Musiker blickten unsicher drein, weil sie den Lärm des Händeklatschens vermißten; nur der Dirigent sah zur Orgel hinauf, erkannte Hermes von Stab zu Stab und schmunzelte. Kein Zweifel, daß auch er ein Gott war – nicht gut zu Fuß zwar, aber bestimmt nicht Hephäst, der Schmied. Und auch in seinem Stab wohnten Rätselkräfte, andere.

Während des Klavierkonzerts hörte Hermes plötzlich einen winzigen Mißton vom Publikum her, ein zartes Piepen wie von einem Vogeljungen, aber dafür zu regelmäßig. Ein Herr am Rand der Sitzreihe erhob sich eilig und so leise wie möglich, schlich aus dem Saal: es war der Neurochirurg, den Hermes kannte. Er flog ihm nach, sah ihn in einen Polizeiwagen steigen und hüpfte durch die Frontscheibe mit hinein. Im Flackerschein eines blauen Drehlichts und mit einem gräßlichen Fanfarenklang, auf den Hermes jetzt lieber verzichtet hätte, jagte der Wagen zu einer Klinik und Hermes, der inzwischen erneut im Kopf des Arztes saß, freute sich darauf, am Gehirn operieren zu lernen. Der Chirurg war ohne jede Angst, konzentrierte sich auf seine Ruhe und sein Künstlertum und putzte ununterbrochen seine Brille. Ein berühmter Politiker war bewußtlos zusammengebrochen, in seinem Kopf gab es einen riesigen Tumor, der alles andere an die Wand drückte. Hermes kannte diese Krankheit aus unzähligen Köpfen und aus nächster Nähe. Vor der Klinik stand ein Häufchen Menschen mit Kameras und Blitzlichtgeräten, sie wollten den Polizeiwagen kaum durchlassen, denn sie brauchten Bilder von dem Arzt. Der sah aber gar nicht hin, putzte weiter.

Zunächst waren Listen durchzusehen, Papiere mit Kurven und Werten, ferner Röntgenbilder. Rasches Umziehen in grüne Kleidung, dann eine Ewigkeit des Händewaschens. Während dieser Zeit sah Hermes sich kurz in der Klinik um, entdeckte einige Menschen, deren Körper und Hirne zu sterben wünschten, aber von Maschinen und Schläuchen in Gang gehalten wurden. Einer war längst tot, sie hatten es noch nicht bemerkt. Er sah das alles – zumindest als Seelengeleiter ins Totenreich – mit einigem Unbehagen: zu einem würdigen Tod konnte er Menschen nur aus dem Leben oder aus dem Schlaf abholen. Dieser Zustand hier war ihm zweifelhaft.

Im Operationssaal, einer Orgienstätte elektronischer Technik, war der Patient in sitzender Haltung fixiert worden, und bis auf eine bestimmte kahlrasierte Stelle seines Schädels war alles mit weißen Tüchern abgedeckt. Der Kopf war bereits von einem anderen Arzt aufgebohrt worden; Hermes sah nun durch die sauberen Brillengläser seines Gastgebers in die Öffnung hinein. Überraschend farbig war es da drin, vor allem durch das Blut, das hin und wieder ein wenig floß. Bisher kannte er das menschliche Gehirn nur im Dunkeln.

Drei Stunden später wußte Hermes, wie man einem verzweigten Tumor mit dem Skalpell auf die Schliche kam, kannte jeden Handgriff, die Namen aller Instrumente, aller Teile des Gehirns, aller Assistenten und Schwestern. Er hatte überlegt, ob er zum Anästhesisten hinüberhüpfen und gleich noch Narkose lernen sollte, die hier eine wichtige Kunst war. Aber sie interessierte ihn dann doch zu wenig. Jemanden in Schlaf oder in einen anderen gewünschten Zustand versetzen, das konnte er mit seinem Stab seit jeher besser. Das Entfernen eines Tumors hingegen war ihm als Gott nicht möglich, auch wenn er sich in Gehirnen besser zurechtfand als jeder Arzt – ein Tumor war unabwendbares Schicksal und eine Operation eigentlich eine Unverschämtheit gegenüber der Göttin Moira. Hermes hatte früher solche Kranken sacht und rechtzeitig an der Hand genommen und ihnen den Weg zur letzten Fähre gezeigt.

Der Politiker kam mit dem Leben davon, wahrscheinlich sogar mitsamt seinem Verstand, man mußte nur noch sehen, ob und wie rasch er die Sprache wiederfand. Unglaublich, wieviel Hephäst den Menschen beigebracht hatte. Hermes begann den tüftelnden Griesgram trotz allem, was er von ihm erlitten hatte, zu bewundern. Und er wollte ihm das sogar sagen, wenn er ihn traf.

Jetzt besuchte er Rosangela in Pasing, um den Rap-Gesang zu üben. Aber sie hatte ihren Freund da, einen drahtigen, energisch aussehenden Jungen namens Mathias. Hermes wollte sich wieder davonmachen, um mit Nathalie Rittberger eine Nacht lang Tischtennis zu spielen. Da merkte er, daß Rosangelas Freund im Gehen war: Er zog eine dunkle Trainingsjacke an und nahm sich einen schweren Rucksack auf die Schulter.

»Nein, es geht nicht, du kannst da nicht mit! Es stimmt zwar, wir haben manchmal Frauen dabei, aber die sind Profis wie wir. Die Sache ist zu riskant.«

Ein Dieb. Auch die Turnschuhe sprachen dafür. Also wollte er ihn begleiten, ihm zu einer großartigen Beute verhelfen und sich daran mitfreuen. Er versuchte ins rechte Ohr zu kommen, aber Mathias zog gerade eine Pudelmütze darüber.

Eine Stunde später wußte er, daß es sich um keinen

Dieb handelte. Schon vorher hatte er sich über die kleinen Farbspritzer auf den Turnschuhen gewundert. Mathias war ein »Writer«, einer der farbsprühenden Rebellen, die er in Venedig noch für Junggötter gehalten hatte. Hier liebten sie vor allem die Bahn und hatten ihre wilden, verschlungenen Buchstaben und grellen Bilder überall entlang der Gleise auf den Mauern hinterlassen, wie Hunde und Kater es mit ihren Duftmarken taten. Mathias traf sich nachts in einer kleinen Stadt östlich Münchens mit sechs anderen Writern, um in einem S-Bahn-Depot einen ganzen Zug über und über zu bemalen, sein Rucksack war gefüllt mit Sprühdosen. Die jungen Männer, alle dunkel angezogen und mit Pudelmützen, sprachen leise oder verständigten sich durch Handzeichen. Irgendwo waren Wächter, die Kontrollgänge machen sollten, aber dazu waren sie zu faul, sie saßen vor dem Fernseher. Stundenlang war nichts zu hören als das Klickern der kleinen Stahlkugeln in den Dosen und das feine Zischen der Düsen. Hermes konnte im Dunkeln sehen, aber er wunderte sich, wieso die Writer ohne Licht einen Zug so wunderbar anmalen konnten. Die Bilder reichten in die Fenster hinein und sogar darüber hinaus. Ein Frauengesicht entstand und ein grinsender Gnom, aber die eigentlichen Bilder der Writer waren die Buchstaben, mit denen sie ihre selbstgewählten Kriegernamen schrieben: die Lettern verwandelten sich in Gestalten von eigenem Leben zurück, die vor Frechheit fast platzten und den Namen ihres Urhebers beinahe unleserlich machten. Die kraftgeschwollenen Buchstaben-Ichs drängten ineinander, suchten sich aber auch gegenseitig zu übertrumpfen, einer schob sich vor den anderen, sie waren wie Menschen. Hermes wollte sich jetzt nicht zu erkennen geben, es hätte gestört. Aber er bekam Lust, auf solche Weise seinen eigenen Namen zu sprühen, leserlich und auf ein Fahrzeug, das weit herumkam, damit die Welt mit dem Namen »Hermes« endlich wieder Nacht, Nebel, Frechheit und Ungesetzliches verbinden lernte. Er stahl aus dem Rucksack von Mathias drei Sprühdosen und versteckte sie hinter einer Tonne.

Autogeräusche. Ein Polizeiwagen schaukelte über das Gelände und tastete mit einem Suchscheinwerfer nach dunklen Gestalten. Aber die Writer waren darauf gefaßt gewesen, packten in Ruhe die Dosen weg und verschwanden durch längst vorbereitete Zaunlöcher in die Nacht wie Geister. Da die Polizisten nicht wußten, wo im Zaun die Löcher waren, verloren sie Zeit, außerdem liefen sie nicht so schnell und leise wie die Rebellen. Hermes freute sich daran und beschloß, seinen Namen auf den jetzt unbewachten Polizeiwagen zu sprühen. Er holte die Dosen und versuchte es. Man brauchte, um mit kurzem Sprühabstand die schmalen Begrenzungsstriche der Buchstaben zu zeichnen, eine ruhige Hand. Außerdem hatte er gesehen, daß die Writer die Kurven nicht nur mit dem Arm, sondern mit dem ganzen Körper mitvollzogen, es war, als tanzten sie einen langsamen Sprüh-Tanz. Etwas spät fiel Hermes ein, daß es hier keinen Zweck hatte, seinen Namen auf griechisch zu schreiben. Aber als Bild gelang ihm alles gut, die Farben leuchteten herrlich und deckten das Wort »Polizei« völlig zu. Inzwischen waren die Beamten atemlos und ärgerlich zurückgekommen, entdeckten die Bescherung und wußten zunächst nicht, ob sie schimpfen oder lachen sollten. Sie taten beides, bis sie jäh verstummten: sie merkten, daß an dem Bild von unsichtbarer Hand immer noch weitergemalt wurde –

auch die Sprühdose war nicht sichtbar, wenn Hermes sie hielt, sogar der Farbstrahl nicht. Das Bild vervollkommnete sich immer mehr. Hermes hörte minutenlang nur Sätze wie: »Ja, wia gibts denn des, des gibts doch überhapts ned! Ja gibts so eppas überhapts?!« Keiner versuchte nach ihm zu greifen oder etwas zwischen ihn und den Wagen zu halten – sie waren zu sehr mit ihren Nerven beschäftigt. Er arbeitete weiter, bis er fertig war, trat ein paar Schritte zurück und betrachtete sein Kunstwerk mit Wohlgefallen. Dann erhob er sich in die Lüfte und warf von oben die Dosen, die somit sichtbar wurden, neben den Wagen. Jetzt packte die Polizisten gewaltiger Zorn, sie schrien und rannten ums Auto, einer schoß sogar in die Luft.

Hermes flog nach Osten, wo die rosenfingrige Eos den Morgen ankündigte. Jetzt wollte er aufs Land, Flüsse, Wälder und Quellen betrachten. Dort mußte es auch Nymphen oder Ortsgeister geben, die ihm den Weg zum Mittelpunkt der Welt zeigten. Ein Hahn krähte verfrüht, ein Auto fuhr etwas unsicher nach langer Nacht einem Dorf zu. Aus seinem Inneren dröhnte eine Dum-Dum-Dum-Musik herauf, der Fahrer hatte die Lautstärke voll aufgedreht, um nicht einzuschlafen.

Da sah Hermes am Horizont etwas Seltsames: ein Ball von der Größe mehrerer Häuser hob sich gegen den roten Himmel ab und stieg immer höher. Hermes flog hoch hinauf und suchte nach einer passenden Wolke oder sogar Wolkendecke: Sobald er sich mit Wolken verschmolz, konnte er blitzschnell große Entfernungen überwinden (daher war auch zu erwarten, daß er in Deutschland gut vorankommen würde). Er fand also eine schöne, lange Fischwolke in der richtigen Richtung, mischte sich in sie und füllte sie mit sich auf. Augenblicke später verließ er sie am anderen Ende und schwebte hinunter zu dem gewaltigen Ball, der jetzt in der Morgenröte leuchtete. Er trug ein Kennzeichen aus Buchstaben und Zahlen. Unter ihm hing an Seilen ein Korb, und in ihm stand ein gedrungener, kräftiger Mann, der mit einem Gebläse immer wieder einen Feuerstrahl emporfauchen ließ, um die Luft in der riesigen Hohlhaut zu heizen. Das wollte Hermes genauer studieren. Er machte sich sichtbar, schwang sich in den Korb hinein und sagte: »Guten Morgen, ich bin Hermes!«

Der Mann hatte ihn erwartet! »Morgen«, antwortete er lakonisch, »ich bin Graf Leif und soll Sie begleiten, bis Sie abgeholt werden. Mehr weiß ich nicht, Herr Hermes.«

»Wieso ›Herr‹? Nenn mich einfach Hermes. Glaubst du denn nicht an Götter?«

»Nicht vor dem Frühstück.«

»Gut, wohin fliegen wir, was frühstücken wir?« fragte Hermes.

»Wir fahren«, antwortete Graf Leif mit Würde. »Und das Getränk der Ballonfahrer heißt Champagner.«

*

Sie saßen unter Bäumen in einem Wirtsgarten am Fluß, das Dorf hieß Truchtling, und warteten.

»Er wird kommen«, sagte der Graf und hob sein Glas.

Hermes stutzte. »Wieso ›er‹?« Er hatte mit Helle gerechnet.

»Irgend so ein Waldmensch. Er bringt Sie dann dahin, wo Sie erwartet werden.«

Hermes aß mit Appetit. »Champagner und Schweinskopfsülze – gibt es das hier in jedem Dorfgasthaus?« fragte er.

»Nur in Truchtling.«

Drei Stunden lang war der Ballon bei schwachem Wind in großer Höhe nach Osten getrieben. Hermes hatte vergeblich versucht, seine Wolken-Flugtechnik zu erklären, er wußte ja auch nur, daß sie funktionierte. Sein Fluggerät hatte er eigens noch einmal aus der Tasche holen und zeigen müssen. Über die kleinen Flügel an Hut, Sandalen und Stab hatte der Pilot zweifelnd den Kopf geschüttelt.

Nachdem ein großer See in Sicht gekommen war, hatte Graf Leif eine Wiese ohne Hochspannungsleitung ausgesucht und den Ballon nahe einer Straße gelandet. Wenig später war ein Lastwagen mit vier Männern aufgetaucht, die den gewaltigen Haufen Tuch, den Korb, die Seile und das Feuergebläse geschwind zusammenpackten und verluden und dann Hermes und den Piloten zur Wirtschaft fuhren – nach Truchtling, des Champagners wegen.

Graf Leif kam aus Brandenburg. Er war freundlich, aber wortkarg, sprach ausschließlich Sätze, die die reinste Wahrheit waren, also kurze. Einer davon hieß: »Irgendwas ist immer!«

»Und kennst du den, der mich abholt?« fragte Hermes.

»Da kommt er!«

Es näherte sich ein dicker Mann mit kahlem Rundschädel und langem Schnauzbart. Er steckte in einem durchfeuchteten, bemoost aussehenden Overall aus Kunststoff,

trug darunter kein Hemd und an den Füßen keine Strümp-
fe, nur zerschlissene Gummisandalen. Auch Hände und
Gesicht waren naß, von den Bartspitzen troff es.

»Schnäuzer und Overall, das ist er. Scheint vom Ba-
den zu kommen«, sagte Graf Leif und erhob sich. »Alles Gute! Vielleicht helfen Sie mir auch mal, bei uns
kann immer mal was sein …« Er hob die Hand und
ging ins Haus, um zu zahlen.

Der Dicke setzte sich auf den freigewordenen Stuhl
und musterte Hermes mit Wohlwollen.

»Da schau her, da Hermes! Und des z'Truchtling,
gibts denn sowas aa! Des is so guat, wia wann da Teifi
sejm kamat.« Er stellte sich als »Bedaius« vor und war
ein ehrengeachteter See- und Flußgeist von hier. Im allgemeinen war er als Fisch unterwegs, als Waller oder
Wels, wie er bemerkte. »I bin fei a Mordsviech, und
langsam aa ned, da gehts dahi mei Liawa!« Aber er
ging auch gern in Menschengestalt an Land und kehrte
ein. Hierzu mußte er bereits unter Wasser etwas anziehen, drum lagen an den Uferböschungen Monteursan-
züge für ihn bereit.

»Wia da Apollo di dawischt had, nachdemst eam
Pfiecher gstoin hast, und wiast nacha du an seechan
Schoaß lossn host, dara di glei wieda auslossn had mi-
assn – des had uns gfalln damois! Mei hamd mir
g'lacht! – Mahre, geh amoi zuawa!«

Der letzte Ruf galt der Kellnerin – mehr hatte Hermes nicht entschlüsseln können.

Bedaius fuhr unverdrossen fort: »Sag amoi, du bist
ja schwarz wiara Näga – stimmt's nacha dara di zwoa-
tausnd Jahr in de Keen had hänga lassn, da krump'
Schmied?« Hermes ahnte, daß mit dem »Schmied«
Hephäst gemeint war, aber sonst hatte er die ganze Fra-

ge nicht verstanden. Ohne eine Antwort abzuwarten, bestellte Bedaius sechs Weißwürste und ein Helles. Als er endlich doch merkte, daß Hermes bisher allenfalls ein studentisches Münchnerisch, aber kein ländliches Bairisch beherrschte, versuchte er es höflich mit dem Hochdeutschen; der Erfolg war, um das mindeste zu sagen, schwankend.

»Ich soll di zu die Drei Saligen Weiber bringa. Bläd is des scho a bissel, weil's auf'm Berg wohna und ich im Wasser. Als Mensch geht's, aber mühsam! Unterm Gehn soll ich dir d'Welt erklärn, wia's regiert werd, had's gsogt, oane vo de drei Weiber. I, sogt's, waar da Richtige, häd's g'moant. Ko sei, daß 's stimmt, indem daß i aufm keltischen Standpunkt steh. Und da krump' Schmied had's mit de andern, mit de Röma. G'spannt had a 's scho, da i'n ned riacha ko. Aber im Sä muara mir mei Ruah lassn, da gibts koa Fabrik und koa Eisn, nix vo dem Graffi! Mi derbleckt a ned, der!«

Hermes verstand nicht allzuviel, aber er hatte den Eindruck, daß Bedaius, getarnt hinter Speck, Bier, Dialekt und Behäbigkeit, ein leidenschaftlicher Geist war. Zunächst mußte er sich gedulden und die Geschichte des Ortsgeistes hören. Das war zu begreifen, denn wann kam je ein echter Olympier nach Oberbayern? Den »Krumpen«, so erzählte Bedaius, habe er zweimal getroffen, das erste Mal vor über dreihundert Jahren, als er gerade die erste Pipeline der Welt zwischen Reichenhall und Traunstein gebaut hatte, und dann kürzlich im Zweiten Weltkrieg, da sei er südlich von Summring gewesen, um eine Munitionsfabrik zu errichten. Die Gespräche seien jedesmal kurz, klar und giftig gewesen. Und vor etwas über vierzehnhundert

Jahren seien einmal zwei echte Heilige hereingeschneit, irische, und zwar beim Oberwirt in Keaming. Leider sei er nicht schnell genug hingekommen, um sie in ein Gespräch zu verwickeln. Dem Vernehmen nach hätten sie sich sowieso nur gestritten, weil jeder darauf bestand, er sei von den beiden der größere Sünder. An dieser Art von Eifersucht, sagte Bedaius grinsend, erkenne man die wahren Heiligen.

Er war mit den Alonen, einem keltischen Stamm, in diese Gegend gekommen und aus Liebe zum Keamsee ein Fisch geworden. Für einen Ortsgeist hatte er den großen Vorteil, sich in sichtbarer Gestalt unter die Leute mischen zu können – so kannte er die Menschen gut. Die Römer hatten ihm, als sie hier herrschten, Heiligtümer errichtet wie einem Gott – »aber ned aus Ehrfurcht – nix wia Boledick war's vo dene Saubazin, fia des daß s' uns no bessa ausschmiern hä'n woin!« Er leerte das Glas, um den zweitausend Jahre alten Grant hinunterzuspülen. Wenn Bedaius erregt war, verfiel er unrettbar in den Dialekt. Hermes merkte, daß er einige Stunden im Kopf eines bayerischen Bauern hätte nehmen müssen, aber dazu schien es zu spät. Er schüttelte den Seegeist am Arm und bestand auf hochdeutscher Sprache. Der machte eine Pause und sagte dann konzentriert: »Geld hab ich keins. Ich mein, du als Gott der Diebe hättst ned vielleicht …? Da herunt' laß i seit zwoatausend Jahr anschreib'n, und es hat no nia koan Verdruus ned gehbm. Aber in de Berg kennt mi halt koaner …«

»Hier sind jede Menge Scheine«, antwortete Hermes und griff in den Rucksack, »Ich habe mich in den Banken etwas umgesehen.«

*

Zuerst wollte Hermes in Truchtling ein vollgetanktes Auto von der Tankstelle weg stehlen, aber dann fiel ihm ein, wie er reisen und zugleich Bairisch lernen konnte. Er sagte Bedaius, was zu tun war. Der bot einem alten Bauern, welcher eben sein Goggomobil betankt hatte, zweihundert Mark, wenn er ihn für einen Tag ins Gebirge fahre. Hermes selbst hatte sich unsichtbar gemacht, saß bereits im Kopf des Bauern und sorgte mit etwas Mühe dafür, daß er zustimmte. Die Reise wurde dann schwierig, denn Bedaius war für ein Kleinauto zu dick. Außerdem waren er und der Bauer kurzsichtig, und beide kannten sich mit den Straßen nicht aus. Der Bauer war nicht alt, sondern uralt, und nüchtern auch nicht. Leider trug Bedaius dazu bei, daß sich daran nichts änderte. Den halben Tag waren sie unterwegs, um den Treffpunkt zu finden. Hermes mußte mehrmals in die Lüfte steigen, um einen Berg namens »Geigelstein« auszumachen, den Bedaius und der Bauer, fluchend und miteinander hadernd, jedesmal anders beschrieben. Erschwert wurde das Vorankommen auch dadurch, daß beide, Seegott und Altbauer, unerbittlich alle drei Stunden Brotzeit machten, eine bayerische Eigenheit, die historisch mit dem Rhythmus des römischen Kaltblutpferdes zusammenhing: In diesen Zeitabständen hatte es rasten und fressen müssen. Aber einen großen Gewinn gab es bei dem Verfahren: Hermes beherrschte nach zwei Stunden das gediegenste Altbairisch, wie es auch in diesem Landstrich kaum noch jemand sprach. Außerdem erfuhr er, wie es Anno sechzehn bei Verdun zugegangen war, ferner, wieviel ein Austragsbauer an Geld und Lebensmitteln vom Hoferben zu bekommen hatte, woran man eine beginnende Maul- und Klauenseuche erkannte, wie man ein Goggomobil fuhr und daß ein Sechsundneunzigjähriger, dem die Frau nach siebzig Ehejahren gestorben war, erstens den Tod herbeisehnte und zweitens für die Wartezeit genügend Bier, Schnaps und Tabak.

Als sie endlich ankamen, sprang er aus dem Kopf und betrat unauffällig die Szene. Nachdem Bedaius bezahlt hatte und das Goggomobil hinter blauem Qualm verschwunden war, begannen sie den Anstieg – eine Seilbahn gab es nicht. Die Saligen, die sich in der Gestalt von schwarzbraunen Bergziegen, Gemsen genannt, durch die Alpen bewegten, bevorzugten als Treffpunkt unerschlossene Gipfel.

Hier waren die Ortsgeister nicht so selten und verschüchtert wie im Flachland. Etliche saßen als Salamander in den Felsritzen, ihr Blick rief in den Wanderern ein deutliches Echo hervor. Es gab auch Kobolde, die sich in Gestalt dürrer Äste in den Bäumen spreizten, und sogar zwei fast durchsichtige Quellnymphen, die sich hier Feen nannten und fließend keltisch und langobardisch sprachen. Bedaius und Hermes hielten sich aber nicht lang mit ihnen auf, sie hatten zuviel miteinander zu besprechen.

Beim Steigen bewies Bedaius erstaunliche Kraft und Ausdauer. Wie alle Götter und Geister wog er, trotz seiner umfangreichen Gestalt, relativ wenig. Er sprach ununterbrochen, ohne außer Atem zu kommen, wohl auch deshalb, weil er nicht mehr »nach der Schrift reden« mußte – Hermes verstand jetzt jedes Wort.

Es ging um den Zustand der Welt, und dabei besonders um die Taten und den Zustand des Hephäst.

Zuerst sei dieser noch fast wie die anderen Götter und ein geachteter Olympier gewesen, wenn auch der menschlichste von ihnen, also der langsamste. Deshalb habe er das Eisen geliebt, die Rüstung, die durch Härte den Langsamen schütze, durch Gewicht allerdings noch langsamer mache. Aus demselben Grunde sei er auch Meister im Bauen von Vorrichtungen geworden, die den Mangel an schneller Reaktion ausglichen: auf ausgeklügelte Weise zuschnappende Tierfallen, Bogen und Armbrust, Fahrzeuge.

Weil selbst so menschlich, sei er in die Menschen vernarrt gewesen – mehr noch als Prometheus, mit dem er ja beim »Raub des Feuers« heimlich gemeinsame Sache gemacht hatte. Aus der Esse des Hephäst stehle niemand Feuer ohne dessen Wissen und Willen!

Hermes fand, daß der Seegeist etwas weit ausholte: das alles wußte er. Er hatte damals die gefährlich übertriebene Freundschaft des Hephäst zu einem Menschen namens Archimedes beobachtet – bis er ihn dann von römischen Soldaten hatte umbringen lassen –, eine typische Eifersuchtsgeschichte zwischen Mathematikern.

Menschen zu lieben sei Unglück genug, sagte Bedaius, denn es führe zur Enttäuschung. Hephäst habe sich aber auch noch in den rechten Winkel verliebt, und das habe sich als schlimm herausgestellt. Die Kelten seien, wie jeder wisse, die besten Schmiede der Welt gewesen, aber auf rechte Winkel hätten sie nicht geachtet, jedenfalls hätten sie sie nicht nachgemessen. Sie schmiedeten, wie Auge und Hand es ihnen sagten, und so war es gut. Hephäst aber habe von allen Winkeln, die es gab – es gab immerhin unendlich viele – den rechten auf geradezu peinliche Weise bevorzugt und sich fast nur noch mit ihm beschäftigt. Das habe auch an einer Rauschdroge namens »Multiplikation« gelegen, für die der rechte Winkel sich sehr eigne. Multiplikation bedeute eine jähe, blinde Vermehrung durch das simple Auffüllen von Rechtecken. Jede Sorgfalt beim Zusammenfügen, jede liebevolle Addition nach genauer Betrachtung von Einzelheiten fehle. Dieser Vermehrungsrausch sei zwar weit unter der Würde eines Gottes, aber Hephäst habe von dem Spiel nicht mehr lassen können, zumal es geeignet war, ihm ein Überlegenheitsgefühl über die alten Fruchtbarkeitsgötter zu verschaffen.

Leider habe er auch das Rad erfunden, das bei jeder Drehung dasselbe verrichten könne, zum Beispiel einen Hammer anheben, eine jedesmal gleiche Strecke zurücklegen, etwas ausstanzen oder prägen. Damit sei die Multiplikation von immerfort Gleichem, die Herstellung von Stapelware, mithin die Abschaffung der Einmaligkeit, praktisch möglich geworden.

Mit seiner Technik habe Hephäst den Göttern alles Verlangte gebaut und geliefert: Geräte, Paläste, Waffen. Auch der Wohlstand der Menschen sei größer geworden, was wiederum zu reichlicheren Opfergaben und prächtigeren Tempelbauten geführt habe. Nur Götter wie er, Bedaius, hätten das nie mitgemacht – ein Fisch brauche kein Rad und lebe ohne rechte Winkel. Auch einzelne andere, darunter Athene und Dionysos, hätten Hephästs Vervielfältigungen mit sanftem Spott betrachtet, aber ohne die Gefahr zu erkennen. Den übrigen Göttern sei die Multiplikation recht gewesen, und weil keiner darüber nachgedacht habe, hätten sie selbst versucht, das Multiplizieren zu lernen, allen voran Ares. Sie konnten es aber nicht so gut wie Hephäst, und damit hatte er sich, ohne daß sie es merkten, bereits über sie gesetzt. Mit der Gewalt ihrer eigenen Bequemlichkeit habe er sie bezwungen.

Das sei eine der wesentlichen Forderungen des keltischen Standpunkts: mit dem Lernen ungöttlicher Dinge gar nicht erst anzufangen. Was sei denn, bitte, dabei herausgekommen? Nur zu bald seien die Olympier auch in ihren alten, angestammten Funktionen überflüssig gemacht oder mindestens ausgetauscht worden. Und um sie noch mehr zu schwächen, habe Hephäst ihnen auch die Anbetung der Menschen entzogen: Er habe die Wüsten-Erfindung eines schlechthin guten Allein- und Allgemeingottes aufgegriffen, der bestens zur Multiplikation paßte. Aus Menschen von Eigenart seien nun »vor Gott Gleiche« geworden: Christ sei Christ – man könne Rechtecke mit ihnen auffüllen zu homogenen Christenflächen, und so wollten sie es selbst. Das sei mit Menschen – man denke an Griechen oder Bayern – nicht vorstellbar. Es gehe nur in der Religion und sonst allenfalls noch beim Heer. Wenn man mit der Idee des homogenen Guten erst einmal angefangen habe, sagte Bedaius, dann sterbe die Freude am Unterschied – und damit die beste aller Freuden.

Hermes hatte das peinliche Gefühl, daß auch Bedaius die Menschen liebte. Wie konnte man sich nur dafür interessieren, ob Menschen Freude empfänden? Es gab ohnehin viel zu viele Menschen jetzt, die wenigsten verdienten Aufmerksamkeit.

Bedaius fuhr fort, die Monogott-Religion zu erläutern. Sie funktioniere zwar nicht immer, aber die Menschen gewöhnten sich gerade an Ungereimtes schnell. Weil über die Lebensführung des Allgemeingottes nichts in Erfahrung zu bringen sei, habe er zum Gott der Keuschheit erklärt werden können. Viele Jahrhunderte sei jeder mit Schuldgefühlen herumgelaufen, sobald er es einmal gewagt hätte, der Natur zu folgen. Als Gegenstück zu diesem »lieben« Gott sei ein »Diabolos« erfunden worden, der schlechthin Böse, ein Durcheinanderwerfer und Anstifter, »Teufel« genannt. Er hinke, sei schwarz und wohne im glühenden Inneren der Erde, gehe aber unter die Menschen als Verführer und Seelendieb. Daß Hephäst sich selbst und seinen geschicktesten Widersacher, Hermes, in diesem Anti-Gott miteinander vermengt habe, sei eine seiner klügsten Gemeinheiten.

Sie waren höher hinaufgekommen, die Bäume waren kleiner und kleiner geworden, die Felsen größer und zahlreicher, es war auch ein Menhir dabei, ein heiliger Stein, den götterschwerhörigen Menschen nicht mehr bekannt, aber von Geistern mit starkem Echo umringt. Direkt dem Menhir gegenüber stand ein Christenkreuz. Es sollte, wie Bedaius erklärte, von der Heiligkeit des Ortes etwas für sich abzweigen, aber die Felsen rundum schnitten ihm ziemlich spöttische Gesichter. Aus den Figuren der Steinflechte hätte sich einiges über die Zukunft der Alpen lesen lassen, aber Hermes war noch zu sehr mit dem beschäftigt, was Bedaius vorgebracht hatte. Er hatte zwar wirklich Gründe, Hephäst nicht zu mögen, aber er zögerte, dem Seegeist zuzustimmen, obwohl der ihm nicht schlecht gefiel. Der hinter Fettmassen getarnte, grüblerische Rebell wußte genau, was Hermes für ein Gott gewesen war, fühlte sich zu ihm hingezogen und warnte ihn vor Gefahren. Wie alle, die sich auf Menschen verstanden, wußte er auch Götter zu beurteilen. Er war zu der Überzeugung gekommen, daß mit dem Schmied und seinem System etwas nicht in Ordnung war, und er besaß einen Sinn für fein geknüpfte Zusammenhänge. Das war bei einem Wels, der jahrtausendelang niemandem ins Netz gegangen war, nicht weiter erstaunlich. Was er in die Waagschale brachte, hatte Gewicht. Aber in seinem Porträt des Hephäst ließ sich schwer auseinanderhalten, was er sicher wußte und was er sich in der Weite seines Sees ausgedacht hatte. Alles konnte falsch, jedenfalls aber überholt sein. Vielleicht war Bedaius sogar ein Lockvogel, und dieser seltsame Spaziergang auf den Geigelstein eine Prüfung, wenn nicht eine Falle.

Bedaius spürte die Bedenken von Hermes, nahm sie nicht krumm und wechselte kurz entschlossen das Thema: Er kam auf den Fremdenverkehr zu sprechen, eine der großen Plagen für Ortsgeister aller Art.

Am Gipfel stand ein Kreuz, das Herrschaftszeichen des Hephästschen Alleingottes, errichtet zur Einschüchterung der Berggeister auf jedem noch so kleinen Berg. Aber wen sollte eine Einschüchterung schrecken, der keine Taten folgten? Beeindrucken könne man, sagte Bedaius, auf diese Weise allenfalls Menschen. Er zog eine trockene Semmel aus der Brusttasche des Overalls und wandte sie hin und her. »A Ripperl waar ma liawa!« Er war wieder getarnt, ein Stück Folklore, ein grantelndes Original. Wahrscheinlich war er so dem Eisengriff des Schmieds entgangen – Tyrannen hüteten sich vor schlanken Fanatikern, nicht vor gemütlichen Dicken.

*

Jetzt, fand Hermes, durften allmählich die drei Geißen erscheinen, aus denen Damen werden sollten.

»Mei, de lassnt si wieder Zeit!« sagte Bedaius und rollte die Augen. Er war schlechter Laune, weil der Föhn stärker wurde. Das war ein warmer Wind, der die dicksten Wolken in lange Strähnen zerlegte und immer dünner auskämmte zu streifigem Rauch, um sie schließlich ganz fortzublasen. Er bewölkte aber um so schwerer die Köpfe der lange hier Ansässigen, und zu ihnen gehörte fraglos Bedaius. Seine Stimmung litt aber wohl auch durch das Fehlen einer »gescheiten Brotzeit«.

Sie kamen immer noch nicht.

Der Föhn brachte wunderbar musikalische Riffelungen ins Gewölk. Hermes las darin, daß seine Geschichte morgen oder übermorgen eine erstaunliche Wendung nehmen würde.

Auch den Föhn, sagte Bedaius, machten die Saligen. Hermes widersprach: Aiolos allein mache die Winde, er verdichte oder zerstreue nach Gutdünken die Wolken des Erdkreises. In Bayern wisse man offenbar noch nicht, daß Aiolos sogar die persische Flotte vernichtet und Athen vor Xerxes gerettet habe. Bedaius schwieg einen Augenblick wie ertappt. Gut, die Drei Saligen Weiber seien es aber jedenfalls, die dafür sorgten, daß sich in den Bergen keine Menschen umbrächten. In den engen Tälern, wo kaum Sonne hinkäme und so manch einer nicht mehr länger leben wolle, sei das nötig. Es gebe auch Bergsteiger, die nicht einmal wüßten, daß sie sich eigentlich nur umbringen wollten. Da kämen die Saligen gerade recht, obzwar leider nicht immer zur rechten Zeit. Und singen könnten sie zusammen so schön, daß jedem die Tränen hinunterliefen, zum Beispiel »La Montanara« oder »Chum, chum, chum, geselle min!« Er versuchte mit seinem schartigen Baß anzudeuten, wie schön das klang. Um ihn rasch davon abzubringen, fragte Hermes, wie er zum See zurückkehren werde.

»Wia? Wiara Fisch halt – neigrutscht in d' Achen und dahi geht's! – Kruzitürken, jetz hab i na ge gnua vo dene Weiber!«

Aber jetzt schienen sie doch zu kommen. Die Hufe machten ein Geräusch wie ein schön unregelmäßiger Schlagzeugwirbel.

»Pfüaß sand narrisch guat vo dene Gamsei«, sagte Bedaius, »umanandspringa deans pfeigrod ois wia im Pallett!«

Dann standen die drei Geißen da und äugten. Mit leuchtend hellbraunen Augen übrigens. Das also waren Gemsen. Als sie sich in Frauen verwandelt hatten, trugen sie ähnliche Kleider wie die junge Mutter Maria in Venedig. Singen wollten sie zunächst noch nicht. Sie hießen Ambeth, Wilbeth und Querbeth. Die ersten beiden traten zu Bedaius, um ein wenig mit ihm zu ratschen, die dritte, Querbeth, war, wie erwartet, niemand anders als Helle. Ein blitzschnelles Hin und Her zwischen seinen und ihren Augen: Sie sah, daß er sah, daß sie zu sehen versuchte: hatte er den kleinen Verrat an ihrem Vater erkannt? Sie wußte, daß Bedaius gegen Hephäst war – wußte Hermes, daß sie es wußte? Um von dieser Sache wegzukommen, umarmte sie Hermes und zog ihn hinter die Felsen, auch weil sie ihn für sich allein haben wollte.

»Ich mache das hier nur auf Zeit«, sagte sie, »weil den Saligen gerade die dritte Frau fehlt. Die echte Querbeth hat sich ins Mittelgebirge verändert, ist mit einem Typ namens Rübezahl durchgegangen. So was passiert eben. Übrigens, weil ich es danach sicher vergesse: Du mußt nicht mehr zum Mittelpunkt der Welt! Mein Vater wird sich mit dir in Wien in der Hermesvilla treffen und dein Gast sein. Aiolos ist verständigt:

nachts zieht sich der Himmel über Österreich zu, du wirst eine schnelle Reise haben.«

Hermesvilla – das klang vielversprechend, wenn auch seltsam. Wenn ein Gott für Immobilien nicht zuständig war, dann er.

*

Helga beschloß, sich mit dem Krankenhaus Trostberg abzufinden. Woher wollte sie denn wissen, daß es bessere gab? Daß die Charité mehr zu empfehlen war als alles, was Stendal zu bieten hatte, war anzunehmen. Aber was wußte sie von Trostberg – vielleicht war es das Mekka der westlichen Chirurgie!

Man durfte nicht kurz vor einer Kurve »vergessen«, daß eine Seitenwagenmaschine sich anders lenkte als eine Solo. Wenn der Kopf ab gewesen wäre, wie es sich für Motorradfahrer eigentlich gehörte, dann hätten sie rechts der Isar auch nichts anderes tun können als in Trostberg. Schluß damit! Sie war noch gut weggekommen – Schienbeinbruch, aber ohne tausend Trümmer, Bandscheibenvorfall, aber keine Querschnittlähmung, Kiefer verrenkt und Blutgerinnsel im Hirn, aber der Kopf arbeitete noch, wenn auch mit Ausfällen. In der ersten Woche nach der Operation hatte sie die Schwester gefragt, wo ihr Koffer sei und wie es käme, daß Seife der Marke »Nautik« auf einem Waschtisch im Westen liege – sie selbst hatte sie ausgepackt.

Daß sich so die Rückreise nach Stendal verschob, konnte sie verschmerzen. Aber sie hatte eventuell mit der Maschine nach Griechenland fahren wollen. Das konnte sie streichen. Athen Athen! Schade um das schöne alte Zündapp-Gespann. Von München bis nach

Hölltal an der Alz hatte sie alles richtig gemacht, und an dem einen Bier dort konnte es kaum gelegen haben. Freude packte sie plötzlich: Sie wußte wieder »Zündapp« und »Hölltal«. Ihr Kopf erholte sich. Sie mußte nichts Altes neu lernen, konnte zu Neuem übergehen.

Sie fing gleich mit einer neuen Sprache an: Bairisch. In der Krankenhausbibliothek stand meterweise Ludwig Thoma, im Bett gegenüber lag Notburga, Bäuerin zu Truchtling, im Nachbarbett Kreszentia, Bäuerin zu Öden. Helga hatte ihnen bereits interessiert zugehört, während sie aus der Narkose aufwachte, Rhythmus und Melodie hatten ihr gefallen, das »r« war aus dem Russischen vertraut.

Die bairische Sprache stammte etwa aus der Zeit, als die Jäger den Ackerbau erfanden. Sie war bedächtig, klar und ohne überflüssigen Zierrat. Wenn es in Bayern Schwätzer gab, dann waren sie sofort kenntlich: sie blamierten sich vor dem Niveau der eigenen Sprache. Denn diese konnte durch eine merkwürdige Kombination von Reden und Schweigen Gefühle, insbesondere alle Abstufungen von Mißtrauen und Ablehnung, mit großer Präzision ausdrücken, besser als das wortreichste Hochdeutsch. Wenn man allerdings ihre Laute nachahmen wollte, mußten Gurgel und Kiefer in Ordnung sein.

Fünftes Kapitel

Manager und Zauberer

Im Sommer 1990 begannen in Europa einzelne Menschen, Steine zu kleinen Pyramiden aufeinanderzuschichten, an Wegkreuzungen im Gebirge zuerst, dann auch auf Balkons und in Parks, auf Stammtischen und sogar Konzertflügeln. Der Sinn war ihnen selbst nicht klar, ähnlich wie bei der Redensart »Fort von hier mit Hermes« – und auch diese verbreitete sich auf geheimnisvolle Weise weiter. Einige sprachen auch über ihn – es waren zumeist Leser von Büchern – und schienen etwas von ihm zu erwarten, allerdings jeder etwas anderes, denn es gibt nichts Unterschiedlicheres als Leser. Die einen ersehnten sich von ihm eine Belebung der Kultur durch die Wiederentdeckung des Genies, andere brauchten ihn für die Pädagogik, da er ein Lümmel sei und Lümmel besser verstehen könne als jeder Pädagoge. Intellektuelle versprachen sich von seiner sanften, listigen Lügenkunst die endgültige Befreiung von den Eisenträger-Wahrheiten der Ideologie. Leidenschaftliche hofften auf helle Entrücktheit und eine neue Gemeinschaft der Begeisterten. Eigenbrötler, Künstler und Abenteurer brauchten einen Zuwachs an Frechheit und Kraft, um kompromißloser als bisher der eigenen Melodie folgen zu können. Arme wünschten sich eine nachhaltige Behelligung der Reichen, Reiche eine Rehabilitierung des kapitalistischen Beißinstinkts: Er allein könne die Welt vom Schlimmsten befreien, von der falschen Rücksichtnahme auf Arme. Philosophen und

Management-Berater vertauschten die Rollen, was nicht weiter auffiel, weil beide schon seit längerem verkündeten, daß mehr Chaos und Unordnung nottue, sogar mehr Destruktion: Hermes sei ein Luzifer, ein Ur-Störer, der das Licht bringe. Auf einem Kongreß in Berlin sagte ein französischer Philosoph, das Neue werde immer fühlbarer, die offene See sei in Sicht, das Eis trage niemanden mehr, dafür halte es auch niemanden mehr fest. Die Kombination aus Wasserverdrängung, Vortrieb und Lenkung, »Nautik« genannt, sei wieder möglich geworden. Hierfür gelte es, Hermes neu zu erschließen, und zwar von rechts und gegen den sogenannten Fortschritt, vor allem den technischen. Es genüge nicht mehr, geschickt zu sein, denn längst sei Geschicklichkeit Schickung geworden, daher schicke sich kein Schicksal mehr, es sei denn im seinsgeschicklichen Zusammenhang. Das war tapfer argumentiert, aber leider auf deutsch, so daß die Linken über die These herfallen und sie verdächtig schick nennen konnten. Einer sprach verächtlich von »Heidegger-Hiphop« und daß Hermes so etwas nicht verdiene. Sein Hermes war dann eher ein Linker.

Mehr Neugier, mehr Kommunikation, mehr Schweigen, mehr Tempo, mehr Bedächtigkeit – jeder einzelne in der aufkommenden Hermesdiskussion sah die Welt auf seine Weise im Argen und die Rettung auf ganz spezielle Weise im Kommen. Nur der Ruf »Fort von hier« war allen gemeinsam. Die einen gründeten das »Mythos-Projekt e.V.«, um die heidnische Heilsgeschichte zu entwickeln, die ihnen bitter fehlte, andere die »Aktion Ewiges Leben«, in der man durch schiere Konzentration auf Unsterblichkeit unsterblich werden sollte. Wieder andere eröffneten das »Büro Welten-

wechsel«, in ihrem Versammlungszimmer in Bad Gott-
leuba stand ein kleiner Hermes aus Bronze, mit Stand-
und Spielbein, anmutigem Hüftknick und nach Osten
weisender Rechten.

»Ein schönes Durcheinander!« sagte in einem Interview Ignaz Knidlberger, ein Spezialist für Probleme, die
sich aus übertriebener Schönheit ergaben. »Jetzt muß
der Durcheinanderbringer selbst kommen, sonst ergibt
sich kein Zusammenhang mehr.« Und Henry Pictor
schrieb aus Pyrgos-Santorin an den Herausgeber einer
Hamburger Wochenzeitung: »Zur Rezension meines
neuen Hermes-Poems im Feuilleton Ihrer Zeitung nur
soviel: Hermes fliegt wieder, das entgeht Redaktionen
wie der Ihrigen. Bald wird er die Wiedervereinigung aller Sterblichen zuwege bringen. Dann können wir auf
kümmerlichen Ersatz jeder Art verzichten, auf Ver-
kehrsstaus, Alkoholkonsum und, zu meinem größten
Glück, auch auf das Feuilleton. Mit freundlichen Grüßen!«

*

»Hermesvilla«? Es war eine ziemlich große Villa, eher
ein Schloßhotel oder ein Sanatorium, aber es sah nicht
so aus, als würde dort irgend jemand mit Freuden erwartet, ein Gott schon gar nicht. Die Türen waren zu,
die Jalousien heruntergelassen, und ein Schild sagte:
»Sonderausstellung heute geschlossen«.

Hephäst war vermutlich schon da, er hatte ja System
und war pünktlich. Hermes wollte ihn noch etwas warten lassen.

Der Park hinter der Villa hieß »Lainzer Tiergarten«
und alle, die heute trotz des regnerischen Wetters hier

unterwegs waren, waren mit hoher Wahrscheinlichkeit »Österreicher«. Innerhalb der Wolken war er rasch hergekommen, aber am Boden war es weniger gemütlich: eben fing es wieder an zu regnen. Er fand es allerdings nicht fair, einem Wiener Bürger den Schirm zu stehlen – die waren vom generationenlangen Regenwetter schon genügend gezeichnet.

Aus Wien, hatte eine der beiden altgedienten Saligen gesagt, komme alles Ungute. Das meinte wohl eher die Regierung. Die Wiener, auch solche mit griesgrämiger Miene, reagierten überraschend freundlich, wenn man sie ansprach; und wenn wirklich einmal jemand Schwarze nicht mochte, sagte er es ohne Umschweife. Wenn Hermes ihnen eine Frage stellte, begann die Antwort zuverlässig mit den Worten »An und für sich ...« Was das bedeutete, war noch unklar, es verband sich keine deutliche Bildvorstellung damit. Es mußte mit der pessimistischen Überzeugung zu tun haben, daß die Dinge nie so waren oder nie mehr so werden würden, wie sie sollten oder gewesen waren.

Er hatte immer noch nicht recht herausgefunden, was die Menschen jetzt, da die Götter kaum noch präsent waren, miteinander verband. Wenn sie selbst darüber sprachen, kam das Wort »Mensch« in vielerlei Kombinationen vor, es klang beschwörend, sagte aber bei Licht betrachtet nichts. Was hinderte die Menschen jetzt daran, einander für Geld oder aus Langeweile oder wegen alter Rechnungen kaltblütig umzubringen? Daß sie oft daran dachten, war ihm durchaus aufgefallen, er wußte nur nicht, warum sie es dann doch nur so selten taten. Er wollte Hephäst direkt fragen, der würde es wissen.

Nach dem langen Fliegen und unsichtbaren Herumstromern wollte Hermes, vor der Begegnung mit dem notorischen Menschenliebhaber Hephäst, das menschliche Auftreten üben. Er war sichtbar und trug den Opernfrack eines leider stark zigarreraauchenden Mariahilfer Bankfilialleiters (aus gutem Grund hatte das Kleidungsstück auf dem Balkon gehangen!) Die Hose war zu weit, der Zylinder knapp, aber das störte Hermes nicht – er betrachtete Charlie Chaplin als einen seiner erfreulichsten Verwandten und hatte eine Uhr mit Kette gestohlen, um dem Tramp noch ähnlicher zu sein. Alle übrige Ausrüstung trug er in einem zugebundenen Tuch über der Schulter.

Die Wolken drängten sich geradezu, um über den Lainzer Tiergarten zu kommen. Es regnete nicht mehr, es goß.

Er dachte ans Gebirge zurück, an die Felsen und an Helle. Heimweh ergriff ihn: so bald wie möglich wollte er nach Athen. Und anschließend einen Blick auf die nackte Aphrodite von Knidos werfen, das schönste aller Standbilder.

Die Liebe auf dem Geigelstein war mit der in Venedig nicht zu vergleichen gewesen. Hermes ließ sich zwar auch dann nicht beirren, wenn er bei einer Umarmung Publikum hatte, aber es störte ihn stets im nachhinein, wenn er es mit einem heimlichen Plural zu tun gehabt hatte. Er war das Gefühl nicht losgeworden, Helle wolle den anderen Frauen zeigen, daß es tatsächlich Hermes sei, der sie vögelte. So sehr er diesen Stolz verstand: Ein wenig vorgeführt hatte er sich gefühlt.

Nach der Liebe hatten sie Durst gehabt und Milch aus einem Gefäß getrunken, das die Form einer Kuh hatte. Solche Gefäße kannte er aus Attika. Dann hatte er ihr, schon um von den anderen wegzukommen, das

Wolkenfliegen beigebracht. Manchmal kam sie noch an der falschen Stelle aus der Wolke heraus. »Du mußt wissen, wo du dich groß machen willst«, hatte er ihr eingeschärft, »dort, wo dein Kopf ist oder dort, wo deine Füße sind. Wo du groß bist, kommst du an, wo du klein bist, kommst du her.« Sie konnte es jetzt. Seltsam, warum sie später so viel über den Tod geredet hatte. Was ging sie der Tod an? Wollte sie die neue Begleiterin der Seelen ins Totenreich werden? Dazu mußte man kälter sein als sie, und manchmal auch listiger – Seelen fanden immer Gründe, sich noch etwas aufzuhalten.

Eines war Hermes völlig unerklärlich: warum Helle nicht bei ihm zu bleiben versuchte, sondern sich immer wieder ohne Ankündigung plötzlich zurückzog. Sie sagte natürlich auch nicht, wo sie sich wiedertreffen würden, und auch das Hellsehen und Lesen von Zufallszeichnungen half nicht allzusehr. Er wollte zwar keinen Terminkalender führen wie der Neurochirurg, aber sich doch auf Helle freuen können.

Was er gut verstand, war ihr Manöver mit Bedaius. Sie war gespalten, wollte ihrem Vater zugleich die Treue halten und ihn verraten. Um Hermes zu warnen, aber doch nicht selbst gegen Hephäst reden zu müssen, hatte sie diesen Lokalgeist vorgeschoben. Es war dennoch nicht anzunehmen, daß das dem allgegenwärtigen Schmied entgangen war, und vielleicht wollte sie auf diese Weise ihrem Vater ihren beginnenden Widerstand mitteilen.

Jetzt, fand er, hatte er Hephäst genug warten lassen. Ein Durchnäßter, dem das Wasser von Frackschößen und Zylinder troff, machte auch durch Zuspätkommen keinen Effekt mehr. Er ging zur Villa und sah hinein – durch geschlossene Jalousien sehen zu können, gehörte zur göttlichen Grundausstattung. Ja, da saß er am Tisch, sogar in seiner eigenen Gestalt, also mächtig und häßlich wie eh und je, die goldenen Krücken neben sich. Er rauchte Zigarre und grinste. Denn natürlich sah auch er durch geschlossene Jalousien.

*

»Da ist er ja, Hermes Ithyphallikos, der schnellste Schürzenjäger unter den Göttern!«

»Bist du's wirklich, alter Fettkopf? Wo warst du denn die ganze Zeit, war dir etwas zugestoßen? Der alte schwitzfilzige Hammerschläger, ich kann es nicht glauben! Laß schnuppern – tatsächlich! Ich bin vielleicht nicht mehr so schnell, aber in Santorin habe ich keine halbe Stunde gebraucht, um zu entdecken, daß es so etwas wie Deodorant gibt. Die größten Wunder der Welt liegen noch vor dir, hochverehrter Halbbruder.«

»In welcher Sprache wollen wir fortfahren, verdienstvoller Witwentröster? Das Griechische gibt bei weitem nicht alles her, was ich dir zu sagen hätte. Wäre dir das Bairisch von Bedaius angenehm?«

»Nicht, wenn wir über dich reden müssen, fleißigster aller Automatenaufsteller! Ich weiß zum Beispiel nicht, was ›Onanie‹ auf Bairisch heißt.«

»Reden wir Hochdeutsch, und zwar über dich. Du willst also gegen mich antreten? Gut! Ich freue mich schon lange darauf. Weißt du, was drei mal drei ist? Schon mal was von Mathematik gehört?«

»Natürlich, denn ich kenne Mathematiker. Sie rechnen gut, aber immer mit dem Falschen. Sie gehen zum Pissen in den Park und hoffen, daß eine Frau zusieht und es toll findet. Und das noch bei Nacht und Regen. Mathematiker rühren mein Herz – ich hoffe, daß ich hin und wieder helfen kann.«

»Du hältst es nach Bauernart mit der einfachen Addition. Wer gegen die Multiplikation ist, kann nicht einmal sagen ›drei Menschen‹!«

»Sage ich auch nicht. Wieviel sind ein Pferd und ein Schwein?«

»Zwei Säugetiere.«

»Völlig nichtssagend! ›Zwei Säugetiere‹, das könnte ebensogut ein Berittener sein.«

»Den nennt man dann auch so.« Hephäst gähnte.

»Und macht einen Fehler, denn schon handelt es sich um einen Metzgergesellen auf einer flüchtenden Sau! Wie nennst du das?«

»Geschenkt. Eine Gleichung mit mehreren Unbekannten ist für dich vorerst unerreichbares Land. Aber deinen Kult hast du wohl etwas aufgebaut – rauchen wieder ordentlich die Opferfeuer?«

»Und wie! Es wird sogar schon zum Problem: hast du vom ›Smog‹ gehört? Vom ›Treibhauseffekt‹? Nein? Du müßtest mehr aus dem Haus gehen.«

Das war zuviel für Hephäst, er brach in Gelächter aus und hieb mehrmals mit der Faust auf den Tisch. Nur gut, daß er darüber lachen kann, dachte Hermes, wer weiß, was er statt dessen täte: vermutlich aus Wien ein neues Pompeji machen! Er lächelte höflich und wartete, bis der Vulkangott sich beruhigt hatte.

»Klaut der mir …«, japste Hephäst, »klaut der mir noch meinen Smog, wenn ich nicht aufpasse!« Er wischte sich Lachtränen ab: »Bist du noch nicht genug bedient, Frechdachs? Schwarz genug bist du ja geworden!« Es fing schon wieder an zu lachen. Diesmal schlug er sich auf den Schenkel.

»Sei vorsichtig mit dem Bein!« sagte Hermes. »Es geht leicht etwas kaputt. Ich glaube fast, hier bist du es, der noch nicht genug bedient ist. Gut, daß du keinen Hammer dabei hast.«

Hephäst wurde ernst. »Du bist der bösartige Lümmel von damals. Ich sehe es mit Genugtuung, denn also war es richtig, dich aus dem Verkehr zu ziehen. Du bist, wie wir heute sagen, ein Teufel. Aber ich habe Gott auf meiner Seite, den großen, alles umfassenden Gott. Du wirst ihn kennenlernen.«

»Zeus, hilf! Glauben wir inzwischen an eigene Lügen? Jeder hat das auf seiner Seite, was er zu diesem Zweck erfunden hat. Du kannst von Glück sagen, daß dein Allergrößter nur eine Idee ist, sonst würde es dir eng werden neben diesem Riesenbaby.«

»Er ist keine schlechte Einrichtung, und er hat alles sehr vorangebracht in Richtung Gerechtigkeit. Sieh dich um: Es herrscht nur ein Gott, und zwar der …«

» …der Eifersucht und der Selbstbefriedigung.«

»Unsinn, des Feuers!«

»Das kann doch eigentlich kaum sein? Die Kunst des Zündelns stammt von mir«, sagte Hermes. »Du hast sie dann nur industrialisiert und den Prometheus für dich eingespannt, du ausgemachter Tückebold. Vergeßlich bist du geworden!«

»Hermes, ich fordere dich zur gemeinsamen Arbeit auf.«

»Arbeit? Was ist das nun wieder?« fragte Hermes. »Eigentlich wollte ich Helle hier treffen, sag, hast du sie wohl gesehen?«

»Sie wollte kommen«, antwortete Hephäst indigniert, »sie ist wohl noch im Park.«

»Es regnet.«

»Sie hat einen Schirm.«

»Und die anderen Götter? Erzähle doch mal was, sonst wird es zu langweilig. Warum sitzt Athene immer nur in Athen? Warum wolltest du verhindern, daß ich hinfliege?«

»Da müßte ich etwas ausholen – alles der Reihe nach!« Hephäst zog den Rechenschieber, fettete ihn am Haar und rechnete mit flinken Fingern ein langes Aggregat durch.

»Taschenrechner kennst du noch nicht?« erkundigte sich Hermes. »Die arbeiten mit Batterien. Und sie setzen das Komma, ohne daß du deinen Fettkopf zu bemühen brauchst, nicht einmal sein Fett.«

Hephäst lächelte zum ersten Mal freundlich. »Du bewunderst mich. Eigentlich willst du mich loben, das merke ich. Wie war die Gehirnoperation?«

»Großartig«, antwortete Hermes ertappt, »und tatsächlich, ich wollte dich dafür loben.«

»Auf der Basis können wir weitermachen.«

Zwei Stunden später saßen sie einen Stock höher im »Salon der Kaiserin«. Von dieser Dame, Elisabeth, gab es einige Bilder hier. Sie war schwarzhaarig, sehr schlank und tief melancholisch gewesen, hatte sich krank gehungert und Griechisch gelernt, um nicht von dieser Welt zu sein.

»Sie hat sich nach mir gesehnt, und ich war angeschmiedet«, sagte Hermes zu Hephäst. »Nur daran ist sie gestorben – da siehst du, was du angerichtet hast!«

Hephäst schwieg und bot ihm eine Zigarre an, die er ignorierte. Er stand auf, ergriff den Kronleuchter, versetzte ihn mit einer heftigen Bewegung ins Schwingen, trat ans Fenster und sah hinaus.

»Also gut«, sagte er, »erklär mir dein System zu Ende, es wird hoffentlich bald geschafft sein.«

Er hatte wenig über die anderen Götter erfahren, und über Athene nur, daß sie zur Zeit einen seiner Namen trug. Hephäst interessierte sich nicht für Familien, sie spielten keine Rolle mehr, und die eigene schon gar nicht. Einige Götter leisteten Repräsentations- oder Zuträgerdienste für Hephäst, etwa Pan als Berater für Fragen der Stimmung und der Peinlichkeit, Hekate als Botin und, nur noch in Ausnahmefällen, als Seelenbegleiterin in den Tod.

Apollon sollte die Künste schützen, aber er tat es aus Ekel über deren Vermarktung (schließlich war er der Gott der Gerechtigkeit gewesen) nur noch schlampig und war oft abwesend; der einst so große Delier saß nur noch in Grandhotels herum und blickte ironisch in die Röhre. Das Licht des Wissens und Könnens war in den Künsten immer weniger anzutreffen, dafür wuchs die Zahl der Gremien und Tagungen, in denen der Niedergang gegen Honorar beklagt wurde.

Hephäst hatte für sich selbst auf alles Göttliche verzichtet wie einst Demeter, aber für viel längere Zeit. Er bewegte sich als Mensch, denn er war stolz darauf, alles durch sein System allein zu beherrschen: »Ihr mögt zaubern können, ich aber kann organisieren.« Er behauptete, seine technischen Mittel seien allen zauberischen schon durch die Möglichkeit der Vervielfältigung weit überlegen. Hermes glaubte aber, daß er mindestens auf faulen Zauber nach wie vor gern zurückgriff – oder war es wirklich technisch möglich, überall Gespräche mitzuhören, wo Metall in der Nähe war? Durch die eisernen Tischfüße im Biergarten, das Blech des Goggomobils und die Schrauben am Gipfelkreuz hatte Hephäst den Dialog mit Bedaius belauscht, und da die meisten Erwachsenen Metall im Portemonnaie oder wenigstens im Gebiß hatten, konnte er mithören, wo immer er wollte.

»Es geht allerdings nicht mit Metallen, die vor 1977 entstanden sind«, erklärte der Schmiedegott, »die haben die Horchsubstanz noch nicht drin, mit der das Lauschaggregat etwas anfangen kann.«

»Was spricht denn Gianna Nannini gerade?« fragte Hermes. »Oder singt sie sogar? Ich würde es gern hören.«

»Das geht, aber nur über die Großcomputer. Ich habe doch gesagt, daß ich keine Zauberspielchen betreibe.«

Zur Kontrolle gehörten auch Wesen, die Befehle ausführten. Seine ergebenen Helfer, die Kyklopen, hatten nach und nach alle Metallberufe durchsetzt, sie saßen in Eisenwarengeschäften, Fahrzeugfabriken, Schilderprägereien, Stanzereien, Hammerwerken, Gießereien, Stahlhütten. Ferner waren Wissenschaft, Politik und Journalismus Hephäst gegenüber merkwürdig hilflos. Das lag daran, daß im Gehirn Intelligenz ohne Eisenzufuhr gar nicht erst entstand. Über die Kritik des Bedaius lachte er nur: »Das Zeitalter der Fische und der geistigen Kiemenatmung ist vorbei. Ich leiste mir versumpfte Originale wie ihn nur, weil sie für den Tourismus gut sind.«

Sein System, genannt das »lemnische«, so erklärte Hephäst, sorge weitaus am besten für Gerechtigkeit.

»Jaja: mit dem rechten Winkel«, setzte Hermes hinzu, er wollte doch zeigen, daß er nicht ohne Kenntnisse war. Es gehe ferner darum, so Hephäst, daß jeder persönliche Rechte habe und daß Rechtssicherheit herrsche (also keine anderen Winkel, dachte Hermes). Die Art, wie Zeus und Apollon einzelnen zu ihrem Recht verholfen hätten, sei schon damals lückenhaft gewesen, jetzt aber völlig unbrauchbar: »Wir haben momentan«, verkündete er nach kurzem, aber heftigem Rechnen, » – 7 185 452 300 Menschen, und in einer Minute werden es zwölf mehr sein. Ein Gott, der sich nicht zu vervielfältigen versteht, kann da nur noch einpacken.« Bei ihm, Hephäst, dürfe kein Mensch in Elend und Angst leben, und sein System sei die beste aller Möglichkeiten, dafür zu sorgen. Hermes schüttelte sacht den Kopf. Die Vervielfältigung war doch nur nötig geworden, weil die Menschheit selbst zu sehr vervielfältigt worden war – von wem wohl? Er antwortete aber nur: »Elend sagt mir wenig, ich interessiere mich mehr für Müßiggang und Ausschweifung.«

Hephäst fuhr wütend auf und schlug mit der Krücke auf den Tisch. »Du hörst mir jetzt zu, bis ich zu Ende bin! Mein System kann man nicht an beliebigen Stellen unterbrechen und bemäkeln, es ist widerspruchsfrei.«

Hermes aber mäkelte weiter: »Wenn alles so widerspruchsfrei ist, warum hast du den Gegensatz zwischen Ost und West eingebaut?«

»Längst überholt! Ich hatte mit ihm ursprünglich etwas anderes vor, aber er degenerierte zu einem Porno, der niemanden mehr heiß machte. Darüber brauchst du nichts zu lernen.«

Im Augenblick war er bei einem der wichtigsten Bestandteile des Wunderwerks, der geregelten Arbeit. Was früher den Sklaven vorbehalten gewesen war, hatte er zum Gemeingut gemacht – es war geradezu ein Unglück geworden, keine Arbeit zu haben, und zwar nicht nur des Geldes wegen, das damit verdient werden konnte. Ohne Arbeit, sagte er, könne sich niemand mehr selbst verwirklichen, und darum müsse es ein Recht darauf geben. Hermes staunte. Von Geld verstand er etwas, weil man es stehlen konnte. Aber Arbeit? Er ließ alle Menschen Revue passieren, in deren Kopf er gewesen war, aber mit dem Wort »Arbeit« konnte er dort wenig verbinden. Der Schlagzeuger, der Neurochirurg, die Rap-Sängerin, der Graffiti-Writer, das waren Künstler, und darin bestand auch zu einem guten Teil ihr Glück. Alle anderen hatten Jobs und fluchten über sie. Und weder jetzt noch damals waren ihm Jobber oder Sklaven untergekommen, die Arbeit als »Selbstverwirklichung« ansahen – was das sein sollte, blieb also vorerst unklar. Es konnte ihm aber auch egal sein, denn er hatte nicht vor, sich mit Arbeit abzugeben. Außer vielleicht zum Schein und zum Spaß.

Bei alledem war, wie schon Bedaius angekündigt hatte, die Multiplikation wichtig. Sie sorgte für mehr Arbeit, mehr Geld, mehr Macht, mehr Menschen, mehr Bedürfnisse, mehr Beliebtheit. Einer guten Familie anzugehören bedeutete nichts – das hatte er schon an Jean-Claude gemerkt –, sondern es galt, Aktienmehrheiten zu besitzen, Firmen zu leiten, Parlamentsausschüssen anzugehören, Artikel zu schreiben und vor allem, ins Fernsehen zu kommen. Nicht das Gelingen brachte den Erfolg, sondern die ebenso rasche wie massenhafte mechanische oder elektronische Verbreitung von Ungelungenem. Gut, dachte Hermes, warum nicht? Ich möchte ja nur die Spielregeln kennen. Zu befolgen brauche ich sie nicht. Wer an die Multiplikation nicht glaubt, dem kann sie auch nichts anhaben. Ich werde mich aus dem System heraushalten, mir meine Menschen aussuchen, mit ihnen Schabernack treiben oder sie reich und groß machen, wie es mir gerade lustig scheint. Ich werde meine Maskerade veranstalten und die Verhältnisse im Kleinen ändern. Wo ich bin, wird das System immer etwas durcheinander sein, und Bruder Weißglut wird recht oft mit der Krücke auf den Tisch schlagen müssen. Er wird mich wieder nach Paläa Kaimeni verbannen wollen, aber ich muß ihm ja keinen Anlaß bieten, etwa mich abermals mit Aphrodite einlassen. Falls sie überhaupt noch seine Frau ist …

»Sag mir eines, geschätzter Bruder: Bist du noch mit Aphrodite verheiratet?«

»Ja … Aber sie geht jetzt eigene Wege.«

»Ach, wie neu.«

»Anders! Sie hatte es irgendwann satt, ewig die schöne Frau zu sein und männliche Wünsche auf sich zu ziehen, darum schlüpfte sie in Männerrollen. Zur Zeit heißt sie Knidlberger und betreibt ein therapeutisches Institut für Probleme übermäßiger Schönheit. In Thera – du hast sie aber nicht getroffen, weil ich das so geregelt habe. Meine Kontrolle ist lückenlos.«

»Und Dionysos?«

»Kam vor hundertfünfzig Jahren als deutscher Maler nach Santorin und blieb. Heute ist er Engländer, nennt sich Pictor, säuft wie immer und schreibt entweder Hymnen oder Leserbriefe, je nach Zustand.«

»Was denn, Dionysos trinkt zu Hause? Das ist allerdings eine Alarmmeldung, da muß es schlecht stehen.«

»Er wird eben nicht gebraucht – gesoffen wird auch so.«

»Wie benimmt sich Eros, der bedenkenlose Attentäter?«

»Er leistet gute Dienste und hört auf mich. Alles, was er anrichtet, verwandelt sich direkt oder indirekt in einen Grund zum Arbeiten, außerdem käme die Werbung nicht ohne ihn aus. Ich lohne es ihm großzügig.«

»Noch eins: Liebst du die Menschen genau wie früher?«

»An und für sich ja. Es sind, wie gesagt, recht viele jetzt. Es müßte mehr Genies geben, und mehr Gerechte.«

Hermes hatte nun genug gehört. »Wir müssen keinen Ärger miteinander haben, lieber Bruder. Aber laß mich zu Athene und mach kein Problem daraus. Sie ist meine einzige und wahre Freundin.«

»Laß dir Zeit damit«, unterbrach Hephäst scharf, »darüber reden wir später einmal. Mehr sage ich dazu nicht.«

Hermes schwieg verdutzt. Was befürchtete der Schmied von einem solchen Zusammentreffen? Was war mit Athene? Hephäst langte sich die Krücken und stand auf. »Der Wagen ist da. Jetzt zeige ich dir eines meiner Schmuckstücke hier in Wien, eine alte Schmiede, sie ist das hiesige Zentrum der ›Lemnik‹ und der ›Lemnologie‹. Da kannst du sehen, wie die Sache praktisch funktioniert.«

»Die Hermesvilla hier – ist sie mein Eigentum?«

»Nein, sie heißt nur so. Aber wenn du jemals wirklich etwas besitzen willst, ohne es gestohlen zu haben, dann laß es mich wissen, ich kann da immer was deichseln.«

»Du spielst überall den Menschen – wie heißt du bürgerlich, was steht in deinem Paß? ›Hephäst‹ ja wohl kaum?«

»Die Menschen nennen mich ›Konsul Herdhitze‹, die

Kyklopen ›dreimal größter Meister‹ – Vorname in beiden Fällen uninteressant. Paß? Ich habe tausend Pässe, keiner davon ist gefälscht.«

Sie stiegen in einen älteren Rolls Royce. »Der einzige Wagen, der für mich in Frage kommt«, sagte Hephäst, »bei den anderen findest du keine rechten Winkel mehr.« Der Chauffeur trug eine handelsübliche Sonnenbrille, hatte aber nur ein einziges Auge mitten auf der Stirn. Da er eine Schirmmütze trug, fiel es sonst niemandem auf.

»Wo wohnst du eigentlich, Menschenfreund?« fragte Hermes während der Fahrt. »Menschen sind doch seßhaft.«

»Wozu wohnen? Ich habe Büros und Werkstätten. Schlafen muß ich so wenig wie du. Ich mache den Menschen nicht alles nach.«

»Wo amüsierst du dich, wo gibst du Geld aus?«

»Ich genieße das Geld dort, wo es noch ›Arbeit‹ heißt. So, hier ist es, gehen wir in die Schmiede! – Wie Gianna Nannini singt, würde mich auch interessieren. Ich habe gehört, es klingt wie ein meisterlich geführtes Reibeisen.«

*

»Aha, einige Sachen kenne ich von meinem oberpfälzischen Schmied«, sagte Hermes und freute sich daran, die aufbewahrten Bilder mit den Gegenständen der Werkstatt zu vergleichen. Auf deutsch zählte er Begriffe auf und zeigte mit der Hand: »Löschtrog. Blasebalg. Vorschlaghammer. Abschrot. Stielmeißel. Dorn.«

Zwei haarige Kyklopen hörten es, drehten sich um und rissen voll Erstaunen je ein Auge auf.

»Nicht schlecht.« Hephäst nickte beifällig. »Der Setzhammer hier ist sehr alt. Mit dem habe ich eigenhändig die Angelbänder der Türen von Notre Dame gemacht. Lange her.« Er seufzte. »Hier geht es in die Goldschmiede. Da wirst du kaum einen Namen kennen.«

»O doch. Schraublehre. Ziselierhammer. Ringstock. Das da – ein Dreuel, oder? Mein Schmied hatte als Junge den Traum, Schmuck für weibliche Ohren zu machen. Und zu tanzen. In Freystadt.«

»Deine Art, Informationen zu sammeln, ist gut, wenn auch langsam. Jetzt sieh dir meine an. Wir nehmen den Fahrstuhl.«

Das Gebäude war von der Straße her nichts als ein altes, behäbiges Wohnhaus, es wohnten gewöhnliche Bürger darin. Im Parterre war ein Versammlungssaal. Erst unter dem normalen Keller begann Hephästs Reich, von dem außer ihm und den Kyklopen niemand wußte: das Elektronikzentrum im ersten Unterkeller, dann die Sammlungen mit dem Archiv im zweiten und die Schmiede im dritten Unterkeller; der Fahrstuhl sah uralt und schmiedeeisern aus, er wurde von den Hausbewohnern benutzt, gehorchte aber Hephäst, wenn dieser in die Tiefe wollte. Hermes las ein Schild: »Aus Sicherheitsgründen Kinder an der Rückwand stehen lassen!« Jemand hatte vor das Wort »stehen« per Hand ein »ent-« eingefügt. Es gab Leute in Wien, die zu ihm gehörten, vielleicht sogar Writer, mit denen Hephäst nicht fertigwurde.

»Es gibt Hermetiker hier«, sagte Hermes und wunderte sich, daß Hephäst wie unter einem Schmerz zusammenzuckte. »Kennt man auch einen Gruß wie ›koinos Hermés‹?«

»Ja, aber ohne deinen Namen. Er heißt ›samma fesch‹.«

Das Rechenzentrum war eine schmale, aber unendlich in die Länge gezogene Halle mit Personenförderbändern zum Gehen und Stehen in beiden Richtungen. Während sie an der Kette der Großcomputer entlangfuhren, nahm Hephäst ehrerbietige Grüße entgegen: »Servus, dreimal Größter!« »Grüß dich, hoher Meister!« – die Kyklopen durften ihn duzen, für sie war er der Meister, nicht der Konsul.

»Für die Bildschirmarbeit eignen sich Kyklopen gut, da braucht man ja nicht perspektivisch zu sehen. Beim Schmieden war's immer etwas problematisch – sie hauen oft daneben.« Hephästs Stimme hatte, wenn er sich im Zentrum seines Systems äußerte, einen anderen Klang, tiefer, sonorer, er füllte mühelos die ganze unendliche Halle.

Auf dem parallel, aber in der Gegenrichtung laufenden Förderband stand, noch weit entfernt, eine schlanke weibliche Gestalt in einem schwarzen Kleid. Sie stand graziös, statuenhaft bewegungslos, und sah ihnen unverwandt entgegen. Eine schöne Frau. Hermes beugte sich ohne Zögern zur Seite hinüber, um auch ihre Beine sehen zu können, aber das schwarze Abendkleid, knöchellang mit drei plissierten Volants, ließ außer Schlankheit und Eleganz nichts erkennen. Oben hatte es einen großen Ausschnitt, so daß die Schultern nur auf der äußersten Rundung bedeckt waren. So wirkten sie breit und die Taille schmal, zumal die Arme auf der ganzen Länge von einem feinen Gewebe bedeckt waren – Seide oder Tüll? Das wollte er sie fragen, wenn sie nahe genug heran war. Die Frau trug das Haar offen, blickte starr und seltsam stumpf. Beim

Zeus, es war Helle! Sie sah trotzig an ihm vorbei. Hatte sie geweint?

»Da ist sie ja!« sagte Hephäst. »He, was hast du?«

Hermes sprang über das Geländer, landete auf dem Gegenband und war mit wenigen Schritten bei Helle.

»Ein unglaublich schönes Kleid! Seide oder Tüll?«

Sie legte ihre Arme vor den Hüften ineinander und blickte weg.

»Unglaublich blöde Frage«, sagte sie leise. »Geh nur, spielt schön weiter.«

»Was ist los?«

Jetzt drehte sie sich um: »Es war nicht schwer, von hier aus eure Gespräche in der Villa mitzuhören. Mir reicht's, ich habe dich bis hierher!« Sie zeigte mit einer heftigen Handbewegung an dem wunderbaren Hals an, dicht unter dem Kinn, bis wohin sie ihn hatte.

Hermes sagte nichts, weil er darüber nachdachte, was sie meinen konnte. Inzwischen fuhr Hephäst auf dem anderen Band neben ihnen her. Er konnte natürlich jederzeit Richtung und Tempo ändern. Helle bemerkte seine Gegenwart, fuhr aber scheinbar ungestört fort: »Athene also? Freundschaft nur mit ihr, und ich bin allenfalls fürs Bett eingeplant? Dann gehe doch gleich zu ihr, wozu die Umwege? Ich werde dir nicht weiter lästig fallen!«

»Er wird doch gar nicht nach Athen kommen, ich hatte es dir klar versprochen«, sagte Hephäst.

»Halte du dich raus!« unterbrach Hermes. »Väter verstehen sowieso nichts.« Er hatte die Idee, daß Helle über etwas anderes erbost war, als sie im Augenblick für Hephästs Ohren sagte. Aber jetzt war das Transportband zu Ende, und Helle stolperte wegen des bodenlangen Kleides. Sie wäre gestürzt, wenn Hermes sie nicht aufgefangen hätte. Gerade das ließ ihre mühsam gewahrte hoheitsvolle Haltung in Wut umschlagen.

»Verräter! Glaubst du, ich hätte nicht gemerkt, wie du die anderen Saligen angesehen hast? Und in der Villa hast du endlich einmal klar gesprochen, allerdings nicht zu mir. Du glaubst, weil du Hermes bist, liege ich für dich bereit, wann immer es dir paßt. Du mußt dir jeden Tag deine Männlichkeit beweisen, sonst nichts. Wirkliche Gespräche führst du nur mit Männern. Du denkst, weil du ein Gott bist, brauchst du mich nicht zu verehren, mir nicht einmal den Hof zu machen.« Sie zwang sich, nicht aus purem Zorn zu weinen, gewann ihre Stimme zurück. »Du stellst dir vor, du brauchtest nur auf mich zu warten, und ich käme bestimmt, weil ich ja verrückt nach dir sei. Da irrst du dich, du Hellseher! Nein, komm mir nicht nach, es ist aus, wir sehen uns nicht wieder! Ich bin bei jedem anderen Gott besser aufgehoben.«

Sie verschwand wehenden Kleides durchs Portal. Hermes zuckte die Achseln und trat wieder aufs Transportband, bei dem Hephäst gewartet hatte. Der grinste und schüttelte gleichzeitig den Kopf.

»Typisch Weib – viel Feuer, viel Nebel. Du wirst sie draußen wiederfinden, bei einer solchen Wut auf Männer braucht sie männlichen Schutz. Lassen wir uns Zeit.«

Hermes war zu erstaunt und traurig, um gleich etwas zu sagen. Aber hinter Helle herzulaufen schien ihm falsch. In einem hatte sie recht: Es gab andere Frauen, und die interessierten ihn auch. Für was für einen Gott hielt sie ihn eigentlich?

»Sie wird etwas Zeit brauchen«, sagte er nun zu

Hephäst, »ich kann ja ziemlich lang warten, wie du weißt. In besonderen Fällen ewig.«

Jetzt kamen sie endlich dort an, wo Hephäst hinwollte. »Es ist sozusagen das Allerheiligste. Hier rechne ich aus, wie es in den einzelnen Weltteilen weitergehen soll. Da es Unsinn wäre, ein endgültiges und immer gleichbleibendes System zu etablieren, muß das Ganze ein Prozeß bleiben, in dem es immer vorwärts zu gehen scheint, und zwar so langsam, daß die Menschen die Wiederkehr des Alten nicht merken. Denn in der Unzulänglichkeit der Menschen liegt das Problem: Sie sind zu ungeduldig, weil sie schon relativ bald nach der Geburt wieder sterben müssen.«

Sie blieben den ganzen Nachmittag und Abend. Helle war vergessen. Hephäst zeigte Hermes Einrichtungen, deren Beschreibung so intelligent klang, daß er völlig begeistert war, etwa den Gravitations-Computer. Durch ihn konnte der Meister der Erde mit anderen Chefs Verbindung halten, die Millionen von Lichtjahren entfernt waren.

»Es funktioniert über minimale Positionsveränderungen von Massesatelliten, und zwar nach dem binären Code«, sagte Hephäst. »Jede Veränderung im universalen Gravitationssystem ist sofort registrierbar – dadurch sind wir nicht auf das viel zu langsame Licht angewiesen.«

Hermes verstand kein Wort. Er bewunderte Hephäst allmählich mehr, als er zugeben wollte: Wenn das alles gelogen war, dann log Hephäst besser als er. Vor so etwas hatte er Respekt.

»Davon, daß es andere Erden gibt, hat Zeus nie eine Ahnung gehabt, und Helios schiebt heute noch seine Sonne weiter und denkt, es wäre die einzige weit und breit. Keiner der Götter versteht noch, was ich verstehe, auch Athene nicht. Und gerade jetzt, seit wenigen Jahrzehnten, habe ich Dinge herausgefunden und Ereignisse möglich gemacht, die mir vor tausend Jahren unvorstellbar waren.«

Er erklärte Hermes die Abkehr vom mechanistischen Weltbild und von der Linearität, und daß die Computer inzwischen die Unberechenbarkeit der Welt rechnerisch erwiesen hätten. »Ich bin ganz nahe daran, die Unberechenbarkeit selbst berechnen zu können bis in die unendliche Kommastelle. Dadurch wird alles möglich, sogar die Quadratur des Kreises.«

Hermes gab sich große Mühe, wenigstens den Sinn von Hephästs Worten zu begreifen. Was er sicher wußte, war eines: Bedaius hatte das hephästische System beschrieben, wie es vor vielen Hunderten von Jahren gewesen war – von den spannenden Ideen jetzt hatte er keinen Schimmer: Die Züchtung von ebenso schönen wie grundgescheiten Menschen war jetzt möglich, ferner biologische Unsterblichkeit für ganz besonders erfreuliche Exemplare. Angst und Zwang, auch der Universalgott als anti-erotische Vogelscheuche, sogar die Arbeit waren bald kaum mehr nötig, also all das, was Menschen die Laune verdarb und reale Götter langweilte.

Mitten zwischen den eindrucksvollen Computergeräten stand ein altmodischer Kasten mit ragenden Karteikarten, wie Hermes sie in Bibliotheken gesehen hatte. »Hier drin sind meine Feinde«, erklärte Hephäst, »wer einmal gegen mich war, wird kontrolliert, ich führe Buch.« Auf den fettigen, eselsohrigen Karten saßen hier und dort bunte, züngelnde Metallreiter und zeigten besonders zugespitzte Feindesnamen an. Hermes nahm eine Karte heraus: Sie war beidseitig in gekonnter Akropolis-Kurzschrift beschrieben. Auf Hermes' fragenden Blick antwortete Hephäst: »François Villon. Einer von deinen Leuten, längst tot. Ich muß mal wieder ausmisten.« Er zerriß die Karte.

Als sie aus dem alten Wiener Haus wieder auf die Straße traten, war es dunkel geworden, und natürlich wartete keine Helle weit und breit. Hermes wollte ein anderes Mal darüber nachdenken, denn er war jetzt erfüllt von den Künsten seines Halbbruders.

»So, was machen wir?« fragte Hephäst. »Hast du schon pokern gelernt?«

»Nein.«

»Gut, ein andermal. Ich bin der beste Pokerspieler der Welt. Viele Erkenntnisse beim Pokern sind in das lemnische System eingegangen, und mit ihm wiederum gewinne ich bei dem Spiel. Ich zeige es dir bei Gelegenheit, obwohl du dafür nicht sonderlich begabt bist. Es ist ein Geldverwaltungs-Spiel und hat nicht mit Glück, sondern mit Organisation zu tun.«

»Vielleicht nützt Glück auch bei Organisation?«

»Glück ist ein Aberglaube. Aber ein nützlicher.«

Sie stiegen in den Wagen, und der Kyklop bog so abrupt in den fließenden Verkehr, daß Bremsen kreischten und Hupen zeterten.

»Stimmt. Er kann keine Entfernungen einschätzen.«

»Ich will dir jetzt sagen, was für eine Aufgabe du in meinem System übernehmen kannst. Du sollst Zeitgeist werden! Das ist einer der anspruchsvollsten Posten überhaupt, und man muß dazu kein bißchen rechnen können. Du brauchst nicht mühsam einen Kult aufzubauen, du hast etwas Besseres: ›Starkult‹! – Nimmst du einen Wodka?«

»Danke, das letzte Mal hat mir gereicht. – Wie mache ich das, ›Zeitgeist sein‹?«

»Indem du Hermes bist, weiter nichts. Aber nicht ganz so wie früher: Du sollst ihn sozusagen nur darstellen, als Hermes auftreten – als Gott glücklichen Findens, geschäftlichen Wagemuts, des Stehlens auch, des kalten Blicks auf Menschen, des Durcheinanderbringens, des frechen Genießens und des bösen Schabernacks – alles, wofür man dich kennt oder vielleicht nicht mehr kennt. Dein Name wird unglaublich bekannt werden, du wirst der Gott sein, an den alle denken – dein Kümmerdasein ist vorbei! Auf einiges mußt du allerdings verzichten: Götterboten brauchen wir bei so viel Elektronik nicht. Hekate muß ab und zu ihre Hunde bewegen, das ist alles. Und ins Totenreich bringst du bitte auch niemanden, es ist überfüllt.«

»Was geschieht mit den Seelen jetzt?« fragte Hermes beiläufig.

»Nichts. Wir haben davon reichlich.«

Hermes überlegte und lächelte.

»Ich bin zu neugierig, um es abzulehnen«, sagte er, »aber ich stelle zwei Bedingungen: Du schaffst Aids ab, weil es meine Leute zu sehr beeinträchtigt. Und: Ich reise nach Athen, so oft und so lang ich will.«

»Beides genehmigt – nach der Probezeit«, antwortete Hephäst. »Fünf Jahre. Dann erfülle ich dir deine Wünsche.«

»Eine Probezeit für Hermes? Willst du mich zum Lachen bringen?«

»Sie gilt genauso für mich. Jeder von uns kann sofort kündigen. Und fünf Jahre sind für Leute wie uns nicht lang, oder? Mein System muß sich vor deinen

Augen ja auch erst bewähren. Glaub mir, ich meine es ehrlich!«

Hermes liebte den letzten Satz nicht, er war unelegant. Wenn er selbst log, kam er ohne solche Sprüche aus. Und glauben konnte er gar nichts. Hephäst hatte immer gelogen, warum sollte er damit aufgehört haben?

»Gut, dann werde ich dir in dieser Probezeit auch etwas vorenthalten: Ich spiele zwar den Zeitgeist, aber nicht in eigener Gestalt.«

»Das geht nicht! Das entwertet doch das ganze Unternehmen. Du selbst mußt ins Fernsehen, nicht irgendein Komparse mit kleinem Mann im Ohr – davon gibt es genug.«

»Aber verehrter Bruder – was sind schon fünf Jahre. Jetzt zeige mir lieber, was du unter Pokern verstehst.«

*

Damit hatte auch er einen Terminkalender. Und was »Arbeit« bedeutete, wußte er nun: sich an einen Terminkalender halten zu müssen. Er mußte sich zu den richtigen Stunden im Kopf eines der beiden Moderatoren aufhalten, einer Nadine und eines Georges, die in ihren Sendungen den Zeitgeist zu verkörpern hatten. Abenteuertum verlangte manchmal, mit etwas, das sich öde anließ, nicht sofort wieder aufzuhören. Er war neugierig darauf, was mit der Welt und ihm passierte, wenn er mitmachte. Arbeit aus Neugier. Er ging die Termine durch und dachte dabei nach:

Mit George zur Sitzung in meinem Sender. Lernen, wie man Radio macht. »Gegen die Unterdrückung der

Sexualität, für Offenheit« – klingt noch stinklangweilig, da muß Deftigeres her. Freiheit soll man nicht fordern, immer rauben. Und hemmungslos zündeln.

Der Redakteur: wenn ihm zu einer Frage zwei Gedanken gleichzeitig kommen, kriegt er vor Selbstüberschätzung Gänsehaut. Arbeitsessen mit Pan. Mein Sohn, aber was ist aus ihm geworden! Ein Manager des Hephäst, die Bocksfüße in Spezialschuhen, Krawatte, Jacketkronen, panisch-trügerische Sicherheit, wohin man sieht.

Moderator heißt »Mäßiger« – die werden sich wundern, wenn ich bei denen in den Hirnkuppeln sitze. Bloß nichts Peinliches, sagt Pan. Was spricht eigentlich gegen Peinlichkeit? Die Moralheuchler halten alles Amoralische für peinlich. Ich werde in Georges oder Nadines Paukenhöhle amoralisch improvisieren, und zwar äußerst peinlich. Die haben keine Ahnung, wen sie sich eingefangen haben. In die Sendung muß alles hinein, was verpönt, verhaßt und verachtet ist, weil es dann mehr Spaß macht. Was genau sind »Nazis«? Nachmittags für drei Stunden fortfliegen, Frauen angucken und mit einer mitgehen, vielleicht auch der Ansagerin. Überall Tempo, auf nichts mußt du lang warten. Männer mit Arbeit haben keine Zeit für mehrere Geliebte. Ich dagegen muß nachts nicht schlafen.

Nadine und George sind gut lenkbar, sprechen jedes Wort laut aus, das ich ihnen einflüstere, nennen brav meinen Namen und kündigen an, daß ich bald selbst erscheinen werde. Zeitgeist ist Sammler-Aufgabe: lauter Sätze, direkt von den Leuten, sodann in die Welt damit.

Slogans hinwerfen für drei Sendungen. Provokation ist, wenn danach die Leute anrufen. »Was spricht gegen

Haß? Auch er vertreibt Angst.« »Aus reiner Freundschaft kriegt keiner einen Steifen.« Feministinnen ärgern – eine sehr vornehme Aufgabe. Termin mit Politiker. Zum Glück Alkoholiker, kommt wenigstens etwas
unter die Leute.

Radiosendung läuft an. Titel: »Kein Verlaß«. Durcheinander soll ihre einzige Botschaft sein. Fernseh-
sendung »Spitzwegerich«. Anfangsbild Wegesrand mit
blühendem Wegerich im Wind wackelnd vor blauem
Himmel – warum nicht gleich Kamille oder Melisse?
Rosangela mit einem Rap, Mathias sprüht, Nadine beleidigt alle, besonders das Publikum. Ein Erfolg.

Sprüche, Slogans, Sätze. Neue Pointen braucht das
Land, kynische und zynische.

»Warte nicht, bis dir ein besseres Leben zugeteilt
wird, klau es dir.«

»Was hülfe es dem Menschen, wenn er die ganze
Angst verlöre und handelte sich doch nur Langeweile
ein?«

»Der Mensch ist das Tier, das in der eigenen Gattung auf Raub ausgeht.«

Ja, wacht auf, Holzköpfe, Verantwortungsbuckel,
Gesichter aus Schlamm und Korrektheit! Menschen im
Osten und Westen, hört mir zu, statt euch gegenseitig
eure Dummheiten beizubringen. – Bei den Privatsen-
dern ein Netz von Sendungen aufbauen, empfiehlt
Hephäst – für eigene Sendelizenzen will er sorgen. Zunächst folgende Titel: »Zeitgeist persönlich«, »Renais-
sance«, »Morgenluft« (als pornographische Alternative
zu den Gymnastiksendungen). Insgesamt ist aber Radio
geeigneter als Fernsehen. Frechheit braucht denkende
Adressaten, und sei es, um sie erfolgreich zu beleidigen.
Hephäst dagegen meint, so viel wie möglich und so

primitiv wie möglich, nur das erreiche »die Menschen«. Hephäst ist der Erfinder der gußeisernen Einschaltquote.

*

Der Erfolg der ersten Sendungen war groß. Georges und Nadine, von Hermes gelenkt und beflüstert, priesen seinen Namen und kündigten sein baldiges Erscheinen an, und es entstand eine geradezu hysterische Hermes-Verehrung. Neue Grüße entstanden, die ihn meinten und lobten: »Hermes mit uns«, »Glück und Beute«, »Samma fesch«, »Wer ko, der ko«.

Aber hatte er, was er wollte? Zumindest hatte er keine Zeit, darüber nachzudenken.

Sätze schnappte er auf und erfand sie, wo er ging und stand. Auf Sendungen bereitete er sich nicht mehr vor, nur noch auf Streiche. Es gab zwei Sorten von Arbeitenden: Bei den einen wurde die Arbeit immer mehr zum Müßiggang und gelang doch immer besser, bei den anderen wuchs und wuchs sie, wurde immer schlechter getan und brachte sie schließlich um. Die Hermetiker gehörten zur ersten Sorte, aber meistens bekamen sie gar nicht erst einen Job. Denn die, die sich mit Arbeit umbrachten, statt sie gelingen zu lassen, machten einen viel besseren Eindruck auf die Personalchefs. Und die gehörten zu ihresgleichen.

Großen Erfolg hatte der Satz: »Arbeitslosigkeit ist kein Problem. Die meisten Menschen können auf Arbeit verzichten. Was sie behalten möchten, ist die Bezahlung.«

Aus allem, was er lernte, machte er Sätze und brachte sie als Zeitzünder ins Hirndepot seiner Zeitgeistpersonen. Aber konnten Einschaltquoten das Gefühl ersetzen, verehrt zu werden?

Wirklich lustig waren nur Nebendinge: An einem Tag mehrere Werkskantinen zum Singen bringen. Videoclips sehen und selber drehen. Reklamespots oder -plakate angucken, sie waren ihm, Hermes, oft näher als lange Spielfilme. Streiche spielen: Computerviren ins Cyberspace schleusen. Nachts Graffiti sprühen, schöne Kauffrauen durcheinanderbringen, die sonst die Füße auf dem Boden hatten (die spanische Juwelenhändlerin!). Möglichst perverse Arten von Sex studieren, im Kopf und selber. Daneben Rap, Schlagzeug, Tanzen – jeden Tag lernte er etwas Neues. Das mußte aber auch sein, denn alles langweilte ihn binnen Stunden. Im Tennis schlug er am ersten Tag die Nr. 2, am zweiten Tag die Nr. 1, danach ließ er sich auf keinem Platz mehr blicken: Zwei Stunden hin und her laufen bis zum Sieg, was für ein Aufwand! Am ehesten wollte er den Vergnügungen treu bleiben, die mit Fortbewegung zu tun hatten: Rollschuhe, Skateboard, Wasserski, Segeln, Reiten. Nicht Fahrradfahren, was sollte das die Kniegelenke ruinierende Gestrampel. Autofahren machte mehr Freude, aber nur über zweihundert Stundenkilometer, bei voller Autobahn und im Nebel – ihm konnte ja nichts passieren.

Er ahnte, daß er in höchstens zwei Wochen nicht mehr zufrieden sein würde, es fing schon an. Wenn Hephäst ihn wieder verbannte, dann mußte er genügend Spaßiges erlebt haben. »Nadie te puede quitar lo bailado« hatte die Kauffrau in der Liebesnacht gesagt, »Niemand kann dir nehmen, was du getanzt hast«. Es war auch ein guter Satz für den Zeitgeist, besser als »Sorge dich nicht, lebe!«

Er kannte sich jetzt genügend aus. Gutes Entertainment erkannte man daran, daß es die Sitten verdarb.

»Jaaa, genau das ist es! Gegen die Tyrannei der Werte!« rief der Redakteur und kriegte seine Gänsehaut. Frechheit war mit einem Schlag alleiniger Inhalt und Markenzeichen des Privatfernsehens. Selbst die Problemsendungen gingen moralisch plötzlich nicht mehr Bein vor Bein. In der kirchlichen Sendung »Der Weg zum wahren Wir« fiel der Satz: »Was ist, genau genommen, gegen Ungerechtigkeit einzuwenden, wenn sie mehr Frieden schafft als Gerechtigkeit?« Das Manuskript stammte aus dem »Lemnic Research and Writing Center«. Hermes merkte, daß auch Hephäst alles tat, um die Welt umzupflügen. Vermutlich, weil sie auch ihn zu langweilen begann.

In Bayreuth traf er einmal mit Apollon zusammen, der es nicht lassen konnte, den graumelierten Dirigenten zu spielen und sich mit »Maestro« anreden zu lassen. In sich gekehrt, das Kinn emporgereckt, scharfe Falten um den Mund, er liebte offensichtlich diese Rolle. Es schien ihn nicht zu freuen, daß Hermes wieder frei war, im Gegenteil, er wandte sich von ihm ab und war energisch darauf bedacht, kein Wort mit ihm zu reden. Woran lag es? Da er ausschließlich in Hotels lebte und dort nachts die Fernsehkanäle durchknöpfte, hatte er wohl die Sendung »Zeitgeist persönlich« gesehen und sich über die Bemerkung geärgert, aufgeblähte Gerechtigkeit schaffe so viel Verwaltungsaufwand, daß schließlich nur durch Korruption das Nötigste zustande komme. Hermes hatte gewußt, daß das dem Delier nicht gefallen würde – aber diese Reaktion schien ihm übertrieben. Oder war da irgend etwas anderes?

Helle war verschwunden. Hephäst behauptete, sie

suchen zu lassen, aber vielleicht log er. Hermes flog bei einer gesamteuropäischen Tiefdrucklage nach Venedig und durchforschte das Guggenheim-Museum, vergebens. Er machte Station bei den Saligen, traf aber nur die zwei echten an. Er gab ihnen für Helle ein kurzes Briefchen, das nicht beantwortet wurde. Am nächsten Tag stieg er mit Sandalen und Hut über die Wolken hinauf und fragte Helios, aber der schüttelte nur sacht den Kopf: er war offenbar auf Helles Seite. Hermes schwebte wieder hinab und hatte Mühe, gut zu landen – bei Fragen an Helios wurde man vom Sonnenlicht geblendet, ob er nun antwortete oder nicht.

*

Helga Herdhitze mochte das herbstliche Wien. Sie war auch in der richtigen Stimmung dafür: alles schien zu sterben oder an den Tod zu denken, sie aber war davongekommen, konnte stehen und gehen, lernte. Und sie hatte eine Riesenwut auf den einst so vergötterten Westen, das belebte, machte im Grunde sogar dankbar. Freies Unternehmertum, Selbstverwirklichung? Überhebliche Spruchblasen, hinter denen sich Duckmäusertum verbarg. Der Westen bestand aus unzähligen Variationen von »Du sollst nicht …!« und aus Wichtigtuern, die jederzeit anderen predigten, was sie nicht tun sollten.

Sie ging zum Vorstellungstermin und zeigte die Zähne, danach ins Hotelzimmer und heulte den Verlusten nach. Sogar die Wohnungsauflösung in Stendal wirkte noch nach. In die Zimmer war bereits die Cousine eingezogen, aber Helga hatte noch mit der Schmiede zu tun gehabt. Gutes Werkzeug zum Verkaufen, rostiges

184

zum Wegwerfen, einige Wachstuchhefte voller Zahlen, eine angebrochene Schachtel mit vertrockneten Zigarren der Marke »Sprachlos«.

In Stendal waren vielschwätzende Raubtiere aus dem Westen unterwegs gewesen. Eines dieser Tiere hatte sie für eine Sekte, eine Art Erfolgsverschwörung werben wollen: man müsse sich im »Zeta-Zustand« durchs Leben bewegen und dabei gnadenlos sein.

Winckelmanns Kopf war zur Zeit in der Blutbuche verschwunden, weil keiner sich berufen fühlte, deren untere Zweige zu stutzen. Das Kaufhaus Magnet bekam demnächst einen neuen alten Besitzer. Im Schaufenster jede Menge »Faustfeuerwaffen«, weil sich ja außer Vater noch mehr Leute umbringen wollten, allein oder gegenseitig.

Was vor ihr lag: Der Winter kam. Ein möbliertes Zimmer, aus dem man in die Leo-Perutz-Gasse sehen konnte, wenn man sich weit hinauslehnte. Sekretärin und Dolmetscherin in einer österreichisch-jugoslawischen Handels- oder besser Handelsvermittlungsgesellschaft. Abends Gymnastik gegen die Nackenschmerzen.

Der richtige Mann war weit und breit nicht zu sehen. Einem Büroboten mit Brülladern am Hals, leider weder Rocksänger noch Choleriker, sondern Kraftsportler, war sie geschickt aus dem Weg gegangen. Mit einem alten Buchhändler in Hietzing hatte sie Kaffee getrunken; er hatte ihr Pokern beigebracht. Vater hatte das auch gekonnt, aber gewarnt, es sei nichts für Frauen.

Politisch nahte schon wieder eine Einheit, ein »Beitritt«. Am Anfang war eine Ahnung von Liebe dagewesen hin und her, dann war die Gegenliebe ausgeblieben her und hin. Liebe konnte am Fehlen von Gegenliebe sterben, eine Art Negativ-Eskalation. Fazit: Enttäuschung beiderseits, aber zu unwichtig für eine Tragödie. Der Buchhändler sagte: »Es ist halt die Fortsetzung der Milliardenkredite mit anderen Mitteln.«Wiener waren böse, ohne daß man ihnen böse sein konnte. Man hatte es also schwer mit ihnen.

Wer einmal lernte, mußte weiterlernen. Sie hatte Begriffe der Genforschung zu pauken. Was hieß »Spenderhirn« auf serbokroatisch?

Zum Teufel mit der Liebe. Den Boten mit den Brülladern wollte sie nicht, und von ihrem Hermes hatte sie sich schon so gut wie verabschiedet, er war zu wenig präsent, außerdem wollte sie einen Mann, der für sie auch einmal etwas wagte, keinen Gott, für den es kaum ein Risiko gab. Da war er nun der Gott des Wagnisses, aber wirklich Schlimmes wie Krankheit und Tod konnte ihm nie passieren, das war der Widerspruch.

Zu erwarten war, daß Charles wieder auftauchen würde – immerhin schuldete sie ihm zwölftausend Dollar, und im Futteral der Pentax standen ihr Name und ihre Stendaler Adresse.

In der »Alten Schmiede« eine Diskussion über »Identität«. Sie meldete sich zu Wort, als die »Zuhörerinnen und Zuhörer mit einbezogen« wurden und sagte, Identität sei eine Reise, kein Ort. Die Seßhaften machten sich nicht die Mühe, ihr zu widersprechen; sie war erkennbar aus dem Osten, es klang ihnen fremd.

*

Die Graffiti-Writer waren binnen weniger Tage legalisiert worden und besprühten Eisenbahnzüge bereits gegen Honorar. Glücklich waren sie darüber nicht, aber sie nahmen das Geld.

Was Hermes jetzt besonders interessierte, waren diejenigen »Perversionen« in der Erotik, die nicht vereinnahmt und gezähmt waren, sondern noch Unruhe und Empörung stifteten. Oft waren sie eine spielerische Umkehrung von Machtverhältnissen – und gehörten damit zu seinem Metier als »Diabolos«, als Durcheinanderwerfer. Manchmal war das wirklich unterhaltsam: Der mächtige Bürochef spielte einen unterwürfigen Sklaven, die geplagte Zahnarzthelferin eine launische und grausame Herrin. Als »pervers« galten alle Spiele mit der Gewalt, weil die hephästische Welt sich weigerte, Spiel und Ernst voneinander zu unterscheiden. Das gehörte zu ihren heiliggesprochenen Dummheiten.

An jenen Perversen, die bisher nicht als »normale Perverse«, sondern noch als Ungeheuer galten, störte ihn nur eines: daß dies sie selbst störte. Sie lebten überkorrekt, um nur ja keinen Verdacht zu erregen, nicht einmal bei sich selbst. Hermes kannte Sadisten, die einer Liga gegen das Vergessen von Gewaltverbrechen angehörten, andere, die ehrenamtlich Alte versorgten oder ausgesucht lustmörderische Briefe mit Wohlfahrtsmarken zur Post gaben. Aber kaum hatte er in »Spitzwegerich« mit dem Thema provoziert, kam die öffentliche Aufwertung der bisher so Verabscheuten, und das fand er noch weniger erfreulich.

Hermes merkte zu seinem Verdruß, daß alles, was er zur Wiederbelebung und Verteidigung der Amoral in die Gesellschaft hineinschleuderte, aufs Netteste akzeptiert und mit Schleifchen des Verständnisses verziert wurde, vielleicht demnächst mit Ordensbändchen. Er fühlte sich gefangen und erstickt von einem Wohlwollen, das vor nichts mehr haltmachte, vermißte aber den Respekt. Sie schätzten Hermes, wie sie sagten, wegen seiner erfrischenden Kälte. Gut, das konnten sie haben – er wollte herausfinden, an welchem Punkt sie zu frösteln begannen!

Er ritt zunächst Attacken gegen die Freundschaft und verkündete: »Eure Feinde kämpfen wenigstens, um von euch etwas zu kriegen. Freunde aber glauben, sie hätten automatisch Anspruch auf eure Zeit, euer Geld, euer Interesse. Meidet Freunde!« Ergebnis: Zustimmung.

Er stellte ein Programm auf, mit dem man Erbarmungslosigkeit lernen konnte, etwa um beim Aussprechen von Kündigungen keinerlei Mißbehagen zu empfinden. Mit praktischen Übungen. Er testete Psychopharmaka, die den guten Ruf genossen, Opfern der Arbeitswelt das Leben zu erleichtern. Hermes ließ George in die Kamera sagen, was sie wirklich taten: Sie setzten Mitleid, Erschütterbarkeit und Erbarmen zuverlässig herab, damit Handeln möglich wurde. Sie minderten die Scham für das, was einer sagte und tat. Und daher forderte er für sie schnellstens Rezeptfreiheit. Solche Mittel hülfen nicht so sehr den Opfern als den Tätern, und auf letztere käme es schließlich an. Echo: Sehr bedenkenswert, hochinteressant, ein Vorstoß mit notwendigen Übertreibungen, man sei einer »Grundsatzdiskussion« nähergekommen.

Er verspottete die Begriffe »Mensch« und »Menschheit«. Von jemandem zu sagen, er sei »schließlich ein Mensch«, heiße nur, er sei ein Aussätziger, Schwachkopf oder Verbrecher. Beifall, Gratulationen zur gelungenen Provokation, nur meldete sich kein Provozierter.

Er empfahl, endlich die Solidarität abzuschaffen

und die Armen der Welt sich selbst und ihren Räuberhäuptlingen zu überlassen – das sei noch am ehesten Hilfe zur Selbsthilfe. Fort auch, rief er, mit der gebetsmühlenartigen heuchlerischen Mahnung zur Geburtenkontrolle. Der Papst habe doch völlig recht: »Wenn wir uns um die Armen materiell ohnehin nicht mehr kümmern – und das spricht für unseren klaren Verstand –, dann brauchen wir uns doch auch nicht darum zu sorgen, ob es ein paar Millionen mehr oder weniger sind.« Protest, endlich! Aber nur von jenen Schlaumeiern, die neben ihren zweifelhaften Verdienstquellen auch noch einen guten Ruf als »humane« Persönlichkeiten aufrechterhalten wollten. Daneben einige zustimmende anonyme Briefe: »Danke, das war mal frische Luft! Mit freundlichen Grüßen, ein realistischer Steuerzahler«.

Hermes heizte noch etwas nach: »Früher war der Mensch eine Aufgabe, heute ist er ein Entsorgungsproblem.« Geraune um seine Sendelizenzen, besorgtes Füßescharren beim Gesetzgeber. Aber niemand versuchte, die Sendungen zu verhindern. Man machte es anders: Ab jetzt galten sie als genial und aufrüttelnd, und seine Moderatoren als »Stars«; und den Namen »Hermes« nannte jeder Mensch mehrmals am Tag.

Das sei mehr, sagte Hephäst, als Götter binnen zweier Wochen gewöhnlich erreichen könnten. Er gratulierte und ließ Champagner kommen. Sie saßen in den Ledersesseln unterhalb der Bartheke eines Hotels.

»Es läuft wirklich alles nach Wunsch mit dir«, sagte Hephäst.

»Ich weiß nicht ... Es ist nicht wie früher. Ich bin eine Veranstaltung, mehr nicht, schlimmer: eine Sendung. Man liebt mich nicht. Jedenfalls nicht dafür, daß ich Hermes bin und einen Teil des Lebens verkörpere – auf die Idee käme niemand.«

»Das Fernsehen hat abgefärbt, du drückst dich ziemlich geschwollen aus. Was willst du denn noch? Du bist namentlich bekannt, man denkt an dich, hält Zwiesprache mit dir – ?«

»Es ist etwas verkehrt. Ich bekomme noch heraus, was.«

»Du bist nicht ausgelastet! Tritt endlich in eigener schwarzer Person auf, leite ein paar Firmen, produziere irgend etwas. Willst Du den Sender haben? Und ein Erotik-Center dazu? Na?«

»Zwei bis drei Stahlwerke, bitte«, griente Hermes.

»Geht nicht, das ist mein Gebiet. Aber zum Beispiel als Management-Berater kommst du überall rein, wo du willst. Wer dich vor allem vergöttert, das sind Unternehmer und Manager, es fehlt wirklich nur noch eine Beratungsfirma. Verkünde und empfiehl, was du willst – Wertewandel, Kommunikationsstruktur, Kreativität, Ethik oder Anti-Ethik für Manager, jeden Quatsch, der dir einfällt, und dir fällt bestimmt einer ein. Ich sorge im Hintergrund dafür, daß du mit allem recht behältst und daß die von dir beratenen Firmen florieren. Ist das ein Angebot?«

»Warum gibst du dir so große Mühe mit mir? Zweitausend Jahre hast du mich erblinden und verblöden lassen ...«

»Können Götter sich nicht irren?«

»Wenn ich Managementberatung mache, muß ich wohl auch Zigarren rauchen?« fragte Hermes gedehnt.

»Ich fürchte, du kommst nicht drum herum. Es vermittelt diese Ausstrahlung von Ruhe und Überblick –

und nebenbei, ich kenne eine Menge Frauen, die für Zigarrenraucher schwärmen.«

»Ich weiß, das sind die, die so hinter dir her sind, armer Bruder Vulkan. Du kommst ja kaum vorwärts, weil sie dir immerfort zu Füßen liegen.«

Hephäst hatte sich angewöhnt, Hermes' Gemeinheiten mit einem neutralen Grunzen zu quittieren. Er erklärte nun ungefragt, wie man eine Zigarre auswählte, behandelte, anzündete, rauchte. Hermes kam zu dem Schluß, daß er bald, wie Pan, ein funktionierender Teil des Systems sein würde. Hephäst erriet diesen Gedanken.

»Natürlich sollten wir nicht dieselbe Sorte rauchen. Also: ich Brasil, du Havanna.«

Weil Hermes angestrengt nachdenken mußte, ließ er sich aus Versehen die Zigarre anzünden. Oder wollte er seine Vereinnahmung auf die Spitze treiben, um sie noch besser erfassen zu können?

Der Rauch machte Figuren, und sie veränderten sich durch den Atem und die Bewegungen von Menschen und Göttern auf unberechenbare Weise. Er stieg auf, quoll in den Raum, bildete waagrechte Fladen und Fische längs der Theke, schmiegte sich um den entblößten Rücken einer Dame, kräuselte sich über den Flaschen im Regal. Hermes verstand plötzlich, warum jemand Zigarre rauchte: um ein Bild herzustellen, ein Bild nicht vorhersagbarer, eleganter Bewegungen, die von ihm ausgingen; er war letztlich ihr Autor, obwohl er nur dasaß, sog und blies. Hephäst, Autor und Multiplikator allen Qualms dieser Welt.

Er legte die Zigarre in den Aschenbecher.

»Ich müßte mal mit Apollon darüber sprechen ...«

»Das laß lieber bleiben. Es gibt da einen Orakelspruch, es ist der letzte, der aus Delphi gekommen ist, und er betrifft Apollon und dich. Du kennst den Spruch nicht, aber er. Geh dem Delier aus dem Weg, Hermes.«

»An Orakel habe ich noch nie geglaubt. Alles Wichtige war fast immer gefälscht. Vielleicht verrätst du mir bei Gelegenheit, worum es sich handelt? – ? – Eines weiß ich bereits ohne Orakel: Multiplikation ist nichts für mich. Wenn ich mich als Gott vervielfältige, bin ich nicht wirklich da. Mein Name wird zugleich verbreitet und – versaut. In den Ketten auf Paläa Kaimeni war ich mehr Gott als jetzt. Daher, mein tüchtiger Bruder, ziehe ich mich jetzt von den Sendungen zurück und gehe wieder zaubern. Hermes muß sich, wenn überhaupt, mit einzelnen Menschen beschäftigen. Ab sofort bin ich wieder Fußgänger und Gott der einfachen Addition, unmathematisch, wie das Leben sie betreibt!«

Damit stand Hermes auf und ging zum Eingang. Die Drehtür klemmte einen Moment, der Schmiedegott hatte eine seiner Krücken hinter ihm hergeworfen.

»Du wirst es bereuen«, schrie Hephäst. »Du kommst in meine Kartei, ist das klar? Wenn du gegen mich bist, hast du keine Chance!«

Sechstes Kapitel

Der Weg zu den Elenden

Helle konnte ohne Hermes gegen ihren Vater nichts unternehmen. Von den anderen Göttern war kein Widerstand mehr zu erwarten, und ihre eigene, wachsende Opposition ließ sich vor Hephäst nicht mehr lange verbergen. Warum hatte Hermes Vaters Spiel mitgespielt, gegen ihren indirekten und Bedaius' direkten Rat, warum hatte er Menschen und Götter enttäuscht, die schon auf ihn eingestellt gewesen waren, Hoffnungen auf ihn gerichtet hatten? Wieso vergaß er seine Würde um eines Spiels willen und fiel auf die Angebote eines Widersachers herein, der ihn nur endgültig um seine Geltung bringen wollte?

Aber vielleicht war sie auch deshalb wütend, weil Hermes sie in Wien nicht festgehalten, ihr nicht einmal gefolgt war. Sie liebte, und er nicht. Erwiderung von Liebe ließ sich nicht erzwingen, darum hatte es ja einen eigenen Gott dafür gegeben. Aber der saß in der ewigen Dunkelheit des Tartaros, verbannt von Hephäst.

Hermes hatte sie vergessen. Schon rasten ihre Gefühle von neuem: Unmöglich konnte Hermes sie vergessen haben. Und es war Unsinn, sich mit etwas abzufinden, was nicht möglich war.

Aber in einem war sie sicher: kein Treffen mit Hermes, solange er seine Beredsamkeit nur zur Unterhaltung eines anonymen Millionenpublikums, nicht aber zur Werbung um eine einzige Frau, sie nämlich, verwendete.

Helle holte die Zündapp in Truchtling ab, wo ein kundiger alter Gastwirt sie repariert hatte. Es gab keine überflüssigen Fragen, denn sie sah wie Helga aus und hatte das nötige Geld. Dann fuhr sie nach Südbrandenburg, wo ihr Vater Urlaub machte. Er nannte es so, wenn er sich zwischen Lauchhammer-Nord und Finsterwalde durch eine Landschaft ohne Baum und Strauch kilometerweit an rostigen Röhrenstücken und toten elektrischen Leitungen entlang kutschieren ließ bis in die Mondlandschaft des ehemaligen Braunkohle-Tagebaus, um dort stundenlang zu sitzen und zu rechnen. Dabei rauchte er heftig und plante für den Osten Projekte, die – das war unabdingbare Voraussetzung – vom Mond aus mit bloßem Auge sichtbar sein mußten. Tatsächlich war die Arbeit hier noch nicht in Gang gekommen, alles verfiel, Gebäude ohne Dächer und Fenster standen im Regen. Hephäst freute sich, sie zu sehen, er hatte sie aber dann über seinem »Aufbau Ost«-Qualm vergessen. Er war guter Laune wie alle heimlichen Melancholiker, sobald die Wirklichkeit noch melancholischer aussah als ihr Inneres. Über Hermes habe er sich, erzählte er, geärgert, er nannte ihn undankbar, dazu den dreimal größten Idioten der Welt- und Göttergeschichte. Er werde ihn aus dem Verkehr ziehen wie gehabt. Atemlos fragte Helle nach und erfuhr von Hermes' abruptem Abschied, auch davon, daß er sie im Gebirge gesucht hatte.

»Wenn du dich jetzt wieder mit ihm einläßt, ist es aber nicht mehr in meinem Auftrag, und wenn du ihm beistehst, geht es dir wie ihm. Ich kann niemanden brauchen, der nicht ganz auf meiner Seite ist.«

Helle nickte ernst, umarmte ihn und ging hinaus. Wenige Augenblicke später saß sie auf der Zündapp und fuhr in die Nacht hinein, Richtung Stendal: Wenn Hermes sie suchte, dann am ehesten dort, auf der Helga-Seite ihrer Existenz.

Was er jetzt wohl vorhatte? Vermutlich hielt er sich in ständig wechselnden Menschengestalten verborgen, um Hephäst zu entgehen, der ihn in ein Gefängnis oder gleich in den Tartaros einweisen wollte. Dazu mußte er ihm zuvor den Stab wegnehmen, der alle Türen öffnete. Bei Hermes' Leichtsinn würde ihm das voraussichtlich gelingen.

Auf der nächtlichen Autobahn herrschte dichter Verkehr, sie glänzte immer wieder bis an den Horizont im Rot der Rück- und Bremslichter. Was noch herrschte, war der Haß jedes Autofahrers auf jeden anderen, schließlich waren es eindeutig immer die anderen, die die Autobahn verstopften. Dann die ersten Nebelbänke, aber wenn es doch einmal wieder frei vorwärts ging, fuhr jeder so schnell er nur konnte, ohne viel zu sehen. Dann immer mehr Nebel, die unvermutete Senke, das laute, nicht enden wollende Krachen auffahrender Wagen und die Schreie von Verletzten. Wieder waren es die anderen, die an allem schuld waren, einerlei, ob sie von hinten aufgefahren oder vorn im Weg gestanden waren. Der Haß nahm noch zu, wo er nicht durch Schmerzen und Todesangst verdrängt war. Der Flammenschein brennender Autos wurde durch den Nebel zugleich umhüllt und ausgedehnt, es entstand die Illusion einer von matten Feuern erleuchteten riesigen Berghöhle. Die Göttin des leidenschaftlichen Reisens im Stau: Sie stieg vom Gespann, nahm den Verbandskasten und ging zu den Verletzten. Obwohl an einzelnen Menschen nicht grundsätzlich interessiert, tat sie, was zu tun war – einmal zur Tarnung ihrer wahren

Natur, vor allem aber, weil sie jederzeit gern ausübte, was sie gelernt hatte. Erste Hilfe gehörte zum Reisen, und daher war sie längst der beste Ersthelfer des Kontinents, besser als jede andere Gottheit.

Als sie nach Stunden zu ihrem Gespann zurückkehrte und kurzerhand von der Autobahn weg in den Wald fuhr, war der Nebel eher noch dicker geworden. Der göttliche Instinkt ließ sie diejenigen Holzwege finden, die mit der größten Wahrscheinlichkeit wieder zu festeren Wegen und Straßen führten. Während die Zündapp durch Wälder aus Nebelschwaden und Bäumen brummte, erkannte Helle neben sich im Seitenwagen plötzlich eine nackte Frauengestalt, ganz und gar geformt aus Nebel. Ein prüfender Griff: ja, sie kannte das warmfeuchte Haar. Nephéle, die runde Nebelgöttin. Helle hielt, stellte den Motor ab und umarmte ihre Mutter rasch, weil sie wußte, daß sie es wie immer eilig hatte, sich wieder zu verflüchtigen.

»Willkommen, Mutter. Weißt du, wie diese Geschichte weitergeht?«

»Wer weiß es genau? Von mir kannst du das nicht verlangen. Vielleicht müßte man den Autor selbst fragen, aber ich denke, nicht einmal er weiß es genau.«

»Was für ein Autor?«

»Der Gott, den keiner kennt und der sämtliche Urheberrechte beansprucht.«

»Du kommst nicht ohne Grund, liebe Mutter.«

»Nein. Ich habe in einer Nebelbank auf dem Parnaß die dreifaltige Muse gesprochen. Den Gott der Frechheit wird die Liebe erst dann ergreifen, wenn Anteros wieder frei ist, und zwar müßt ihr ihn gemeinsam befreien. Das ist die Weissagung. Werde glücklich, mein Kind!«

Ein feuchtwarmer Hauch noch, und schon war sie in die Nacht verschwunden. Nephéle konnte noch viel schneller den Standort wechseln als Hermes, vielleicht war sie in diesem Moment bereits wieder ein Dunst über dem Mississippi oder eine Nebelwand im Ural. Helle startete den Motor und umrundete in den Wäldern den Stau, bis sie auf die leere Autobahn stieß und wieder Richtung Stendal fahren konnte.

Anteros befreien! Gemeinsam! Anteros war in der Unterwelt, da kam niemand so leicht hinein. Und zunächst mußte sie Hermes wiederfinden. Sie rechnete damit, daß irgend jemand, wahrscheinlich eine Frau, sich in Stendal aufhielt oder bald auftauchte und sich ihr als Hermes zu erkennen gab.

Sie wartete zwei Tage vergebens, fuhr sogar zur »Mitte der Welt«, einem plumpen, großen Stein in einem Froschteich ohne Frösche, umschlungen von rostenden Ketten. Wenn diese Mitte etwas über die Welt aussagte, stimmte es jedenfalls. Sollte Hermes hierher gekommen sein, dann war er schnell wieder fortgeflogen. Sie fuhr zurück nach Stendal.

Es machte wenig Freude, an einem Ort auf ihn zu warten, wo sie ständig für Helga Herdhitze gehalten und mit diesem unmöglichen Namen angesprochen wurde. Sie wünschte sich das Jahr 1807 zurück, als sie noch Minette geheißen hatte und im Schadewachten Nr. 19 mit dem späteren Stendhal ins Bett gegangen war, damals Offizier der napoleonischen Besatzungsmacht. Zwar gab es hier jetzt auch so etwas wie westliche Vorauskommandos, aber einen Mann wie Stendhal konnte man mit der Lupe suchen. Die Zeit war sehr anders. Jetzt mußte sie zur Tarnung ihrer Göttlichkeit eine Arbeitslose spielen und in den Gängen von Ämtern herumsitzen. Nach vier Tagen reichte es ihr. Sie beschloß resignierend, nach Haute-Vienne auf ihr Landgut St. Hilaire zu fahren, auch wenn Hermes von diesem bisher keine Kenntnis hatte und sie daher dort nie suchen würde. Sie brauchte jetzt für eine Weile den größtmöglichen Kontrast zum Arbeitsamt in Stendal.

Als sie eben in ihren Waggon steigen wollte, trat ein Polizeibeamter auf sie zu: »Kennen Sie einen gewissen Charles, Musiker und nebenbei im Handel tätig? Ja? Dann sind Sie die gesuchte Person. Folgen Sie mir!« Helle stutzte in freudigem Schrecken. Aber statt ihm zu folgen, blieb sie stehen und sagte: »Nein, so geht es nicht. Knie nieder, du Scheusal, ich habe dir was zu sagen!«

»Aber meine Dame, das fällt auf. Ich als Polizist ...«

»Es soll auffallen. Vor allem dir soll etwas auffallen! Entweder du kniest jetzt, oder ich sage kein Wort.«

Kaum war die Drohung ausgesprochen, kniete der Polizist, und zwar säuberlich auf beiden Knien. »Gut. Du schreibst mir erst einen Brief, einen schönen, ordentlichen und respektvollen! Gib dir einmal etwas Mühe um mich, Don Juan. Du schreibst an Madame Elle nach La Lande de St. Hilaire, Haute-Vienne. Wenn du Hezzenegker in Venedig aufsuchst, wird er dir – vielleicht – eine Antwort übergeben.«

Inzwischen hatte sich eine Menschentraube gebildet, man raunte sich Vermutungen über das Schauspiel zu. Es sei wahrscheinlich eine eher erotische Angelegenheit. Aber im Dienst? Untragbar! So etwas habe es, bei aller Bescheidenheit, vor der Wende nicht gegeben. O doch, meinte einer, sie tun einfach immer, was man ihnen sagt.

»Und jetzt bist du so freundlich und hilfst mir mit

den Koffern«, sagte Helle, » – dazu solltest du aber endlich wieder aufstehen ...«

Sie ging zum Zug, er eilte zu ihrem Gepäck. Als er den großen Koffer über den Sitz gehievt hatte, drehte er sich um und sah sie ratlos an: »Meine Dame, leider weiß ich nicht, wer Hezzenegker ist! Vielleicht verwechseln Sie mich. Ich weiß nur, daß ich Sie liebe und begleiten möchte bis in den Tod.«

Was sollte das heißen? Tod? Helle merkte daran, daß es sich nicht um Hermes handeln konnte – es war leider nur ein völlig normaler Polizist, der in ihr die Göttin spürte. Sie ärgerte sich über ihren Irrtum. Verdrießlich antwortete sie: »Nein, Sie bleiben jetzt hier. Meine Antwort kriegen Sie postlagernd. Wie heißen Sie?«

»Kleinert, Ralf-Egon, Polizeihauptmeister.«

»Gut. Also, etwas Geduld, Ralf-Egon.«

Draußen blieb er noch stehen und legte grüßend die Hand an die Mütze, während der Zug abfuhr. Sie war noch zu enttäuscht, grüßte nicht zurück.

Sie blieb lang in La Lande de St. Hilaire, und obwohl sie Hermes nicht vergaß: irgendwann würde sie beginnen, es ohne ihn aushalten zu können; er verblaßte.

Hoffentlich.

*

Hermes wußte, daß er im ersten Leichtsinn nach seinem Freikommen große Fehler gemacht hatte. Seine göttliche Moralferne war zu einer äußerlich spaßigen, innerlich aber miserablen Veranstaltung verkommen, und er hatte aus Überdruß und Zerstörungswut zunehmend die schiere Unmoral verteidigt, was nur begrenzt erfrischte und durchaus ungöttlich war.

In der Menschenwelt schrieb man jetzt bereits das Jahr 1993. Es war das 2190. Jahr nach seinem Anschmieden auf Paläa Kaimeni, und das zweite nach seiner Befreiung. Und er selbst hatte das Gefühl, von vorne anfangen zu müssen wie nach der Geburt in der Höhle von Kyllene, ja sogar längst vorher in jenem Stadium, als er noch einfacher Phallus im Gefolge der Großen Göttin gewesen war und allenfalls die Idee zu einer männlichen Gottheit.

Aber was waren schon Fehler? Seit alters wußte er: Wenn es gelang, Spielregeln ins Gegenteil zu verkehren, konnte aus einem Fehler noch ein Sieg werden. Es war seine Spezialität, in einem für ihn guten Sinn alles zu verdrehen. Und insgesamt war er heiterer und zuversichtlicher als während der Tage als Zeitgeist im Fernsehen. Ja, der Name des Hermes hatte gelitten und seine Fernsehsendungen, jetzt ganz und gar gottverlassen, trugen immer noch dazu bei.

Aber er hatte seine Chance: er kannte jetzt die Welt und seinen Gegner Hephäst. Zweitens beherrschte er als Gott der Dämmerung die Kunst, unscheinbar zu sein, war ein Meister der zweckvollen, listigen Selbstverkleinerung. Ein Jahr war er in einer Kleinstadt als junger Aushilfsbuchhändler getarnt gewesen und hatte im Dienst einer dreibrüstigen Lesegöttin gestanden – ihr Symbol ragte über dem Ladeneingang in die Straße, er erkannte in ihr die Große Göttin von damals. Da er zum Lesen kein Buch aus dem Regal nehmen, sondern nur mit dem Stab die Bücherrücken berühren mußte, wußte er fast alles, was man aus Büchern lernen konnte, ausgenommen die von ihm nach wie vor verabscheute Hephästsche Mathematik. Nachdem er eine Weile Zeitgeist gespielt hatte, galt jetzt seine höchste

Aufmerksamkeit jenen Büchern, die das Gegenteil von Zeitgeist enthielten – es waren keineswegs die unverkäuflichsten. Irgendwann, dachte er, werde ich tatsächlich Zeitgeist sein – ich bestimme ihn von mir aus, nicht im Sinne von Hephästs Medienmanagement! Dann ist Frechheit nicht mehr gottlos, nicht mehr nur Dreck, Niedertracht, Verbrechen, Heimtücke, Verkommenheit wie bisher, sondern wird von mir begleitet, stiftet Heiterkeit und Erkenntnis, sogar Glück. Nicht, daß mich Menschen allzusehr interessierten (schöne Frauen ausgenommen), aber ich will nicht, daß man Hermes unterschätzt und abtut.

Hephäst versuchte natürlich, auf seiner Spur zu bleiben und ihm Stab, Hut und Sandalen wieder abzunehmen. Aber auch er hatte Fehler gemacht: Er hatte ihn in seine Methoden eingeweiht. Hermes ging jedem Metall aus dem Weg, führte sogar manchmal einen elektronischen Metalldetektor mit sich, um rasch zu wissen, von wo er abgehört werden konnte – selbstverständlich mußte er sich dann auch von diesem Gerät selbst entfernen. Außerdem hatte er gemerkt, daß nahezu alle, die in diesem Land Gelee oder Sülze verkauften, informelle Mitarbeiter des Hephäst waren und daß jede Gelenknahrung gegen Diebstahl extrem gesichert wurde. Aber was half das gegen einen Unsichtbaren, der noch dazu fliegen konnte? Natürlich ließ der Schmiedegott auch Götter und Geister schärfer überwachen, weil er annahm, daß Hermes mit ihnen Verbindung suchte. Da unterschätzte er ihn aber, denn mit einigen Unsterblichen sprach er doch. Till Eulenspiegel zum Beispiel wußte, warum Athene in Athen Stadtarrest hatte: weil Hephäst ihren Geist nicht in den Griff bekam. Sie war Erfindungs- und Handwerksgottheit wie er, außerdem durch nichts kompromittierbar oder erpreßbar, er konnte sie nur isolieren. Und in Yorkshire erklärte ihm ein Widder, in dem sich Robin Hood verbarg, was der letzte delphische Orakelspruch ausgesagt haben sollte: Daß alles in der Welt schlechter werden würde, wenn Hermes und Apollon gemeinsame Sache machten. »Schlechter für wen?« hatte Hermes gefragt.

Eine Weile versuchte er, wenigstens einige Kinder für sich und seinen Namen zu gewinnen, denn sie waren geborene Hermetiker: unberechenbar, unbefangen, ganz Auge. Sie brannten vor Neugier und schämten sich dafür nicht. Leider verloren sie solch gute Eigenschaften wieder, sie hatten noch zu wenig Begriffe, die ihnen helfen konnten, sie ins Erwachsenenalter mitzunehmen. Zwar gelang es Hermes, sie unabhängiger zu machen. In der Schule schrieben sie ab oder ließen abschreiben, und hin und wieder stiebitzten sie sogar etwas, ließen sich aber auch mit hermetischer Amüsiertheit von anderen bestehlen. Sie lernten so das Lebensspiel unaufgeregten Schenkens und Nehmens beherrschen, verlernten es aber wieder unter dem Druck steifleinener Korrektheit und wurden entweder zu angepaßt oder zu gesetzlos.

Immerhin konnte er sich in Kindern gut verstecken, sie hatten kaum Metall an sich, außer wenn gerade ihre Zähne reguliert wurden. Er mußte sie allerdings dazu bringen, das Anziehen von Jeans zu verweigern, der hellhörigen Nieten wegen. Das war recht einfach, er saß ja im Gehirn und konnte die Illusion erzeugen, Jeans kratzten unerträglich. Einer kleinen Margret in London brachte er bei, die »Ballade von Villon und der dicken Margot« in einem fehlerfreien Französisch vorzutragen, das sie nirgends gelernt haben konnte. Sie

lebte in einem großen Haus am Park und hatte vornehme, außergewöhnlich prüde Eltern. Wenn sie den Re-
frain deklamierte: »… in dem Bordell, wo wir zu Hause
sind«, war das bei allen des Französischen Mächtigen
ein voller Erfolg. Natürlich wurde sie alsbald ins Fernsehen geholt. Hephäst hatte Wind bekommen und
wollte sie kontrollieren, um den Widersacher zu fassen.

Hermes hatte eigentümliche Schwierigkeiten, jene
Leute zu finden, die von seiner Art waren. Das kam
daher: sie hatten zwar so wichtige Eigenschaften wie
Neugier, intuitive Treffsicherheit, Mut und dazu die
Lust, sich und andere zu verändern. Aber sie waren in
der Gesellschaft nicht anerkannt. Sie wurden nur selten Beamte, auch kaum Ingenieure und Kaufleute,
sondern trieben als ekstatische Sänger, Schriftsteller,
Skifahrer, Prostituierte, Designer und Betrüger durch
die Welt. Das war noch nicht das Schlimmste: die täti-
ge Neugier, vom System als »Unverschämtheit« oder
»Belästigung Dritter« verpönt, neigte inzwischen tatsächlich zur Brutalität, weil sie so lang gottverlassen
gewesen war. Nur zu oft waren Hermetiker alkoholi-
siert und gewalttätig, die Gefängnisse waren voll von
ihnen. Ab und zu gelang ihnen eine wüste Revolution,
vielmehr, sie gelang ihnen nicht, sondern sie verwüste-
ten sie. Viel Schreckliches hatten sie angerichtet, die
Welt mit Krieg überzogen. Allmählich ging Hermes
auf, daß dem Hephäst gerade besonders gottverlassene
Hermetiker für seine Pläne stets willkommen gewesen
sein könnten. Schließlich war er auf ein gewisses Maß
von Zerstörung angewiesen, um Neues zu produzie-
ren.

Hermes hatte sich in alten Zeiten, wie alle anderen
Götter, bei den Menschen an die Reichen und Glück-

lichen gehalten, und hatte möglichst viele geeignete einzelne reich und glücklich gemacht, weil sie dann von ihm wußten, ihm dankbar waren und zu ihm beteten. Er merkte, daß sich da fast alles geändert hatte. Wenn heute einer reich wurde, dann ohne göttliches Zutun und allein durch das System. Er wurde dann allerdings in der Regel nicht glücklich, sondern nur rechnerisch und grämlich. In der sogenannten Elite konnte Hermes daher seine Leute weder finden noch plazieren. Wo er sie aber fand, da herrschte zu viel Lust an blinder Destruktion.

Im Kopf eines begabten Vierzehnjährigen, dem er eben geholfen hatte, sein Gitarrenspiel zu verbessern, befand er sich unvermutet in einer Horde schwer betrunkener, plärrender Halbwüchsiger, die nachts ein Haus mit dunkelhäutigen Fremden anzünden wollten. Sie behaupteten, das mache Spaß, glaubten aber gleichzeitig auch, in einem Rahmen oder Auftrag zu handeln. Sie definierten sich, soweit der Suff es zuließ, als politisch – genauere Begriffe waren nicht auffindbar.

Nicht, daß Hermes sich verpflichtet gefühlt hätte, den Tod irgendwelcher Menschen zu verhindern. Aber das hier ärgerte ihn. Zu göttlichem Gitarrenspiel konnte er den jungen Mann bringen, nicht aber dazu, die anderen mit List und Zuversicht für weniger erbärmliche Taten zu gewinnen. Durch ein paar höchst unfreundliche Griffe in die Nervenbahnen des Gehirns bescherte er seinem Gastgeber bohrende Kopfschmerzen, so daß der Junge nur noch nach Hause und ins Bett wollte. Dann sprang er aus dem Ohr und stahl binnen zehn Sekunden sämtlichen Beteiligten Feuerzeuge und Streichhölzer, dazu den Benzinkanister. Streit brach aus. Die Jugendlichen verprügelten sich gegenseitig – und er sorgte dafür, daß jeder ordentlich was abbekam. Dann wurde er sichtbar in dunkler Nacktheit und fragte: »Reicht das?«

»Wo kommt'n der her?« fragte einer entgeistert. Alle sprangen auf und versuchten Hermes zu fassen. Er hob den Stab und ließ sie ruckartig auf die Knie fallen, was weh tat. Vor Staunen vergaßen sie zu jammern.

»Wer zum Teufel bist du?« fragte einer.

»Der Gott der langen Wege und der Fremden. Nach meiner Geburt habe ich eine wohlmeinende Schildkröte getötet, einige Jahre später den mißtrauischen Argus mit den vielen Augen. Versucht es gar nicht erst, geht nach Hause!« Sie verstanden, daß sie fort durften. Sie liefen, was sie konnten.

Wenn Nacht und Morgendämmerung, seine eigenen Stunden also, wenn Frechheit und verstohlenes Handeln, sein Metier, zu etwas so Kläglichem verkamen wie Brandstiftung, mußte er lenkend eingreifen. Freilich konnte er nicht überall zugleich sein. Der Tempel der Artemis zu Ephesus hätte nicht gebrannt, wenn er den Kopf des Herostrat in Ordnung gebracht hätte, statt mit der jungen Frau des weisen – allzu weisen! – Aristoteles zu nächtigen.

Ihm ging auf: Das hephästsche Informations- und Medienmanagement wurde der Götterschwerhörigkeit nicht nur nicht Herr, sondern förderte und nutzte sie zu vielerlei Zwecken. Er verstand jetzt besser, warum Apollon und die anderen sich zurückgezogen hatten. Aber jetzt war er, Hermes, wieder da. Es konnte nur besser werden, oder wenigstens lustiger.

Gewiß, der Anfang war verkehrt und leider im Sinne Hephästs gewesen. Der Fehler hatte die Dinge zugespitzt, aber damit kenntlich gemacht. Seit seinen Fernsehsendungen flackerte an immer mehr Stellen Wahnsinn auf. Er mußte also schon vorher irgendwo geschwelt haben. Und er war keine sehende und fühlende Leidenschaft, die von Göttern noch gelenkt werden konnte, sondern eher die Ausgeburt von Leere und Gleichgültigkeit. Dem Wahnsinn haßerfüllter Hermetiker stand das selbstgerechte Wüten solcher Menschen gegenüber, die sich als »korrekt« verstanden. »Was du nicht willst, daß man dir tu, das füg auch keinem anderen zu« – und weil sich aus diesem Satz vom Nicht-Tun kaum etwas ergab, woran man Vergnügen haben konnte, erzeugte er nur allzeit mahnende und tadelnde Nicht-Tuer. Auch sie waren in der Seele gleichgültig und von simplen Parolen in Gang zu setzen. Hier fehlte Apollon, der Gott des Lichts, der Aufklärung und Gerechtigkeit.

Er suchte also die Grandhotels ab, fand Apollon schließlich im »Holy Inn« zu Barcelona. Da saß er einsam, trank schwarzen Kaffee und las den ganzen Tag mit gelangweilter Miene Zeitungen, der einst so große Gott, Sohn des Zeus wie Hephäst und Hermes! Sein Äußeres entsprach dem Typ »hochschädeliger Philosoph«. In seine Stirn war ein Gitter von waagrechten Sorgen- und senkrechten Konzentrationsfalten eingegraben, er trug das Kreuz des Schwerdenkers. Man konnte ihn gut beobachten, da er von den Zeitungen nur aufsah, wenn er zum Fernsehen aufs Zimmer ging.

In eigener Gestalt, in der gestohlenen Kleidung eines Kellners und mit einem Kaffeetablett drang Hermes zu Apollon vor.

»Ich will nicht mit dir reden«, sagte dieser und drückte die Fernbedienung, um irgendein Kulturmagazin nicht zu verpassen.

»Glaubst du etwa an diesen Orakelspruch – wie hieß er denn überhaupt? –, der uns zwingt, einander aus dem Weg zu gehen?«

»Wenn ich nicht an Orakelsprüche aus Delphi glaube, wer denn sonst? Wir sollen nichts zusammen unternehmen, es bringt Unglück für den gesamten Kosmos.«

»Da ich Leser bin, halte ich von allem das Gegenteil für wahrscheinlich.«

»Ich möchte, daß du gehst.«

»Die Gerechtigkeit ist zu etwas Merkwürdigem geworden, das nicht etwa neue Gerechtigkeit erzeugt wie früher, sondern nur noch Lust an der Zerstörung. Sogar ich habe Ärger damit. Nur der Schmied freut sich dran, aus purer Eitelkeit natürlich, weil er auf diese Weise zeigen kann, daß er sogar aus Dreck noch eine Strategie macht …«

»Geh endlich, ich verabscheue Vorträge! Ich kümmere mich nur noch um Kunst.«

»Gut, dann mache ich dir zum Abschied eine Freude und trage dir einen Rap vor. Nur keine Angst, es ist alles gereimt!«

Hermes sang dem erstaunten Apollon in immer aggressiveren Rhythmen vor, was er von ihm und seiner vornehmen Zurückgezogenheit hielt. Und daß seine Leute, die Hermetiker, gegen die von Apollon verlassenen Apolliniker keine Chance hätten. Diese seien zu Oberlehrern verkommen, die daran glaubten, die Welt werde in Ordnung sein, wenn es nur noch Oberlehrer gäbe.

Apollon schien sich zwar nur auf die künstlerische Seite der Sache zu konzentrieren und runzelte bei gewagten Wortverbindungen oder Abweichungen vom Versmaß kreuzweise die hohe Stirn, aber er konnte nicht verhindern, daß die Anklage des Hermes ihn erreichte.

Als der Rap zu Ende war, sagte er: »Du hast ja nun selbst viel angerichtet seit deiner Wiederkehr...!«

»Ja, du hast recht. – Leider muß ich jetzt gehen«, antwortete Hermes ungereimt, legte den Stab über die eigenen Augen und wurde unsichtbar. Er wußte, daß Sekunden später ein Greiftrupp des Hephäst auftauchen würde, um ihn festzunehmen oder zu bestehlen. Was zu sagen war, hatte er gesungen. Jetzt wollte er so schnell wie möglich Zeus finden, denn ohne dessen Kraft war alles umsonst.

Nach Helle suchte er vorerst nicht. Sie war sicher Hephästs wegen befangen, und ebenso sicher bewachte dieser jeden ihrer Schritte. Schließlich war sie auch von Anfang an nicht nur verliebt gewesen, sondern gleichzeitig auch Spitzel und Lockvogel ihres Vaters. Hermes dachte mit Sehnsucht an ihren Körper – aber er mußte klug sein, bis er einen Weg gefunden hatte, Hephäst in einem großen Pokerspiel um alle Macht zu bringen. Denn das war offenbar seine schwächste Stelle: Größenwahn. Dieser Schmied mit dem eingefetteten Rechenschieber hielt sich für den besten Spieler der Welt.

*

Aus dem Flugzeug kam ihm Amerika vor wie ein Spiel aus Licht. Mäandernde Wasseradern gleißten auf, Seen, Flüsse und Sümpfe funkelten im Gegenlicht der Nachmittagssonne.

Aber was hieß hier »Nachmittag«? Der Atlantikflug bereitete ihm ungewohnte Pein: Er hatte nie gewußt, wie sehr er für sein Wohlbefinden die regelmäßige Wiederkehr von Dunkelheit brauchte. Am Vormittag hatte das Flugzeug Berlin verlassen, mittags war man in Paris gewesen und jetzt am Nachmittag in St. Louis – doch das nach elf Stunden.

Sein Gastkopf war der eines unentwegt Romane lesenden Germanistikprofessors der Washington University in St. Louis, ein wohlmöbliertes Oberstübchen, das aber in deutscher Sprache dachte. Hermes hatte eine Weile nach anderen Köpfen Ausschau gehalten, in denen er sich besser auf das Amerikanische vorbereiten konnte, aber die anderen Passagiere hörten während des ganzen Fluges Musik oder den Ton des Spielfilms.

Jetzt flog er aus eigener Kraft, aber unwirsch über St. Louis hin und her, mit einer Sonnenbrille, weil es nicht dunkel werden wollte. Müde war er nicht, aber seine Augen stellten sich nicht um: Er erlebte dieses Amerika als allzu grell erleuchtete Nacht. Der Vorteil war, daß er gleich auf dem Golfplatz im Forest Park nach Zeus fragen konnte. Es war etwas schwierig, weil die Spieler in geländegängigen Mobilen fuhren und ihnen nur für den Schlag auf den Ball entstiegen. Als er endlich zwei Spieler zu Fuß antraf, fragte er sie nach einem besonders starken bärtigen Herrn in mittleren Jahren, der hier dem Vernehmen nach oft spielen sollte.

»Bärtig? Ja, das ist ein pensionierter Geräuschemacher aus Hollywood, glaub ich«, sagte einer, »wir nennen ihn Jovy, seine Bälle sind schnell wie der Blitz und fliegen immer zu weit. Wenn Sie da drüben den südlichen Skinker Boulevard entlanggehen, finden Sie sie auf Schritt und Tritt. Einer ist sogar mal bis East St. Louis geflogen und hat einen Tankwart getroffen, glücklicherweise nichts Ernstes.«

»Dann verbraucht er sicher sehr viele Bälle – verwendet er irgendwelche besonderen?« fragte Hermes, der eine Idee hatte, wie er an Zeus herankommen konnte.

Der Mann wandte sich an seinen Begleiter: »Welche Sorten spielt der alte Jovy, hast du 'ne Ahnung?«

»Titleist, Maxfli – neuerdings Renegade«, sagte der andere, ohne mit der Wimper zu zucken. »Aber wo die liegen, da ist er selbst bestimmt nicht.«

Heute hatte ihn keiner der beiden gesehen, was aber nichts besagte. Hermes fragte ein paar Jungen, die auf dem Parkweg ein Fahrrad reparierten, ob hier irgendwo ein starker älterer Herr mit Bart sei. »Aber ja!« riefen sie und erklärten ihm den Weg zum Zoologischen Garten – dort sitze er an einem kleinen Tisch und spreche mit sich selbst und den Leuten. Aber der Mann, der dort murmelnd saß, war eine kunstvoll gebaute Maschine mit menschlichem Aussehen, hieß Charles Darwin und stand alle zehn Minuten auf wie von einem Kran gehoben, um die Entstehung der Arten zu erläutern. Am meisten liebten ihn die Kinder. Wenn sie sein Aufstehen nicht mehr erwarten konnten, schrien sie »Come on, come on, talk!!«, bis er sich wieder ermannte.

Der »Jet-lag« war offensichtlich für Menschen weniger schlimm als für Götter, gerade weil diese nicht schlafen mußten. Menschen konnten durch eine Strategie energischen Wachbleibens und gezielten Schlafens binnen drei Tagen Amerikaner werden, Hermes nicht. Sein Verhältnis zu Tag und Nacht ließ sich durch keinen Standortwechsel hinters Licht führen: Er war griechischer Gott und blieb es, wo immer er war. Er war gespannt, wie Zeus damit zurechtkam. Am schlimmsten wurde die Qual wohl, wenn man mit zu großer

Geschwindigkeit von einem Kontinent zum anderen wechselte. Hermes wollte nie wieder für mehr als zwei Stunden in ein Flugzeug steigen, außer es blieb auf dem Boden oder flog im Kreis.

In einem Sportgeschäft stahl Hermes einige Röhren voll Golfbälle der richtigen Sorten und machte sich auf den Weg. Noch einmal durchquerte er die Downtown von St. Louis, schwebte durch ein riesiges, auf den Kopf gestelltes rundliches »V« am Mississippi und suchte sich dann möglichst lange Wolken, um nach New Athens in Illinois zu fliegen. Leider lag Hannibal nicht am Weg, wo Mark Twain geboren war. Er hatte seine Bücher als Jünger der dreibusigen Göttin nicht mit dem Stab vom Rücken her, sondern, aus reiner Bewunderung, nach langsamer Menschenart gelesen.

New Athens erwies sich als Kleinstadt an einem Fluß namens Kaskaskia, bestehend aus weißgestrichenen Bretterhäusern, die mit Antennenschüsseln und amerikanischen Fahnen geschmückt waren. Als Ortsmitte war ein Kriegerdenkmal mit Basketballplatz anzusehen. In New Athens wohnten viele arbeitslose Bergleute, und wenn sie nicht fischen gingen oder ihre Häuser strichen, saßen sie in »Marilyns Restaurant«, aßen Catfish mit Chips und tranken dazu Unmengen von eisklirrender Limonade. In den hinteren Räumen wurde soeben eine Meisterschaft im Bogenschießen ausgetragen, leider ohne Zeus. Hermes sah aus verschiedenen Köpfen heraus eine Weile zu und ließ dann den Mann gewinnen, der als einziger seinen Namen kannte und mit Griechenland verband. Wo es lag, wußte allerdings auch der nicht genau.

Aber einen gewissen Jove kannten alle – der heute nicht in der Stadt war. Sie vermuteten ihn in Sparta, zehn Meilen von hier, da sei er manchmal. Eines jungen Dings wegen, sagte einer halblaut, alle lachten. Sie zeigten ihm Joves Haus, eine weiße alte Villa mit Säulen und leeren Blumenvasen vor dem Eingang und schönem Blick auf Wasserturm und Polizeistation. Hermes fragte sich, wie Zeus, offensichtlich allein der Ortsnamen wegen, in einer solchen Gegend wohnen konnte – er mußte an Nostalgien leiden.

Dann flog er über eine ausgedehnte Bergwerkslandschaft, in der Entwässerungspumpen nickten. Hephäst hatte hier alles unterminiert. Seine Kohlenzüge hießen »Illinois Central« und waren so lang, daß sie vier Dieselloks brauchten und trotzdem Schrittgeschwindigkeit fuhren. Sparta war eine etwas größere Kleinstadt gegen Südosten. Jetzt war hier angeblich Abend, er erlebte ihn als schwer verdunkelten Morgen.

Die Zierde des Ortes war das Feuerwehrhaus, das wie ein Autosalon aussah. Hinter den großen Scheiben standen chromblitzende Löschfahrzeuge, und vor dem Eingang saßen zwei edle Windhunde aus Gips, die sehnsüchtig die Nasen reckten, um Brandgeruch aufzufangen.

»Entschuldigen Sie«, sagte er zu einer hübschen Rothaarigen, die eben in ihr Haus gehen wollte, »meinen Sie, daß Sie für mich etwas zu trinken haben?« Sie sah ihn groß an und antwortete: »Gott, was macht denn einer wie du in Sparta?« Sie hieß Nelly und hatte keinen Mann, aber drei Kinder, die glücklicherweise schon schliefen. Nach kurzem Überlegen beherbergte sie ihn, bedachte ihn mit einer Art Sülze, einem Glas des von den Amerikanern offenbar heiliggesprochenen Eiswassers und vierzig Fernsehprogrammen. Auf diese und andere Art richtete sie ihn jedenfalls wieder ziemlich auf. Er fragte sie nach Charles, dem Drummer. Ja, den kannte sie, sie waren sogar in der Schulzeit miteinander gegangen, längst vor seinen europäischen Abenteuern.

»Er hat dort viel gelernt, spielt jetzt in einem Nachtclub namens *Just Jazz* in Atlanta.«

Inzwischen erinnerte sich Hermes seiner zwei Tage mit Charles fast schon mit Dankbarkeit: Die anderen Menschen waren ja noch schlimmer. Er beschloß, ihn aufzusuchen.

Jetzt fragte er nach Zeus. Und ob sie ihn kannte! Ihre drei Kinder waren von ihm. Nachdem Hermes sich als Gott zu erkennen gegeben hatte, schrieb sie ihm auf einen Zettel, wo Zeus im Augenblick war: in Atlanta. Das jedenfalls habe er ihr gesagt. Er wohne dort gewöhnlich in einem kleinen griechischen Tempel auf dem Dach eines Wolkenkratzers an der Peachtree Street.

Am sogenannten Morgen verließ Hermes die sommersprossige Nelly, die ihn gern noch etwas dabehalten hätte, und flog nach Südosten. Glücklicherweise war der Himmel weithin bedeckt. In Atlanta schlüpfte er in den kleinen Tempel auf besagtem Dach. Kein Zeus! Es gab sogar zwei Tempel hier, in dem anderen war er auch nicht. Bei aller Distanz zur Welt des Hephäst – er fing an, es lästig zu finden, daß Götter nicht im Telephonbuch standen, ja nicht einmal Telephon hatten. Wo sollte er jetzt noch suchen?

Er beschloß, nach St. Louis zurückzukehren und auf dem Golfplatz zu warten, bis Zeus auftauchte. Weil er aber noch Charles sehen wollte, flog er nicht sofort ab, sondern flanierte durch die Stadt, um die Menschen zu beobachten. Ob in St. Louis, New Athens, Sparta oder hier, eines stellte er überall fest: Man vermied es, zu Fuß zu gehen, aber niemand dachte darüber nach. War es gegen die Ehre, galt es als gefährlich? Menschen, die das Gehen liebten, kauften für viel Geld elektrisch betriebene Laufbänder oder sogenannte »Stairclimber«, um zu Hause heimlich auf der Stelle zu treten, bis ihnen der Schweiß herunterlief.

Eines war angenehm in diesem Land: wenn er sich sichtbar machte, fiel er mit seiner dunklen Haut nicht auf. Daß er als Afrikaner oder Afro-Amerikaner galt, störte ihn wenig. Es war leichter, dazu zu schweigen, als hier jemandem zu erklären, was ein geräucherter europäischer Gott war.

Wenn er Ortsgeister traf, waren es Indianer. Sie tranken keine *ombra*, sondern Schärferes, und pflegten seit zwei Jahrhunderten einen mächtigen Zorn auf die weißen Eroberer. Hermes ahnte, daß es für die Mentalität einer Bevölkerung nicht ohne Folgen war, wenn sämtliche Ortsgeister sie gründlich haßten. Hinzu kam, daß die Weißen keine eigenen Geister hatten, es sei denn zeitweise den der Freiheit und Demokratie. Sie waren einfach noch nicht lang genug im Lande.

Am sogenannten Abend ging er in den Club in der Tula Street, traf Charles dort an und sah in seinem Kopf nach, wie es ihm jetzt ging. Nach wie vor wenig Geschick in der Liebe. Aber eine Frau gab es jetzt, die zu ihm hielt. Als Musiker hatte er fleißig geübt, war aber über das, was Hermes ihm auf dem Schiff erschlossen hatte, nicht recht hinausgekommen. Da wollte er denn doch wieder etwas weiterhelfen, nur so zum Spaß. Um Mitternacht (eigentlich nichts als ein verhangener Mittag) spielte Charles so meisterlich verrückt, daß berühmte schwarze Musiker und eine weiße Frau auf die Bühne kamen und ihm gratulierten. Als Hermes durch Charles' Augen die Frau genauer ansah, erschrak er freudig: es war Helle.

Sie wollte dem Spartaner die Schulden von Helga Herdhitze zurückzahlen und tat es auch – ein Kuvert mit 12000 Dollar. Er sprang aus Charles heraus, holte seine Sachen, zog sich an und machte sich sichtbar. Helle war nicht einmal erstaunt. Er merkte aber, wie sehr sie sich freute, auch wenn sie es nicht zeigen wollte. »Du bist leichtsinnig«, tadelte sie und flüsterte Warnungen. Sie war so schön, daß er nicht zuhören konnte, er sah sie nur sprachlos an. Er dachte als erstes: Sie hat genau meine Ohren. Er dachte weiter: Fort von hier, in ein nahes Bett der Tula Street, und unnachsichtig ihre Brüste zum Wirbeln bringen, den Gründelkolben im Urstromtal. Seine Frage formulierte er natürlich anders. Dennoch lautete die Antwort: »Nichts da, mein Bester!« Sie sagte, sie wolle ihn jetzt nicht bei sich haben. Er möge ihr erstmal einen schönen, formvollendeten, vor allem respektvollen Brief schreiben und auf Antwort warten, ja, warten. In nächster Zeit sei sie im Washington Athletic Club in Seattle. Und da er nun offenbar wieder zuhören konnte, warnte sie ihn abermals vor Hephästs Agenten, die ihm längst auf der Spur seien. An sich seien die USA kein schlechtes Pflaster, weil die überall laufenden Klimaanlagen jedem Horcher das Lauschen verleideten. Zeus sei übrigens nicht hier, er besuche seinen Bruder Hades alle paar Jahrhunderte. Wo immer er auftauche, seien Scharen von Spitzeln um ihn herum. Und noch eines: Hermes solle auf keinen Fall nach Seattle kommen, die Stadt sei ein Zentrum des Hephäst, und nichts bleibe dort verborgen, keine Maus und kein anti-lemnisches Wörtchen.

Dann schwieg sie plötzlich für Sekunden, umarmte und küßte ihn und verschwand abrupt.

*

Mit dem Fernglas saß Hephäst hinter einer Gardine im obersten Stockwerk des Washington Athletic Club. Es war neun Uhr morgens, gefrühstückt hatte er schon, und das Kino, sein Kino, machte erst um zehn Uhr auf. Er versuchte, auf der gegenüberliegenden Fassade des Seattle Hilton interessante Zimmer mit Liebespaaren oder wenigstens unbekleideten Frauen zu finden. Kindisch, diese Tätigkeit, denn seine technischen Möglichkeiten verschafften ihm längst jeden Einblick in jeden Raum der Welt, wenn er es wünschte. Voyeurismus brauchte aber einen gewissen Ritus, um wirklich Vergnügen zu machen, und der war bei ihm einige Jahrhunderte alt. Heute leider nichts Interessantes, auch auf der anderen Seite im Sheraton nicht.

Er kehrte zum Tisch zurück, trank eisklimperndes Wasser und überlegte, wie er die Zeit bis zur ersten Vorführung im »Omnidome« anders überbrücken konnte. Er griff in die Innentasche seines Jacketts und holte die abgewetzte und gelb gewordene Sichthülle mit dem Orakelspruch heraus, dem richtigen und dem von ihm gefälschten. Es lohnte, beide immer wieder frisch zu lesen und die möglichen Interpretationen zu überprüfen. Gegen Viertel vor zehn klingelte das Telephon: Der Wagen stand bereit, Hephäst ging zum Lift. Punkt zehn stieg er am Fischmarkt aus und stakste mit seinen Krücken zum Aquarium hinüber, in dem sich das Kino befand. Wenn er in Seattle war, dann wollte er den Tag mit dem neuesten Film beginnen, dessen heimlicher Regisseur er war: mit den Aufnahmen vom Ausbruch des Mount St. Helens am 18. Mai 1980.

Die Betreiber des Omnidome liebten ihn nicht, sie tolerierten ihn nur, weil er Stammgast war. Er war nicht davon abzuhalten, während der Vorstellung zu rauchen und zu husten, als wäre er ein Vulkan im Kleinen. Außerdem bezahlte er stets mit seiner Smaragd-Card, die man nicht durch den Kreditkartenhobel schieben konnte – sie mußte mühsam abgeschrieben werden, das machte ihm Freude. Es gab weltweit fünf smaragdene Kreditkarten, sie gehörten alle ihm.

Mit glänzenden Augen sah er wieder aus dem Krater den fetten Rauch aufquellen, die Lava die Hänge herunterfließen, Bäume verzischten in Bruchteilen von Sekunden, Brocken von Häusergröße spritzten in den Himmel. Die Aufnahmen waren aus einem hitzeunempfindlichen Hubschrauber von einem ebenso unempfindlichen Kyklopen gedreht worden, der leider Entfernungen nicht einschätzen konnte und ab und zu die Schärfe falsch gezogen hatte.

Aber Vulkanausbrüche und Erdbeben waren für Hephäst längst eine Spielerei von gestern, zumal die alte Erde imposante Verwüstungen wie die von Strongyli oder Krakatoa nicht mehr so häufig hergab, auch wenn er alles aufbot, um von unten nachzuhelfen. Er gedachte seine Zerstörungslust auf andere Weise zu befriedigen und daraus den größten Film aller Zeiten zu machen – auch wenn niemand ihn mehr würde sehen können.

Auch merkte er, daß ihn das Schauspiel heute, bei der zwanzigsten Vorstellung, nicht mehr so reizte wie beim ersten Mal. Als er am Ende der Zigarre angelangt war, humpelte er hinaus und hieß den Chauffeur seinen Helikopter zum Fischmarkt bestellen.

Mißmutig betrachtete er die Menschen. Nein, an diesen dummen, widerborstigen Lebewesen hatte sich seit den Tagen des Athener Fischmarkts nichts geändert; was hatten sie nur getan mit all dem Wissen, das von ihm gekommen war? Sie waren nicht wert, was er für sie getan hatte. Nie wären sie von selbst darauf gekommen, wie man den Koloß von Rhodos herstellen konnte, wie man mit Hilfe des Stickstoffs im Gänsekot Edelstahl machte, und die Chromstahlbrücke in St. Louis wäre ohne ihn nie gebaut worden – ach, wo sollte er da anfangen, wo aufhören? Er hatte sie geliebt, anfangs, aber sie nicht ihn. Als Dank für seine Gaben hatten sie die Technikfeindlichkeit erfunden. Und was war ihr Dank für die geniale Begradigung der Götterwelt zu einer einzigen »Number One« gewesen? Mystizismus. Heilige. Engel. Marienverehrung. Vor allem dieser Altruismus-Star, Jesus. Gut, er hatte sich darauf eingestellt und auch den größten Unsinn noch für das lemnische System genutzt. Aber sie waren unverbesserlich, denn sie liebten Unklarheit und erlogene Geschichten mehr als alles andere und stellten stets die alten Mythen wieder her, nur jedesmal dümmer und schlechter.

Angewidert wandte er sich ab, ging zum Helikopter, der auf der Pier gelandet war, und ließ sich hineinhelfen. »Zum Mount Rainier«, befahl er. Er wollte jetzt viertausend Meter über allen Fischmärkten dieser Welt sein und Klarheit atmen. Man sah den einsamen Riesenberg näherkommen, die Vormittagssonne zog ihm einen goldenen Scheitel.

Sein Film würde die einzig wahre Geschichte erzählen: daß und wie die Menschen es nicht wert waren. Und dann wäre die letzte und endgültige Explosion der Menschenwelt zu sehen und der Götterwelt dazu. Den Tod universal eintreten zu lassen, verlangte ungeheures Können, aber er besaß es. Mit dem kalten Krieg war er nahe dran gewesen, die Atombomben hatten bereitgestanden, und einige blinde Pflichterfüller waren drauf und dran gewesen, die Knöpfe zu drücken. Die Ost-West-Methode hatte dann zwar doch versagt, aber jetzt gab es etwas Besseres.

Landung auf dem Rand des alten Vulkankraters. Hephäst zog den beheizten Steppanzug an und ließ den Hubschrauber für eine halbe Stunde wegfliegen. Er wollte mit sich und dem Vulkankegel allein sein und seine Pläne durchdenken, seine Pläne für ein Ende. Er entzündete vorsichtig, der Handschuhe wegen, die neue Zigarre und ließ Rauchkringel in die Kälte steigen.

Die Vollendung eines Werkes war der Tod. Jede Arbeit war vom Tode her und zum Tode hin. Er selbst hätte die ganze riesige Arbeit niemals leisten können, wenn er nicht gewußt hätte, daß er erfolgreich auf seinen Tod hinarbeitete und daß er alle mitnehmen würde, Menschen und Götter. Er haßte die einen und die anderen wie sich selbst; seit gut fünfhundert Jahren schon sehnte er sich nach dem, wovon Unsterbliche sonst vergeblich träumten: zu sterben.

Endlich war er darauf gekommen, wie er die Menschen wirksam für dieses Ziel einspannen konnte. Die neue Methode schien paradox, aber sie war genial. Solange allerdings Menschen gern lebten, hofften oder gar liebten, waren sie unfähig, die Konsequenzen aus einer noch so überzeugenden Todeslogik zu ziehen, auch wenn deren Anfangsstadium längst Gewohnheit war.

Ein ahnungslos vereinnahmter Hermes hätte sehr genützt. Aber er schaffte es auch ohne ihn. Es konnte nichts schiefgehen, der Tod war sicher.

In der Ferne war wieder der Helikopter zu hören. Der Zigarrenstummel verzischte im Schnee. Hephäst tanzte einen kleinen Bärentanz wie einst mit seiner

Tochter, blieb dann stehen und betrachtete seine Spuren. Nein, gescheitert war er noch nicht, es ging mit dem Untergang nur langsamer, als er geplant hatte. So wie ein Ausbruch des Mount Rainier diese Spuren hier vernichten würde, so würden die Menschen aus der Welt geschmolzen werden, und mit ihnen, endlich, auch die Götter. Den spontanen Einfall, zur eigenen Ermunterung in den nächsten Tagen den Mt. Rainier ausbrechen zu lassen, verwarf er – wegen des Omnidome-Kinos in Seattle.

Als er wieder in den Club kam, war Helle eingetroffen. Er mißtraute ihr, denn es sprach einiges dafür, daß sie sich mit Hermes getroffen hatte. Aber er zeigte nicht, was er dachte, sondern verließ sie nach ein paar unverbindlichen Sätzen und ging in seine Suite, um mit dem Telephonieren zu beginnen. Er saß noch eine Weile und brütete: Kaum war er wieder im Dunst von Seattle, setzten die Zweifel neu ein. Interpretierte er den echten Orakelspruch richtig? Er zog wiederum die Klarsichthülle heraus und starrte auf den Text.

» Wenn Berg Kyllene und Insel Delos sich vereinen, beginnt ein Zeitalter ohne Qualen.«
Soweit war alles klar: Kyllene, die Sache des Hermes und der Frechheit; Delos, die schwimmende Insel aus Licht und Augenmaß, Heimat Apollons. Wenn es dem einen gelang, etwas vom anderen zu übernehmen, wenn Hermes Apollon in Fragen der Mitte half, und dieser dafür Frechheit lernte, dann begann ein neues Zeitalter, was zweierlei bedeutete: Das eiserne, seines, würde vorbei sein, und es wurde nichts aus dem Weltuntergang. Daß Hermes und Apollon nicht zusammenkamen, dafür hatte er durch den gefälschten Orakelspruch gesorgt. Aber war er auch falsch genug?

» Wenn Berg Kyllene und Insel Delos sich
vereinen, beginnt ein Zeitalter großer Qualen.«

Brachte vielleicht gerade der manipulierte Wortlaut auf andere Weise seinen Plan in Gefahr? Mißtrauisch überwachte er jede Möglichkeit, und jedesmal marterten ihn Sorgen. Es war ihm zwar gelungen, Apollon und Hermes voneinander zu trennen – aber vielleicht nicht nachhaltig genug?

An der Wand hing das Bild von der Steilwand der Paläa Kaimeni, das Dionysos im vorigen Jahrhundert, in der Gestalt eines Malers namens Max Schmidt, gemalt hatte. Ganz deutlich konnte der Eingeweihte den erstarrt im Fels hängenden Hermes erkennen. Hephäst biß sich auf die Lippen. Fing er an, Fehler zu machen? Hätte er ihn doch lieber dort lassen sollen?

*

Das Schiff hieß »Esperanza«, war ein dreißig Jahre alter Seelenverkäufer und rollte fürchterlich. Die Vorteile: es gab an Bord nur Metall aus der Zeit vor 1977, und das Schiff fuhr so langsam, daß Helle und Hermes sanft zu den europäischen Tageszeiten zurückfanden. Da sie die meiste Zeit in der Kabine waren und ihr Wiedersehen feierten, achteten sie ohnehin kaum auf Tag oder Nacht. Nur einem Sturm am dritten Tag gelang es, vorübergehend ihre Aufmerksamkeit zu finden. Poseidon, der Vater aller Untergänge, wollte sich offensichtlich an der »Esperanza« gütlich tun, zögerte aber taktvoll, das Schiff in dem Moment vor die Fische gehen zu lassen, wenn darin Götter beim Liebesspiel waren. Hermes und Helle wußten sich das Rollen des Schiffs zunutze zu machen, sie sorgten während des ganzen Sturms dafür, daß ein für Poseidon geeigneter Zeitpunkt gar nicht erst eintrat. Helle war allem so aufgeschlossen, wie nur eine Göttin es sein konnte, und das wegen jenes Briefs, den sie mit sich herumtrug, aber niemandem zeigte. Die Liebesworte des Hermes gehörten nur ihr allein, niemand sollte sie erfahren oder gar veröffentlichen.

Nach dem Sturm erzählte jeder dem anderen von »seinem« Amerika. Auch Hermes fand, man könne es lieben, trotz der etwas grellen Nächte. Und sie lachten über die unendliche Geschichte ihres Versteckspielens während der letzten Jahre und die idiotische Sucherei. Es war Tatsache, daß Götter sich außerhalb des Olymps leichter verliefen und schwerer auffindbar waren als jeder Mensch. Und mit der Gabe des zweiten Gesichts war es offensichtlich auch nicht weit her, nicht in dieser Welt, die barst vor Menschen und Technik.

»Ich dachte, du könntest auf alle Fragen die Antworten finden, wenn du fraktale Figuren liest.«

»Kannst du's etwa?«

»Mir hat es immer Freude gemacht ...«

»Daß wir Rost oder Asche oder Kaffeesatz lesen können, war schon immer freche Behauptung«, sagte Hermes, »aber sie war nützlich.«

»Jetzt übertreibst du. Ich lese wirklich. In den Ästen von Bretterwänden sehe ich die Gesichter von Feinden und Freunden.«

»Ich habe immer geweissagt, um den Mädchen zu imponieren – der Blick in die Zukunft sagte zuverlässig, daß sie mit mir das höchste Glück erleben würden. Die Chaostheorie ist zu ähnlichen Zwecken entstanden, denke ich.«

»Ein Scheusal bist du,« sagte sie und brauste ihm einen warmen Sturm ins Ohr, bis er kicherte und die

Schultern hochzog, »aber jetzt höre zu, du sollst mit mir ernsthafte Dinge unternehmen.«

Sie erklärte ihm, daß er den wahren Grund für die Mißhelligkeiten der Menschenwelt noch gar nicht erfaßt habe: Solange Eros allein sei, stifte er mit jeder neuen Liebe nur Enttäuschung und neuen Haß. Anteros aber, der Gott der erwiderten Liebe, schmachte im Tartaros, und deshalb wachse in der Welt der Haß immer mehr an. Schlimm sei es zum Beispiel mit den Christen, gerade weil sie ständig von Liebe redeten: Wenn jemand ihre Liebe nicht prompt genug erwidere, empfänden sie das als Verletzung religiöser Gefühle. Darum hätten sie in den letzten zwei Jahrtausenden fast ständig zur Gewalt gegriffen.

»Also müssen wir Anteros da unten herausholen. Du hast im Fall von Orpheus und Eurydike mit Hades verhandelt, tue es wieder!«

»Wieso wurde er denn bestraft?«

»Er hat Zeus bewegen wollen, Hephäst das Handwerk zu legen. Der hatte gerade das Schießpulver und die Kanonen entwickelt. Als Zeus abwinkte, versuchte er Apollon zum Aufstand zu bewegen.«

»Und was tut er jetzt da unten?«

»Wer kann das wissen? Er wird ein Fürst des Tartaros unter Hades sein. Und zugleich eine Art Ausstellungsstück.«

»Gut, befreien wir ihn. Die Idee gefällt mir, weil sie frech genug ist. Der Plan ist so gefährlich, daß er nur mit Glück gelingen kann. Unsere Zauberkräfte wirken in der Unterwelt nicht. Wir können selbst im Tartaros landen.«

»Aber wenn nicht, dann ist alles gewonnen.«

»Noch nicht ganz. Zeus muß ihn begnadigen, Hades

freigeben, und Hephäst darf so lange wie möglich nichts davon merken, weil es seine Herrschaft in Gefahr bringt. Wenn er es aber irgendwann merkt, muß er daran gehindert werden, uns und der Menschheit seinen gesamten Klempnerladen um die Ohren fliegen zu lassen. Einfach wird es nicht, aber wenigstens auch nicht langweilig.«

Sie überlegten hin und her. Hermes geriet mehr und mehr in Begeisterung, weil Helles Idee vom folgenreichen Fehlen des Anteros gut zu seinen Beobachtungen paßte. »Kyllene« und »Delos«, seine Leute und die des Apollon, hatten einander aus enttäuschter Liebe hassen gelernt, und für den Fortbestand dieses Hasses gab es jetzt die Erklärung: es fehlte das göttliche Vitamin Gegenliebe.

»Seit wann sprichst du so speziell von ›deinen Leuten‹?«

»Seit ich gemerkt habe, daß sie gegen die apollinischen Ordnungshüter ohne mich keine Chance haben. Sogar daß sie furchtlos sind, ist für sie von Nachteil. Sie leben elend, sind verzweifelt und hassen. Viele tun schreckliche Dinge. Ihr Traum heißt ›Fort von hier‹, aber sie sind diejenigen, die überall am wenigsten fortkönnen. Wo Elend ist, da sind die Meinigen. Und schließlich sind sie auch meine eigene Chance.«

Helle reagierte, wie alle Frauen, wenn ihre Männer zu lange reden, mit Liebkosungen und lockte mit allem, was sie hatte, zur Erwiderung. Stillen möchte sie mich, dachte er.

*

Da standen sie nun im Schnee am Ufer eines Flusses, der früher vielleicht einmal »Aornis« geheißen hatte, und bekamen nicht heraus, wo der Hintereingang zur Unterwelt zu finden war. Alles hatte sich sehr verändert – oder war es nur der falsche Fluß? Ob der Tunnel zu den Asphodelischen Feldern zugebaut war? Was fehlte, war eine brauchbare Götterlandkarte. Wo das Reich das Hades geographisch lag, war klar: unter Makedonien und Griechenland. Aber die Eingänge!

»Fliegen wir doch durch bis Sparta und nehmen den Eingang von Tainaros aus«, meinte Helle. Hermes ignorierte den Vorschlag, suchte weiter eine zerfledderte Autokarte von 1961 ab – jetzt schrieb man immerhin 1994 – und unterdrückte eine Bemerkung über die Idee, ausgerechnet im Winter nach der Unterwelt zu suchen.

»Wahrscheinlich das nächste Tal«, sagte er. »Fliegen wir!«

Er klopfte vorsichtig den Schnee von den Flügelsandalen, rückte den gefiederten Hut zurecht, umfaßte Helle und hob sie hoch. Dann stieg er auf und überflog ein weiteres Waldgebirge, immer dicht über den Wipfeln, um keinen Höhleneingang zu übersehen. Plötzlich fühlte er einen Schlag gegen den rechten Unterschenkel, dann war das Krachen eines Schusses zu hören. Er landete zwischen den Bäumen, schlenkerte den Schmerz in einen verschneiten Busch und besah sich mit Helle zusammen das Loch, das die Gewehrkugel ihm ins Bein geschlagen hatte.

»Wir müssen unsichtbar weiterfliegen«, sagte er und berührte die Wunde mit dem Stab, wodurch sie verschwand. »Aber ich verstehe nicht, warum man schießt.«

»Krieg«, sagte Helle. »Ich habe das oft erlebt. Sie liegen herum und langweilen sich. Sie schießen auf alles, was sich bewegt.«

Hermes legte den Stab über beider Stirnen, so daß sie unsichtbar waren, nahm Helle in die Arme und flog über die Bergkette. Drunten im Wald lag ein Toter, den die Füchse zerfleischten. Und in einer Lichtung, wo eine Fahrstraße endete, standen fünf Baracken, umgeben von einem Stacheldrahtzaun. Auf dem Platz in der Mitte war eine Menschenmenge zu sehen, aber angetreten in einer seltsam militärischen Formation. Es waren keine Soldaten, sondern zerlumpte, klapperdürre Gestalten, die zur Strafe für irgend etwas im Frost stehen mußten. Einige waren zusammengebrochen und lagen bewußtlos oder tot im Schnee.

Über dem Flußtal lag Donnergrollen. Kanonendonner, wie Helle wußte. Eine Stadt tauchte auf. War das endlich Aorna? Sie mußten jemanden fragen. Hermes ging direkt neben einer Art Wachstation nieder. Soldaten in fleckigen und streifigen Tarnanzügen standen vor dem hohen Eisentor herum und hielten die Hand am Gewehrgriff. Ihre Gesichter waren bartstoppelig und vom Alkohol gedunsen. Ares schien sich wirklich um nichts mehr zu kümmern, seine Kampfpuppen waren verwahrlost. Was sprach man hier für eine Sprache? Hermes und Helle machten sich hinter einem der Lastwagen sichtbar und traten hervor.

»Wie heißt die Stadt?« fragte Hermes auf englisch. Die martialischen Vogelscheuchen brachten augenblicklich ihre Waffen in Anschlag. Helle machte ihm ein Zeichen: Laß mich reden. Sie wiederholte die Frage auf russisch. Die Mienen wurden entspannter, aber die Waffen blieben auf sie gerichtet. Die Auskunft lautete: »Es gibt keine Auskunft. Ihre Dokumente!«

»Ich glaube, die sind zu dumm. Gehen wir einfach durch«, sagte Hermes auf deutsch. Aber die kriegerischen Puppen wollten keinen Schritt weiter erlauben und entsicherten ihre Maschinenpistolen.

»Halt!« sagte der offenbar Ranghöchste und Wachhabende auf deutsch.

Hermes blieb nur stehen, weil er noch etwas wissen wollte. Er fragte ihn: »Was bewacht ihr hier?«

»Ja, was bewachen wir hier?« Der Offizier grinste und drehte sich zu den anderen um; er wollte, daß sie mitgrinsten. Aber nicht alle verstanden Deutsch. »Wir arbeiten für unser Ideal!«

»Wie heißt es?«

»Der definierte Mensch. Wir definieren den Menschen.«

»Wo tut ihr das: vor oder hinter dieser Absperrung?«

»Wir haben Mittel genug für innen und für außen«, antwortete der Offizier ungeduldig. »Ihr seid verhaftet. Wo kommt ihr her, das Gebiet ist hermetisch abgeriegelt?«

Hermes lächelte böse. »Hermetisch? Das hättest du nicht sagen dürfen, du Zwerg. Hiermit ist das Gebiet hermetisch aufgeriegelt!« Er hob den Stab. Das Eisentor verlor an Struktur, wurde weich und rauchig, blieb noch eine Weile wie verwirrt in der Luft stehen und sackte dann in sich zusammen. Hermes spitzte die Lippen und blies fort, was übrig war. Er hob den Stab abermals, und all die stoppeligen Männerdarsteller sanken in die Knie.

»Das war ›hermetisch‹«, sprach er und stopfte dem Wachhabenden eine Zwei-Dollar-Note in den vor Staunen hermetisch aufgesperrten Mund. »Hier, ich zahle Wegezoll.«

Weitere Worte verloren sie nicht. Ein riesiger, ausgesprochen widerwärtiger Zottelhund kam gesprungen und wollte sie anfallen, das Maul mit den langen Reißern weit aufgerissen, und sein Rachen schimmerte blau. Noch bevor Hermes ihn töten konnte, war ein Pfiff zu hören, der Hund verschwand. Zwei Dollar reichten offenbar, um hier Rachen zu schließen.

Sie gingen in die Stadt hinein, die einen traurigen Anblick bot. Dachstuhlskelette ragten in den Himmel, riesige Löcher klafften in Ziegelmauern, Menschen waren kaum zu sehen. Auf der Straße ging es sich schlecht, denn es gab alte Explosionstrichter, von Eis und Schnee trügerisch bedeckt, in die auch Götter hineinrutschten. Schmerzen konnten sie abschütteln, aber wenn sie froren, dann nicht anders als ein Mensch. In einem zerschossenen Gebäude standen einige Gestalten um ein qualmendes Feuer aus feuchten Dachbalken. Die beiden machten sich unsichtbar, um ungeniert die Kleider ausziehen und sich wärmen zu können. Die Menschen waren nicht alle in Lumpen oder abgemagert, aber ausnahmslos stumpf und hoffnungslos, sogar die Kinder. Mechanisch taten sie irgend etwas, ohne sich um andere zu kümmern. Eine Frau trug Nagellack auf, das erinnerte immerhin an frühere Hoffnungen. Ein alter Mann saß da, aufrechtgehalten von einem zerschlissenen Ledermantel, sprach leise mit sich selbst und schlug sich alle paar Sekunden stöhnend mit der Faust gegen die Stirn.

Jetzt blickten doch einige auf, denn Männer mit Tragbahren hasteten vorbei, brachten Verwundete in den stehengebliebenen hinteren Teil des Gebäudes, wimmernde Menschen mit zerfetzten Gliedmaßen; hin und wieder hing blutiges, zitterndes Muskelfleisch über den Rand einer Bahre. Hermes machte Helle ein Zeichen: Ich muß sehen, was dort ist. In dem Gebäude, dem Geruch nach ein ehemaliger Stall, gab es zwei Operationstische. Man erkannte sie daran, daß über ihnen einige aneinandergebundene Taschenlampen hingen und daß sie von Blut troffen. Hermes war sehr erstaunt, denn er hatte in München gelernt, wieviel zu einer guten Operation technisch nötig war. Hier mußte sogar beim Zunähen der Wunden am Faden gespart werden. Ob die zwei Männer, die da mit Skalpellen arbeiteten, Ärzte waren? Seltsamerweise konnte Hermes in keinen Kopf springen, obwohl er nackt war. War der Zauber außer Kraft?

Wer operiert wurde, schrie und winselte, es gab keine Anästhesie. Sie bissen, während man ihnen Gliedmaßen amputierte, auf Holzknebel. Hermes wunderte sich über Hephäst. Warum ließ er solche, jedes göttliche Auge und Ohr beleidigenden Szenen zu? Das Versorgungssystem war doch sein ganzer Stolz? Oder führte er solche Quälereien mit Absicht herbei?

»Warum macht dein Vater das alles?« fragte Hermes.

»Ich denke, er ist mit seinem Stahl und seinem Latein wieder da, wo er angefangen hat«, antwortete Helle. »Aber er schiebt es auf die Menschen. Sie seien zu dumm, sagt er. Inzwischen glaube ich, daß ihm jeder Beweis dafür willkommen ist.«

Hermes legte einer Frau, der ein zerschmetterter Fuß abgenommen werden mußte, den Stab über die Augen, um sie zu betäuben, aber es zeigte sich keine Wirkung.

»Ich habe den Verdacht, daß wir bereits angekommen sind«, sagte er, als sie wieder beim Feuer waren.

»Am Badestrand seid ihr jedenfalls nicht!« krächzte eine Stimme. Sie gehörte einer alten Frau, die am Boden kauerte. »Zieht euch gefälligst etwas an, so viel Würde muß bleiben!«

Daran merkten Hermes und Helle, daß sie die ganze Zeit für Menschen sichtbar gewesen waren. Eilends zogen sie ihre noch nicht wieder trockenen Kleider an.

Hermes sah wieder den Alten, der sich ins Gesicht schlug und fragte die Frau: »Was ist mit ihm?

»Er ist verzweifelt. Er wäre gern gestorben, bevor es all das hier zu sehen gab, aber er ist gesund und wird noch viel sehen müssen. Damit wird er nicht fertig. Wo kommt ihr her?«

Sie ließ aus einem Fläschchen irgendwelche Tropfen in eine Spannfalte ihres Handrückens fallen. Ihre Lippen bewegten sich weiter, weil sie zählte.

»Wir sind europäische Götter, wir suchen nach der Stadt Aorna am Fluß Aornis. Es muß da einen Tunnel geben zu den Asphodelischen Feldern …«

Die Frau hatte zu Ende gezählt und schlürfte die Medizin vom Rücken ihrer Krallenhand. »Europäische Götter, so. Die lieben wir hier nicht. Nicht mehr! Was wollt ihr – Photos machen?«

»Wir müssen mit Hades sprechen, dem Gott der Unterwelt«, antwortete Helle. »Wir wollen ihn bitten, daß er uns Anteros herausgibt, den Gott der Gegenliebe.«

»Gegenliebe? Hier? Jetzt glaube ich doch, daß ihr hierher paßt. Ihr seid vollkommen verrückt!« Sie lachte mit ihrer Krächzstimme so durchdringend, daß einige andere müde die Köpfe hoben.

Verwirrt gingen sie hinaus. Die Unterwelt lag also zutage wie die Flöze eines Braunkohlebergwerks, das war neu. Wohin jetzt? Fliegen konnten sie auch nicht mehr. Sie gingen durch die Stadt, die vom Pfeifen und

Krachen schwerer Granaten vibrierte. Sie waren wie Menschen, und die Menschen waren hier tot, Schatten des Totenreichs, die mechanisch immer das gleiche taten. Durch Schlammgräben watete man hin und wieder her, durch Mauerlöcher kroch man herein und heraus, auf dem stehengebliebenen Eisenträger einer Brücke ging es über den Fluß, vorsichtig Schrittchen für Schrittchen, um unter Lebensgefahr ein paar Bohnen gegen eine gebrauchte Batteriezelle einzutauschen. »Wir definieren den Menschen«, das Wort des Wachhabenden klang nach. Vielleicht war er der Fährmann Charon in neuer Gestalt gewesen, und der Hund kein anderer als Kerberos.

»Wenn wir bereits angekommen sind«, überlegte Hermes, »dann wird er es längst gemerkt haben. Übrigens, nenne ihn nicht ›Hades‹, lieber ›den Reichen‹ oder ›den guten Ratgeber‹, ich habe Erfahrungen mit ihm. – Wir können nur warten, bis er sich meldet. Es gibt ja einiges zu sehen und zu tun.«

Als sie sahen, wie ein paar Leute die Balken eines zerschossenen Hauses aus dem Schutt zerrten, um Brennholz daraus zu schlagen, faßten sie zu und schleppten mit, denn sie froren. Helle zog sich einen Splitter ein, aber glücklicherweise heilte der Stab noch Götterwunden, kleine zumindest.

Da hörten sie plötzlich aus dem noch stehenden Mauerwerk ein Stimmchen zirpen: »Komm zu mir, Hermes! Hier bin ich, die Fledermaus über dir.« Da hing sie, mit dem Kopf nach unten, wie es sich für Fledermäuse gehörte. Sie habe Anweisung, sagte sie, Hermes und seine Begleiterin vor den »Reichen Fürsten« zu bringen.

»Nimm mich vorsichtig vom Balken und stecke

mich unter deine Kapuze«, sagte sie, »dann erkläre ich dir den Weg beim Gehen.«

Nach einer Stunde lag die verwüstete Stadt weit hinter ihnen, sie erreichten einen Hügel mit einer Schloßruine.

»Hier läßt du mich heraus«, zirpte der Fledermausgeist. »Ihr geht nur hinüber zur alten Kemenate, durchs Tor hinein und zu der Tür, auf der ›Identität 2‹ steht. Der Wachhabende weiß Bescheid, er wird keine Frage stellen. Dann nehmt ihr die Wendeltreppe hinunter, der Abstieg dauert etwa eine Stunde. Am Eingang zum Tartaros wird der Reiche euch erwarten.«

Er breitete die erstaunlich langen Flügel aus, grüßte mit einem gellenden Pfiff und hob sich in die Luft, um im Gemäuer einen neuen Posten zu beziehen.

Das Schlimmste an der Wendeltreppe waren nicht Dunkelheit und Enge, sondern die Luft, die ihnen von unten entgegenschlug. Um den Verbannten ihr Schattendasein möglichst unerträglich zu machen, sorgte Hades für alles Nötige, auch für den infernalischen Gestank.

Als sie unten ankamen, war es fast vollständig dunkel. Der winzige Schimmer kam aus den Augen des Totengottes, des »Reichen«, der dort in einer Sänfte saß und auf sie wartete. Hermes erkannte ihn sofort.

»Sei gegrüßt, Hermes, du bist mir bekannt. Wer ist diese da?«

»Ich freue mich, dich zu sehen, reichster aller Götter! Dies ist deine Großnichte Helle, Tochter von Hephäst und Nephéle.«

»Hephäst? Ausgerechnet der. Er hat mir beim Pokern meine Bodenschätze abgewonnen.«

»Alle?«

»Ja, aber ich gab ihm nur ein knappes Viertel. So hatte er die Freude am Gewinnen und ich am Behalten!«

»Helle ist gegen ihn.«

»Schweigen wir von Hephäst! Es muß etwas Wichtiges sein, was euch herführt. Mich interessiert allerdings nicht, was oben vorgeht. Hephäst hat euch alle mit Metall umgarnt, soviel weiß ich von Zeus, und das genügt auch schon.«

»Höre«, sagte Hermes, »wir brauchen deinen guten Rat. Es geht nicht nur den Menschen, sondern auch den Göttern schlecht.«

»Ob es denen oder euch schlecht geht, hat mich schon immer kaltgelassen. Es ist auch gar nicht meine Sache, auf der Erde irgend etwas zu ändern.«

»Aber er greift in deine Rechte ein. Er bringt dich um Bodenschätze, er hat die Asphodelischen Felder nach oben gekehrt und ein blutiges Experimentierfeld daraus gemacht. Er wird dir auch noch den Tartaros nehmen.«

»Nichts hat er nach oben gekehrt. Er hat das Seinige tiefer gelegt – auf Zeit, wir haben einen Vertrag. Und an den Tartaros kommt er nicht heran, ebensowenig wie an die Insel der Glückseligen. Solchen Unfug würde Zeus nicht zulassen.«

»Er läßt leider alles zu. Wir wären sonst nicht hier.«

Auf einmal schlug Helle sich gegen die Stirn: »Alle Götter! Ich weiß plötzlich, was Hephäst vorhat. Er will – sterben.«

»Das geht gar nicht«, antwortete Hades, »er müßte dazu da oben alles verglühen lassen.«

»›Experimentierfeld‹! Das Wort hat mich darauf gebracht. Darum werden die Kriege immer scheußlicher: Er probt für die letzten Tage.«

»Selbst wenn. Wir sind Hitze gewöhnt hier. Die Unterwelt verbrennt nicht.«

»Da sei nicht sicher«, warf Hermes ein, »auch sie hört wahrscheinlich auf zu existieren, wenn es keine Menschen mehr gibt. Bedenke, daß die Sache noch nie ausprobiert wurde!«

»Tote Menschen kommen immer in die Unterwelt, wo sollten sie denn sonst hin? Und dort gibt es sie als Schatten, also gibt es sie! Nein, es interessiert mich nicht. Und woher wißt ihr übrigens, daß ich nicht auch gern stürbe? Jetzt sagt endlich, weshalb ihr gekommen seid.«

»Vielleicht erinnerst du dich an den ungebärdigen Knaben Eros. Er entzündet in den Menschen Liebe, kümmert sich aber nicht darum, ob von den Geliebten dieses Gefühl auch erwidert wird. Darum verursacht er eher Enttäuschung und Haß als Liebe. Am Ende zerstört jeder den, den er liebt. Wer hier fehlt, ist Anteros. Wir bitten dich: Gib ihn uns für ein Weilchen heraus.«

»Um das Wohlbefinden der Menschheit zu verbessern? Niemals! Das interessiert mich ja noch weniger. Übrigens ist Anteros in der Finsternis ebenso blind geworden wie die Titanen. Ohne Führung wäre er oben sowieso hilflos.«

Hermes wollte dagegen etwas sagen, da packte ihn Helle am Arm.

»Es ist nicht für die Menschheit«, platzte sie heraus, »es ist – für uns beide! Das ist die Wahrheit: Ich bin es, die Hermes überredet hat, hierher zu kommen. Ich liebe ihn, aber er liebt mich nicht. Er begehrt mich zwar, und manchmal ist er sogar höflich. Er hat mir einen Brief geschickt, den schönsten, der je geschrieben worden ist, aber leider gelogen. Ohne Anteros werde ich todunglücklich. Ich brauche ihn in eigener Sache.«

Hermes staunte nur noch. Das war eine diplomatische List, auf die man erst einmal kommen mußte. Ein persönliches Geschenk konnte Hades kaum verweigern, und jedenfalls erlaubte ihm diese Lesart, das Prinzip der Gleichgültigkeit gegenüber dem Leben im allgemeinen zu wahren. Hermes verbarg seine Bewunderung und nickte zögernd, als ob er noch mit sich ringe.

»Gut«, sagte er, »wenn es nun schon einmal heraus ist: Es handelt sich nur um uns.«

»In privaten Dingen drücke ich zwar manchmal ein Auge zu …«

Während er nachdachte, drückte der Totengott sogar beide Augen zu, und da diese hier die einzige Lichtquelle waren, warteten sie eine Weile in tiefster Finsternis.

»Also«, fing er wieder an, »ich bin nicht groß im Schenken und in der Gastfreundschaft. Was habe ich denn davon, wenn ich euch den Gefallen tue? Ihr habt mir auch nichts mitgebracht!«

»O doch, weisester aller Ratgeber«, antwortete Hermes schnell und ohne auch nur mit der Wimper zu zukken. Helle sah ihn ungläubig und etwas entsetzt von der Seite an.

*

Die Agenten des lemnischen Systems wunderten sich über zweierlei: über Hermes, weil er so spurlos verschwunden war, und über ihren Meister, den Konsul. Fünf Jahre war es schon her, daß sie Hermes das letzte Mal auf der Spur gewesen waren: Eine verstümmelte Botschaft von einem Eisentor am Ende Europas hatten sie aufgefangen, das sich aber in Luft aufgelöst haben mußte, denn es war nicht mehr zu finden. Sie merkten auch, daß Hephäst sich wenig daraus machte, er schien nicht einmal das Verschwinden seiner Tochter zu bedauern und ließ nur noch pro forma Nachforschungen anstellen. Gewiß, er war mit ungeheuren Projekten beschäftigt, aber war nicht seine Tochter die einzige Gottheit gewesen, mit der er sich gern unterhalten hatte? Und hatte er nicht Hermes als Gegner und Gefahr bezeichnet?

In einem Punkt vermuteten sie richtig: Hephäst hatte zwar zu arbeiten wie nie zuvor. Aber hinter dieser Arbeit versteckte er auch, daß er die Sache ganz anders ansah. Hermes und Helle konnten ihm gleichgültig sein, denn es war ohnehin bald alles zu Ende. Er vermutete sie in der Unterwelt, wo sie Anteros hatten befreien wollen. Wahrscheinlich hatte Hades sie dabehalten, vielleicht waren sie sogar leichtsinnig genug gewesen, sich als Pfand anzubieten, damit Anteros wiederkommen und erneut Schaden stiften konnte. Aber er kam in jedem Fall zu spät. Hephäst lachte vergnügt, er erinnerte sich an die unglaubliche Langsamkeit dieses Gottes, zu langsam für jede Wahrnehmung. Allenfalls innerhalb von zweitausend Jahren konnte er Ärger machen; in weniger als hundert Jahren kam er nicht weit.

Die Menschheit war reif, die Bombe scharf. Zwischen Reich und Arm klaffte ein Gegensatz wie nie zuvor, Roheit und Selbstsucht waren nahezu Glaubensinhalte geworden, zugleich wuchs bereits jetzt epidemisch der Todeswunsch. Doktrinen, Religionen, Sekten, Banden, Politik und Waffenhandel, alles tickte in derselben Höllenmaschine. Und der Zünder war technisch fertig: »IMMORTALITY FOR FEW«, die biologische Unsterblichkeit für wenige ältere Reiche, unter Verwendung der Körper von immer neuen jüngeren Armen. Er hatte die Folgen durchgerechnet, sie konnten nur zu einem einzigen Ergebnis führen: dem gewünschten.

Siebtes Kapitel

Letzte Behelligung

Anfang 1994 flog Helga Herdhitze von New York nach Wien zurück. Wie so viele Angestellte der Vereinten Nationen hatte sie das Hauptquartier in New York besichtigen und einen dreitägigen Kurs mitmachen dürfen. Dann war sie zu Charles geflogen und in einige große Städte, die sie sehen wollte, bevor sie zur Arbeit zurückmußte.

Sie war jetzt dreiundzwanzig Jahre alt und noch immer nicht in Athen gewesen. Sie wunderte sich darüber, zumal sie sicher glaubte, daß Athen ihr Ort und ihre Bestimmung war, sie konnte es allerdings noch nicht begründen. Warum ließ sie so viel Zeit verstreichen, warum hatte sie nicht wenigstens einmal ein Wochenende dafür geopfert? Gewiß, zunächst mußte sie noch mindestens ein Jahr Dolmetscherin sein, dort, wo Milizionäre über Städte und Dörfer herfielen und Völker ins Bodenlose stießen für Generationen. Das Büro, in dem sie arbeitete, lag in einer vom Krieg gezeichneten »Straße der Freundschaft«. Die Freundschaft hatte kaum zwei Generationen gehalten. Helga war froh, wenn sie einmal wütend sein konnte und nicht nur verzweifelt. Manchmal gab es Momente, in denen sie trauern und nachdenken konnte. Wenn das gelang, wuchs wieder Hoffnung.

Sie ging allein im Wald spazieren, was als gefährlich galt, setzte sich auf einen Steinblock am Straßenrand und studierte die verschlungenen Äste eines mächtigen alten Baums, unter dem der Weg hindurch ins Freie führte. War es besser, einfach nur weiterzugehen – oder sitzen zu bleiben und etwas aufzuschreiben (einen Katechismus vielleicht für sich und andere)? Das Gegenteil zu entwerfen dieser Welt, wie sie war? Sie erkannte rasch, daß das Unsinn war. Gegenteile waren vom gleichen Schlag.

Es war besser, weiterzugehen, bis es wieder hell wurde. Hermes selbst war die Botschaft, nicht was als seine »Lehre« ausgegeben werden konnte. Plötzlich war sie zum ersten Mal nach langer Zeit wieder dabei, ihre Geschichte weiterzudenken. Niemand konnte sie ihr nehmen, niemand kannte sie. Der Gott war einer des Zugreifens und Tuns. »Wenn du etwas nicht so gern mit ansiehst«, sagte er, »dann rede wenig, geh hin und fange an, das Bild zu verändern.« Damit stand sie auf und ging weiter. Sie konnte ja kein Baum sein, und jetzt wollte sie auch nicht mehr.

Inzwischen sprach sie Griechisch. Ob man sie in Athen studieren ließ? Wenn sie je einer Sache auf den Grund kommen würde, dann in Athen. – Ob sie es schaffte, zwischendurch für zwei Tage hinzufliegen? Vielleicht Ende April zum griechischen Osterfest.

*

Da Hermes Hut und Sandalen dem Hades zum Geschenk gemacht hatte, konnte er nicht mehr so rasch und weit reisen wie zuvor. Helle, Anteros und er hatten Mühe gehabt, überhaupt bis nach Litauen zu kommen. Die Stadt Kaunas war ein gutes Versteck für sie, zumal es hier kaum neueres Metall gab. Nur war es schwer, an die Augentropfen heranzukommen, die Anteros brauchte: Die Finsternis des Tartaros wirkte nach, er hielt das Licht des Tages bisher allenfalls für Sekunden aus, und auch das nur mit den Tropfen. So lange er nicht sehen konnte, war ihm der Sprung in ein Menschenhirn nicht möglich. Wenn er sich später frei bewegte, mußte er sich tarnen können. Einen Gastgeber, der ein Ohr für Götter hatte und leicht zu führen war, hielt Hermes längst bereit, einen jungen Litauer namens Romualdas, ohne jede erotische Erfahrung, was wichtig war. Hermes wollte Anteros am Anfang nicht zuviel zumuten.

Die Menschenwelt schrieb bereits Ende November 1999. Sie waren in der Unterwelt nur etwa drei Tage gewesen, aber währenddessen waren droben auf der Erde fünfeinhalb Jahre vergangen. Hades selbst hatte sie vor diesem Effekt gewarnt – es sei mit ein Grund, weshalb er sich um die oberen Dinge nicht kümmere: er könne sie nicht einholen, weil sie so weit hinter ihm zurückblieben. Er hatte ihnen noch eingeschärft, daß sie Anteros' Hilfe nur für persönliche Zwecke beanspruchen dürften, sonst werde er ihn zurückholen.

Der Grund für Anteros' Verschwinden vor Jahrtausenden war Hephästs Zorn darüber gewesen, daß sein Begehren weder von Aphrodite noch von Athene erwidert worden war. »Wenn er mir nicht hilft, dann niemandem!« hatte Hephäst geschrien, und dann für Zeus eine Intrige eingefädelt, die Anteros die Verbannung eintrug.

Dieser freute sich nun, wieder auf die Erde zu kommen, der angenehmeren Düfte wegen. Und sofort hatte er gefragt, ob es seine Heiligtümer noch gebe, vor allem jenes, das ihm die Metöken, die in Athen wohnenden (und ungeliebten) Ausländer errichtet hatten. Er war enttäuscht, als er hörte, daß die Menschen ihn nicht mehr kannten, ferner, daß kein Gott nach Athen hineindurfte und Pallas Athene nicht hinaus.

Ihre eigene Liebe hatte er sich schon vorgenommen. Seine Methode war etwas kompliziert: Er legte von hinten seine Hände über Hermes' Augen, und zur selben Zeit mußte dieser die Stimme von Helle hören oder wenigstens ihren Geruch in der Nase haben – eine Spur vom Parfum, ein Halstuch genügte. In absehbarer Zeit würde Hermes zu lieben beginnen, und das sei dann mehr als das bisherige Begehren, so behauptete Helle. Es gehe zwar leider nur allmählich voran, sagte Anteros, aber dafür unaufhaltsam – bei Unsterblichen kein Problem. Er könne aber nur dann Gegenliebe in Gang setzen, wenn vorher bereits Eros oder wenigstens die Göttinnen der Freundschaft und der Menschenliebe das Ihre getan hätten. »Ich habe nicht die Pfeile des Eros, die zartblauen Briefe der Philia, die Milchgetränke der Agape! Ich kann Gefühlsbewegungen nicht machen, nur ihr Echo.«

Sie wohnten auf einem Dachboden über dem »Teufelsmuseum«, dem einzigen Museum für Teufelsdarstellungen in der ganzen Welt. Hermes und Helle wechselten sich in der Pflege des Anteros ab. Hin und wieder nahmen sie ihn auf Spaziergänge mit und beschrieben ihm, was sie sahen. Kaunas war eine hübsche Stadt mit Kirchen und Gebäuden von eigenem, altem Recht; die äußeren Verwüstungen der lemnischen Multiplikation waren an ihnen vorbeigegangen.

Hermes ging nachts mit Anteros durch das Teufelsmuseum – er konnte mit dem Stab erfühlen, was er nicht sah, und für Anteros war Licht ohnehin nur quälend. Während er die Figuren und Bilder beschrieb, stellte Hermes fest, daß der Teufel keineswegs nur gehaßt, sondern manchmal sogar auf versteckte Weise geliebt wurde. Hermes überlegte: Da der Teufel ein aus Hephäst- und Hermesbestandteilen phantasiertes Zwitterwesen war, konnte es Unsinn sein, Hephäst radikal aus der Welt zu verbannen. Es genügte, einen Liebesvirus in sein Haß- und Gleichgültigkeitssystem einzuschleusen, ihn selbst aber zu erlösen und für Besseres zu gewinnen.

»Wenn es mit meinem Vater Probleme gibt, dann nur, weil er einsam ist«, sagte Helle. »Ich muß hinfahren und mit ihm sprechen, schließlich liebe ich ihn.«

»Wenn du ihn liebst«, antwortete Hermes, »dann könnten wir doch gleich Anteros auf ihn ansetzen! Aber du kommst an ihn doch nicht mehr heran?«

Helle schrieb einen Brief an ihren Vater und versicherte ihm, daß sie ihn nie ganz verlassen hätte und nun zurückkehren wolle. Aber Hephäst wollte offenbar von Helle nichts wissen, jedenfalls kam keine Antwort. Sie begannen zu überlegen, wie sie vorgehen konnten. Da lasen sie in der Zeitung, daß der Experte Ignaz Knidlberger, Aphrodite also, wenige Kilometer entfernt in Vilnius einen Vortrag halten würde. Helle reiste hin und drang zu dem schweren Mann vor, in dessen Kopf die Schönheitsgöttin nistete. Diese versprach, mit Hephäst zu sprechen und ein gutes Wort einzulegen.

»Wann wirst du Hephäst sehen?« fragte Helle.

»In zwei Wochen, er kommt nach Moskau, um sich seinen jüngsten Vulkanausbruch im ›Trismegiston‹ anzusehen, einem Superkino, das damit eingeweiht wird.«

Der Hinweis brachte Helle auf eine Idee: »Ich und Anteros werden mitkommen! Wenn du es schaffst, ihn wieder für mich einzunehmen, dann rücken wir zu ihm vor.«

In Kaunas begann nun eine Reihe von 24-Stunden-Tagen voll konzentriertester Tätigkeit, denn in knapp vierzehn Tagen mußte alles bereit sein. Von Hephäst kein Antwortbrief.

»Liebst du ihn vielleicht auch ein bißchen?« fragte Helle.

»Er ist dein Vater«, antwortete Hermes. »und da ich dich liebe ...«

»Das nennst du schon Liebe? Du wirst staunen!« lachte sie. »Aber wir sollten einen Versuch machen.«

»Was für einen?«

»Bei ihm die Gegenliebe auch zu dir anzufachen. Wenn du ihn nicht liebst, wird es natürlich nicht fruchten.«

»Ich werde mir Mühe geben. Zähle bitte einmal pro Tag auf, was es an ihm Liebenswertes gibt, ich bin vergeßlich.«

Die Tage vergingen rasch. Anteros konnte manchmal wieder für Sekunden sehen, aber wenn er das Ohr des jungen Litauers ansprang, landete er jedesmal in den Kissen, die Hermes darunter aufgeschichtet hatte.

»Ist es denn sinnvoll?« fragte Anteros. »Wenn ich Hephäst zur Gegenliebe bringen will, muß ich sowieso meine eigenen Hände nehmen, die von Romualdas bewirken nichts!«

»Du mußt alles können«, antwortete Hermes streng, »sehen, springen, und außerdem Englisch und Deutsch, denn vielleicht mußt du untertauchen. Im übrigen ist die Springstunde jetzt beendet, ich brauche seinen Kopf, um Russisch und Litauisch zu lernen. Ruhe dich aus und studiere den Bestuhlungsplan des

Kinos in Moskau. Es darf dir kein Fehler unterlaufen.«

Hermes lernte Kaunas kennen, vor allem aber die Sprachen, und obwohl sein Gastgeber wenig Lust hatte, mit Russen zu sprechen, kannte Hermes kein Erbarmen: »Sei so gut, suche gebildete Leute auf, die gutes Russisch sprechen – wenn ich in Moskau aus dem Lautsprecher zu hören bin, dann bitte nicht mit dem Russisch eines Wurstverkäufers.«

»Lieber Gott, der Wurstverkäufer hier ist hochgebildet, ehemals Kulturfunktionär, kennt die gesamte Literatur, die fortschrittliche, die klassische fortschrittliche, die fortgeschritten renitente, alles …!«

Der Litauer brach ab, er hatte ein Gefühl dafür, wann weitere Argumente zwecklos waren. Es war eine schwere Zeit für ihn, aber er wußte seltsamerweise, was ein Gott war, und daß jetzt alles lohnte, auch wenn es scheinbar überhaupt nicht lohnte.

Wenn Romualdas schlief – und er brauchte schrecklich viel Schlaf –, dann übte Hermes seinen Text als Synchronsprecher für das Trismegiston in Moskau. Hephäst mußte ja zur gleichen Zeit seine, Hermes' Stimme hören und die Hände des Anteros über den Augen haben, sonst trat die Wirkung nicht ein. Als Helle fand, daß sein Russisch ausreichte, machten sie die Tonbandaufnahme.

In der übrigen Zeit lernte Hermes pokern, das gehörte zum Plan. Nachts vagabundierte er durch die Köpfe zweier Pokerrunden in Kaunas – einer »nationalen« und einer »internationalen« – oder las, mit dem Stab vom Buchrücken her, umfangreiche Werke über dieses Spiel. Er hatte Sorge, ob alles gelingen würde. Mut tat not, Thymian wurde zur ständigen Nahrung, und trotzdem sagte er eines Abends: »Ich weiß nicht, ob wir wirklich eine Chance haben. Er kann multiplizieren, und wir nur addieren. Er ist der Fortschritt und ich die Renitenz.«

Helle nickte nur. Sie waren, obwohl Götter bekanntlich kaum Schlaf brauchten, rechtschaffen müde. Schließlich pflegten Götter auch nicht zu arbeiten, und was sie zur Zeit taten, war von Arbeit kaum zu unterscheiden.

»Hältst du es wirklich für eine so gute Idee, ausgerechnet gegen Hephäst Poker zu spielen? Daß du kein Stratege bist, hast du doch bewiesen.«

»Wenn ich ihn nicht betrügen kann – wer dann?«

»Schön. Bliebe noch der Text für das Inserat«, murmelte sie.

»Mimi«, gähnte er und rieb sich die Augen.

»Ein Inserat, in dem nur ›Mimi‹ steht?«

»›Mimi‹ und ›Mama‹. Denk dir irgend etwas aus. Ich muß jetzt eine Weile regungslos liegen wie eine Panzerechse und alles gründlich durchdenken.«

Am nächsten Tag schwor Helle, daß Hermes geschnarcht habe.

*

Drei Tage vor dem Kinotermin in Moskau schaffte Anteros es, ins Ohr des Litauers zu springen. Nach dem Abschied von Hermes hüpfte Helle ebenso nackt hinterher, und Romualdas, Herbergsvater für zwei Gottheiten gleichzeitig, schleppte die Koffer zur Station. Wenn alles glattging, wollten sie in einer Woche zurück sein.

Hermes warf sich wieder auf seine Vorbereitungen.

Die reicheren Mitglieder der »internationalen« Pokerrunde waren Autoschieber, Drogen- und Waffen-
magnaten, Grundstücksspekulanten, er sah aber dort
auch den Wurstverkäufer, der früher Kulturfunktionär
gewesen war. Zu Beginn hatte Hermes damit fertig-
werden müssen, daß bei den Spielen Russisch und
Litauisch gesprochen wurde, die Lehrbücher aber ausnahmslos aus Nordamerika kamen. Man spielte bei
den »Internationalen« einen Fünfzig-Dollar-Draw-
Poker, in der anderen Runde einen merkwürdigen
Hoch-Tief-Stud mit Kartentausch, das Spiel hieß
»Rothschild«, ging aber nur um winzige Einsätze in
litauischer Währung. Hermes beherrschte nach seinem
Bücherstudium sämtliche Varianten von einfachen
Stud- oder Draw-Spielen über »Lahme Gehirne« und
»Zwillingsbetten« bis hin zu »Witwe von hinten« oder
»Bimbo-Hoch-Tief«. Was Hephäst auch vorschlug, er
würde ihn nicht in Verlegenheit bringen. Natürlich
konnte er nicht den Stab ansetzen, um Karten von der
Rückseite her zu erkennen, aber längst besaß er die
Fähigkeit, jede Schlüsselkarte zu lesen, auch wenn sie
nur für ein knappes Hundertstel Sekunden aufblitzte.
Er konnte wieder, wie vor zwei Jahrtausenden, mit ei-
nem Blick sämtliche Pünktchen auf der Haut einer
Eidechse zählen. Mehr Mühe machte es, den gewaltigen Katalog betrügerischer Tricks zu beherrschen. In
Kaunas, auch bei durchreisenden Schurken von inter-
nationalem Zuschnitt, war vermutlich nicht genügend
Geschick und Raffinesse zu finden, um einen Hephäst
zu schlagen. Aber eines Tages war eine ältere amerikanische Touristin angekommen, hatte den ganzen Tag
Kirchen besichtigt und arme Leute photographiert,
war abends in der internationalen Runde aufgetaucht

und hatte naive Fragen über die Regeln gestellt. Hermes hatte sich nur für kurz in ihr Gehirn begeben wollen, um ihr Blatt zu lesen, da merkte er, daß Nora eine pensionierte Blackjack-Geberin aus Las Vegas war und alles konnte, was er brauchte. Daß die Ecken einiger hochwertiger Karten durch Einkerbungen mit dem Fingernagel markiert waren, erkannte sie bereits, als sie ihre erste Hand aufnahm, und machte sich danach den Spaß, auf dieselbe Weise etliche niedrige Karten zu behandeln. Daß zwischen dem Autoschieber und einem Ex-Professor für Marxismus-Leninismus eine rege und zunächst gedeihliche Dialektik herrschte, registrierte sie im Lauf der ersten Stunde und stellte sich verstohlen darauf ein. Sie wandte ihre eigenen Spezialitäten an, ohne daß irgend jemand es merkte: leichtes Verbiegen von Karten, damit sie im Stoß erfühlt werden konnten, vor allem aber arbeitete sie als Geberin mit einer makellosen Technik des vorgetäuschten und manipulierten Mischens, etwa dem »Las Vegas riffle« und dem »undercut stack«, die Hermes sich gut einprägte. Ferner wußte sie Karten aus dem Stoß herauszuhalten und dem Spiel im richtigen Moment wieder zuzuführen. Sie konnte sich blitzschnell etwa sechzehn Karten und deren Reihenfolge merken, das war für einen Menschen viel. Bei alledem machte sie den Eindruck einer mäßigen Verliererin und sorgte dafür, daß der schwächste Spieler in der Runde – der fortschrittliche Wurstverkäufer – hohe Gewinne einstrich und die besseren ihr Pech verfluchten. Der Zinker und die beiden Verabredungsschwindler, deren Tricks sie amüsiert und mit etwas Rührung beobachtete, verloren bis nach Mitternacht ordentlich, aber nicht katastrophal. Nach einigen Stunden täuschte sie Müdigkeit vor, sank tiefer in den Sessel und sah und verbarg dann noch mehr als vorher. Im Morgengrauen hatte sie mit einemmal ungeheures »Glück«, ließ dem inzwischen völlig euphorisierten und an sein Glück, die Zukunft und sogar an Gott glaubenden Wurstmaxen gerade noch den Imbißstand. Dann war sie verschwunden und mit ihr ein ansehnlicher Teil der Früchte aus dem osteuropäischen Waffen-, Drogen-, Auto- und Immobiliengeschäft jener Woche. Sie verließ Kaunas mit zwei Leibwächtern, einigen verwackelten Kirchenphotos und einem hübschen Dollarvermögen in Richtung Wien. Hermes gab ihr noch rasch die Idee ein, dort mindestens ein halbes Jahr zu bleiben – er wollte sie am Pokertisch in der Hermesvilla haben und auf Hephäst ansetzen, um die Dinge noch eleganter zu verwirren. Hoffentlich spielte Hades mit, und hoffentlich begriff er schnell genug, worum es ging.

*

Am schwersten war es, den Filmvorführer zu einem Spaziergang in den abhörsicher verschneiten Gorkipark zu veranlassen, am leichtesten dann, ihn dort mit hundert Dollar zu bestechen. Da der Text des Hermes ganz korrekt der Vorlage entsprach und zum Film paßte, brauchte er nur überspielt und ausgetauscht zu werden, was in einer halben Stunde erledigt war.

Aphrodite, genannt Knidlberger, hatte bei Hephäst nur eine höflich-abweisende Reaktion geerntet, aber Helle wollte es trotzdem versuchen. Romualdas war mit den Papieren des Waffenhändlers aus der Pokerrunde von Kaunas ausgestattet und kaufte vier Eintrittskarten fürs Parkett. Nach dem Sitzplan, den Helle im

Innenministerium heimlich studiert hatte, saß Hephäst in der Mitte der ersten Balkonreihe, und hinter ihm zwei georgische Diplomaten mit ihren Frauen. Helle schlich sich in deren Hotel und tauschte die Balkon- gegen die Parkettplätze aus. Sie hatte von Hermes alles gelernt, auch Stehlen.

Es war zu erwarten, daß die Diplomaten, schon aus Diplomatie, diese Änderung nicht bemerken würden, sondern sich willig ins Parkett führen ließen.

Die Vorstellung rückte heran. Romualdas, der je eine seidene Tunika für Helle und Anteros über dem Arm trug, kam ohne Schwierigkeiten durch die Kon- trollen und auf die Herrentoilette, wo die beiden aus seinem Ohr tropften und sich anzogen. Dann ging er vor und nahm seinen Platz ein, Helle folgte etwas spä- ter im Trippelschritt, führte Anteros und schwätzte dabei ununterbrochen in der griechischen Rabenspra- che, die außer attischen Frauen niemand verstand – so hielt man die beiden am sichersten für Diplomaten. Sie setzten sich zu Romualdas, der so tat, als ob er sie nicht kenne. Helle saß direkt hinter Hephäst, der zwei Plätze hatte reservieren lassen, einen für sich, einen für die Krücken.

Als es dunkel wurde, kniete Anteros unmittelbar vor Helle hinter dem Sitz des Hephäst und tat so, als suche er etwas auf dem Boden. Während eines Reklamespots mit viel nackter Haut führte Helle seine Hände nach oben und um den mächtigen Schädel ihres Vaters her- um, legte sie darauf und begann zu sprechen: »Raten Sie mal, wer ich bin, Exzellenz! Aber nicht gucken, bitte!«

Hephäst dachte gar nicht daran zu raten, er drehte sich abrupt um – Anteros konnte gerade noch untertauchen – und fauchte Helle an: »Das war ein schlechter Einfall. Wenn ich dich sehen will, dann sage ich es schon. Sieh dir meinetwegen den Film an, aber dann verschwinde!«

Helle sank der Mut. Wie sollte sie jetzt noch einmal Anteros ins Spiel bringen? Sie versuchte es trotzdem. Als Hermes' Stimme erklang und Einleitendes über Vulkanismus sagte, wiederholte sie das Manöver. Vielleicht genügte ja der Bruchteil einer Sekunde, um die Wirkung zu sichern. Aber Hephäst war wohl darauf gefaßt gewesen und winkte einem hohen kyklopischen Sicherheitsbeamten, der sofort herbeilief. »Raus mit ihr!«

Glücklicherweise begann in diesem Moment der Vulkanausbruch, es wurde von dem Rauch auf der Leinwand ganz schwarz im Zuschauerraum. Helle und Anteros gelang es, die Tuniken abzustreifen und in das Ohr zu hüpfen, das Romualdas ihnen hinhielt. Dann stieg er ungerührt über drei Sitzreihen und ein gutes Dutzend Diplomatengattinnen und ging gemächlich zum Ausgang, wo ein niederer Kyklop stand. »Eintrittskarte und Ausweis!«

Romualdas maß ihn mit einem milden Lächeln und hielt ihm das Geforderte hin. »Weißt du nicht, wer ich bin?« fragte er halblaut und deutete mit dem Kopf dorthin, wo der Sicherheitchef gelaufen kam. »Ich fürchte, du wirst Ärger kriegen – und da kommt er auch schon.«

»In Ordnung«, sagte der Kyklop und ließ ihn passieren. Die Gäste in Romualdas' Kopf waren voll Bewunderung.

»Unglaublich! So ein junger Mann, noch nie eine Frau kennengelernt ...«, sagte Helle.

»Eben darum hat er ja noch die guten Nerven«, meinte Anteros.

*

»Ich fürchte, das war kein großer Erfolg!« sagte Helle, als sie wieder auf dem Dachboden in Kaunas waren. Hermes schwieg sinnend.

»Es war Unsinn«, sagte Anteros, der nur selten so deutlich wurde, »man kann nicht zweimal hintereinander jemandem die Hände über die Augen legen, wenn er nicht will. Das wäre ja einfach – ich könnte Gegenliebe herstellen wie Hephäst Eisenbahnschienen. Aber es ist eben aus gutem Grund nicht so einfach!«

Es kam sehr bald eine Botschaft von Hephäst an seine Tochter, in der er sich alle weiteren »Behelligungen« verbat. Die Wirkung war also noch nicht eingetreten.

Jetzt schrieb Hermes selbst einen Brief: Er habe Pokern gelernt und verspüre große Lust, mit Hephäst um den größtmöglichen Einsatz zu spielen. »Wenn du es schaffst zu gewinnen, dann verhafte mich ruhig und verbanne mich, ich gehe freiwillig in den Tartaros. Gewinne ich, dann bin ich frei, nach Athen zu gehen. Außerdem läßt du meine Leute in Ruhe. Solltest du nicht antworten, dann nehme ich mit Respekt zur Kenntnis, daß du das Ausmaß deiner Selbstüberschätzung erkannt hast und klug genug bist, dich vor einem Spiel mit mir zu drücken!«

Er malte sich aus, wie Hephäst brüllte und mit Krükken warf, sobald er diese Provokation las. Postwendend würde er antworten! Jetzt hieß es nur, sich bestens vorzubereiten und abzuwarten. Die Post brauchte in jedem Falle Zeit, da sie den Weg über den durch Hephäst nicht überwachbaren Totengott nehmen mußte.

Auch sonst trafen nur wenige Nachrichten aus dem Rest der Welt hier ein, und wenn, dann waren es schlechte, besonders aus dem Westen. Ohne die Begleitung durch die Götter war alles falsch geworden, jede Tat, jedes Begehren, jede Beobachtung. Es hatte schon vor Jahrzehnten begonnen: alle hatten ein schlechtes Gewissen, aber keiner eine Ahnung, wie man es schaffte, zu einem guten zu kommen. Der Haßpegel war noch mehr angestiegen. Es gab das Duell wieder, allerdings ohne Chancengleichheit und Ritual – Männer liefen mit Degen herum und stellten, etwa bei Parkplatzstreitigkeiten, ihr inneres Gleichgewicht durch Kämpfe auf Leben und Tod wieder her. In den meisten Ländern hatten die Regierungen, um die Aggressiven unter ihren Wählern nicht zu verlieren, den Besitz von Schußwaffen wieder zugelassen. Weiter gab es inzwischen eine Selbstmordsekte, die sich »Kadaverbewegung« nannte. Diese Leute waren nicht etwa verzweifelt, sie waren schlicht auf das Leben nicht mehr neugierig. Sie gaben die Menschen verloren: die anderen sofort und sich selbst nach einer wenig längeren Frist. Sie wollten sich dann ein letztes Verdienst nur noch dadurch erwerben, daß sie die Erde von ihrer Existenz befreiten. Der Untergang der Neugier, für den Hephäst gesorgt hatte, indem er sie als Belästigung, Einmischung und Zumutung diffamierte, riß vieles mit sich. Es gab keinen Geist mehr, nur noch eine Art begrifflicher Versicherungswirtschaft. Die Sprachen der Leidenschaft oder auch der Zärtlichkeit lernte man wie ein Computerprogramm, wenn man in der Telekommunikation oder Telephonerotik arbeiten wollte. Im Osten und Süden war es nicht viel lustiger. Ein riesenhafter und mächtiger Staat mit einer wahren Haßkultur war entstanden, geführt von einem »Unfaßbar Unfehlbaren«, der den Gebrauch des Buchstabens U verboten hatte – nur in seinem Namen, dem des Herrn, dürfe er vorkommen. Weil es aber so schwer war, das U zu vermeiden – besonders Kinder entpuppten sich als unbekehrbare Sünder –, wuchs die Zahl der Hinrichtungen.

»Kann mir egal sein«, sagte Hermes und blickte olympisch.

»Mir nicht«, entgegnete Helle, »ich kann Helga nicht vergessen, mein ehemaliges Menschenecho. Sie fände es nicht lustig.«

»Lustig finde ich es auch nicht. Es langweilt!« Das war das Verächtlichste, was Hermes überhaupt sagen konnte, egal war es also auch ihm nicht.

Anteros konnte nun wieder dauernd sehen, wenn auch durch dicke Augengläser, von denen eines getönt war. Ein schöner Anblick war er nicht, zumal er auch noch riesenhafte Füße hatte – die nächste Schuhnummer war der Geigenkasten. Tagsüber stromerte Hermes, versteckt im Kopf des Litauers, zusammen mit Anteros durch die Stadt. Sie versuchten Liebende zu finden, die mit einer geliebten, aber sie nicht wiederliebenden Person sprachen. Ein halbes Dutzend Pärchen hatten sie schon zu fassen bekommen, dazu einen liebevollen Politiker, der bisher nicht geliebt wurde. Das war etwas so Seltenes, da halfen sie gern.

Romualdas, der die ganze Zeit über treu zu seinen Göttern hielt, wollte Lehrer werden. »Bist du verrückt?« fragte Hermes. »Ich kann dich zu einem der Reichsten der Welt machen.«

»Solang die Welt nicht anders ist, macht das Reichsein keine Freude. Ich habe von dir viel gelernt, was unter die Leute gebracht werden muß.«

»Ich wüßte nicht, was. Gewinnen müssen wir. Damit allein ist das Wichtigste gelehrt«, antwortete Hermes.

»Das Leben ist doch nicht nur Pokern und Stehlen!«

»Woher weißt du das so genau?«

»Von dir.«

»Wann hätte ich je über das Leben philosophiert?«

»Man findet viel heraus, wenn man mit dir unterwegs ist.«

»Man muß aber nicht gleich Lehrer werden, wenn man irgend etwas begriffen hat. Ein gelungener Bluff, ein Sprung über den Abgrund, das lehrt mehr als ein ganzes Schuljahr.«

Hermes war manchmal brummig. Die Pokerrunde warf ihre Schatten voraus, die Moskauer Unternehmung war vielleicht erfolglos geblieben, und was das Schlimmste war: Er mußte Woche für Woche an immer demselben Ort bleiben. Helle, die Göttin des Reisens und der glücklich endenden Abstürze, litt genauso.

Als Romualdas ihnen am nächsten Morgen das Frühstück ans Bett brachte, lag auf dem Tablett eine beschriftete Seite Papier. Als Überschrift war zu lesen: »ALSO SPRACH DER KYLLENIER«. Der Litauer mußte es in der Nacht geschrieben haben. Hermes lachte.

»Dürfen wir denn noch frühstücken, bevor der Unterricht beginnt?«

»Kein Unterricht! Es sind Sätze oder Fragen für dich. Ich möchte ein Interview machen, und du sollst zu all diesen Punkten etwas sagen. Es wird helfen, zum Beispiel den Litauern!«

Hermes war zu faul, um auf menschliche Art zu lesen, er griff sich den Stab vom Nachtkasten, um die unverhoffte Bescherung rasch hinter sich zu bringen:

Wir sollen für Sekunden, nicht für Jahre gerüstet sein. Wie aber?

Ideen werden ausgeheckt, viele gute darunter. Sie werden fast alle wieder vergessen. Ständig werden die tiefen Teller neu erfunden. Wie läßt sich das verbessern?

Wer sich selbst definiert, verlernt, was er sonst noch könnte. Wie kann man das aber, »sich <u>nicht</u> definieren«?

Lieber das Finden lernen als das Suchen – wie wird aus einem, der nur sucht, einer, der gleich findet?

Können auch Menschen sich in Menschen hineinversetzen?

Kann man ohne vorheriges Nachdenken schnell und richtig handeln wie ein Gott?

Wenn etwas gelingt, sagst du, dann nicht aus Pflicht und Plan, sondern aus Neugier und Freudensprung. Kann man das üben: ausschweifendes Helfen, abenteuerliches Lehren?

»Niemanden unbehelligt lassen!« Aber was heißt das? Und werden die anderen einen nicht dafür hassen? Schafft man sich damit nicht Feinde?

Menschen kalt betrachten und trotzdem »keinen einzigen verloren geben«, wie soll das gehen? Ist das uns Menschen überhaupt möglich oder eher nur den Göttern?

Was tun, wenn Menschen sterben wollen, vor allem wenn sie »für etwas« sterben wollen? Wann ist es richtig und wann falsch? Wann muß ich sie daran hindern?

Was mache ich aus dem Satz: »Die beste Hilfe bleibt im Dunkeln und wird höchstens geahnt«. Das trifft auf dich zu, aber ein helfender Mensch muß doch sichtbar sein!

Was heißt: »Die Götter haben den Glauben verloren«? Kriegen sie ihn wieder?

»Das mußt du alles selbst beantworten«, sagte Hermes. Ganze drei Herzschläge lang hatte er gelesen – morgens war er unkonzentriert. »Und Üben? Tu das Richtige, damit übst du. Wenn du etwas kannst, dann nicht nur deshalb, weil du es geübt, sondern auch weil du es gewagt hast. Vor allem aber, weil ich in der Welt bin. Ich bin die Botschaft. Deine Fragen sind gut: schön ratlos sind sie, so daß man der Antwort gleich etwas näher ist. Warum willst du nicht Journalist werden statt Lehrer?«

»Das ist fast dasselbe. Der Lehrer hat mehr Zeit.«

»Hast du eine Ahnung …«, murmelte Hermes.

»Könnten wir nicht doch etwas aufschreiben, während wir auf Gegenliebe warten?«

»Darüber sind schon zu viele Leute Professoren geworden, und was sie nicht fanden, war Gegenliebe. Weil es mit ihr einfach zu lange dauert. Findest du nicht auch?« fragte Hermes Anteros, der eben auf Schuhnummer »Sonderanfertigung« hereinschlurfte und verdutzt durch die dicken Gläser blinzelte. »Muß das so widerwärtig langsam gehen? Ich habe zweitausend Jahre im Basalt gehangen, mir kann niemand Ungeduld vorwerfen, aber was du dir da leistest, ist an der Grenze des Zumutbaren!«

Auch die Antwort kam zu langsam. Hermes erhob sich brüsk und brach zur Stadtwanderung auf, indem er sich in Romualdas' Ohr verflüchtigte und ihn antrieb, das Zimmer zu verlassen. Anteros folgte, obwohl er sich ungeliebt fühlte. Aber ohne seine Hände ging es nun einmal nicht.

Draußen tiefer Winter.

*

Mitten in der Nacht umgab ein Schwirren das Teufelsmuseum, durchs Fenster waren zwei ruhelose Lichtpunkte zu sehen: Hades war in Kaunas, um sie zu besuchen. Eilends öffneten sie die Tür, und der Totengott trat mit geflügeltem Hut und Schwungsandalen herein.

»Die Post hat sich verzögert, weil ich unterwegs war. Dafür bringe ich sie jetzt selbst. Hier ist der Brief.«

Er ließ sich nieder und erzählte ungeniert von seinen Erlebnissen, obwohl sie sofort Hephästs Antwort lesen wollten. Weil er in der Unterwelt mit der Ausrüstung des Hermes nicht sehr hoch fliegen konnte, bereiste er seit geraumer Zeit die Erde. Das Wolkenspringen beherrschte er, und um sich unsichtbar zu machen, hatte er seine eigene Tarnhaube herausgeholt und trug sie bei Bedarf unter dem Hut. Da er früher nur selten auf der Erde unterwegs gewesen war – und wenn, dann nur in der schwarzen Kutsche mit den alles niedertrampelnden Rossen –, hatte er in der alten Zeit nur selten die Bekanntschaft mit noch lebenden Menschen gemacht.

»Und? Wie gefallen sie dir?« fragte Hermes höflich.

»Es geht mir seltsam: Ich kann neuerdings lachen«, antwortete der Totengott, der dafür bekannt war, daß er nie lachte. »Ich muß sogar, ich komme aus dem Lachen nicht mehr heraus.«

»Worüber denn?«

»Sie sind – rührend. Sie reden und handeln, als wären sie unsterblich, dabei kommen sie im nächsten Moment schon an die Reihe und im übernächsten sind sie Staub. Sie stürzen von der Klippe, und bis kurz vor dem Aufschlagen versichern sie einander: ›Bis jetzt ist alles gutgegangen‹ und sind glücklich!«

»Hephäst will etwas ändern. Einige Menschen sollen unsterblich werden können. Wenn sie wollen.«

Hades lachte abermals. »Das halten sie nicht aus, sie sind keine Götter. Warum will er das?«

»Er ist Techniker …«

Jetzt lasen sie den Brief: Hephäst war einverstanden, mit Hermes in der Wiener Villa zusammenzukommen und mit ihm, Hades und einer weiteren Person zu pokern. Er wollte zwei von seinen Leuten mitbringen. Und das Datum legte er auch fest, es war schon sehr nahe.

»Schnell«, sagte Hermes zu Helle, »ruf bei *Le Monde* an, das Inserat muß eingerückt werden, damit die Götter Zeit haben, hinzureisen!«

»Wozu ein Inserat?« fragte Hades.

»Es ist ein Signal. Wenn dieser Text erscheint, wissen alle, daß es losgeht. Helle hat das geregelt.«

Hades wurde unruhig, weil er wieder fliegen wollte. Er gedachte sich vor der Pokerrunde noch den Himalaya und China anzusehen. Plötzlich, nachdem er aufgestanden war, machte er die Augen zu und dachte nach.

»Unsterbliche Menschen«, sagte er dann. »Unsterbliche gegen Sterbliche. Sagtet ihr nicht, er will sich umbringen?«

Hermes verstand, was er meinte. »Ja, ich denke, er will es auf diesem Weg probieren. Was meinst du – kann es gelingen?«

»Denkbar ist es. Es kommt darauf an, wie er die einen und die anderen gegeneinanderhetzt. Mir paßt es zur Zeit wenig, weil ich die obere Welt recht unterhaltsam finde. Ich fliege lieber los, vielleicht gibt es sie nicht mehr lange.«

Ein Schwirren noch, weg war er.

Zwei Tage später erschien in *Le Monde*, einer von Göttern vielgelesenen Zeitung, folgendes Inserat:

»*Panzerechse entlaufen, zwei Meter lang, hört auf den Namen ›Mimi‹, kann ›Mama‹ und ›Papa‹ sagen. Meldung in Hermesvilla, Wien, bis 15. Januar 2000.*«

»Und diesen Text hast du auch den Göttern mitteilen lassen?« fragte Hermes kopfschüttelnd.

»Nur ›Mimi‹ und ›Mama‹. Ich war so schrecklich müde an dem Abend.«

Plötzlich nahm er sie in die Arme und sah sie an. Er sagte nichts, und sie auch nicht. So standen sie eine Weile, dann küßte er sie und schwieg und küßte wieder und schwieg immer noch.

»Aha. Jetzt ist es wohl passiert?« flüsterte Helle.

»Ich glaube, ich habe den Kerl unterschätzt.«

»Ausgerechnet jetzt, wo du spielen mußt«, klagte sie, obwohl ihr keineswegs kläglich zumute war. »Frisch Verliebte pokern doch so miserabel.«

»Götter, die sterben wollen, ebenso.«

*

Hephäst saß rauchend im Dunkeln neben seiner Feindeskartei im Elektronik-Zentrum unter der alten Schmiede zu Wien. Da er ganz in der Nähe die Kanalisation ausbessern ließ, hatte er den Kyklopen freigegeben – es sollte kein Lärm zu den Bauarbeitern hinüberdringen und auch nicht das Brummen der Stromaggregate. Er knipste die Taschenlampe an und beleuchtete die Kartei, hatte aber doch keine Lust, im Licht dieser Funzel Karten auszusortieren oder neue zu beschriften. Plötzlich hatte er sogar den Gedanken, er müsse einmal eine Kartei derer anlegen, die ihm sympathisch seien. Schnapsidee! Er schüttelte über sich selbst den Kopf: wenn da mehr als drei Kärtchen zusammenkamen, konnte er ebensogut den großen Plan aufgeben, an dem er seit Jahren arbeitete. Wo kamen solche Ideen her? Sie entstanden offenbar, wenn einmal nicht der gewohnte Betrieb herrschte und das Gehirn sich Fehler leistete. Das wäre eine Konjunktiv-Kartei, dachte er, ich würde meine Tochter lieben, wenn sie loyal geblieben wäre, und ich würde sogar Hermes lieben, wenn er nicht die typisch olympische Arroganz an den Tag legte – und olympische Dummheit überreichlich. Jetzt opferte der Kyllenier das bißchen Spielraum, das ihm noch geblieben war, für eine Pokerpartie, die er absolut sicher verlor, und dann wanderte er in die ewige Finsternis. So ewig wurde sie allerdings nicht, sie ging im allgemeinen Tod auf. Hades hatte das noch nicht begriffen. Auch seine Existenz hing an der menschlichen Phantasie. Neuerdings flog er als Lustreisender durch die Welt und kehrte unsichtbar in Dorfgasthäusern ein, um an den Getränken zu naschen wie der letzte Simpel von Lokalgeist. Vor Hades hatte Hephäst Jahrtausende lang Respekt gehabt, jetzt nicht mehr. Es wurde Zeit für ein Ende, und inzwischen standen Reihenfolge und Zeitplan für das Werk fest, das er als sein größtes ansah.

Die armen Länder, ausgebeutet auch von den eigenen Unterdrückern, waren jetzt ausreichend arm. Die reichen Länder waren geradezu verheerend reich und erzeugten und verbrauchten eine ungeheure Energie. Allein dadurch, daß einige alte Wissenschaftler und Finanzleute mit ihrer Erfahrung in neuen Körpern und mit frischen Köpfen weitermachen konnten, war der Vorsprung uneinholbar geworden. Die Aggressivität war insgesamt zufriedenstellend gestiegen, zumal die reichen Länder die ärmeren nicht nur arm bleiben ließen, sondern dort auch die für die Bewußtseinsübertragung geeigneten Menschen züchteten oder auswählten: Rohstoffversorgung.

Jetzt noch dreißig oder höchstens vierzig Jahre so weitermachen, dann die Drohung der Atomterroristen organisieren, über die Großrechner den Finanzkollaps inszenieren und dazu jene unerklärlichen »Zufälle« erzeugen, durch die sich die atomare Erpressung in den Ernstfall verwandelte und dafür sorgte, daß wirklich Kernkraftwerke in die Luft gehen konnten. Und dies würde gelingen, wenn die lebensmüden Uralten in den jungen Körpern es heimlich selbst ermöglichten. Er persönlich würde, als letztes Vergnügen, mit einigen noch nicht erkalteten Vulkanen nachhelfen, damit die Sonne den Smog nicht mehr durchdrang und der Frost alles verbliebene menschliche Leben auf der Erde abtötete und damit die Götter. Wichtig war dafür, daß die Mitglieder der neuen Unsterblichkeitselite – keines unter hundertdreißig – des langen Lebens ebenso überdrüssig waren wie die meisten Götter. Nur Hades und Hermes gaben Anlaß zur Besorgnis: Sie schienen recht gerne noch ein Weilchen »ewig« zu leben. Mit der Pokerpartie würde aber jedenfalls das Problem Hermes erledigt sein, jetzt schon im Jahre 2000. Der stand nicht mehr im Wege.

Die Kartei fiel ihm wieder ein. »Natürlich liebe ich

euch, ich liebe euch doch alle«, murmelte er und grinste. »Ich gebe euch den Tod, etwas, das Unsterbliche bisher umsonst ersehnen. Falls ihr mir danken wollt, tut ihr es besser gleich.«

*

Eine Woche nach dem griechischen Osterfest, im Mai des Jahres 1994, bekam in einem Athener Krankenhaus eine junge Frau den Besuch eines US-Amerikaners, der dazu eigens aus Atlanta hergeflogen war. Er brachte ihr einen batteriebetriebenen CD-Player und seine neuesten Hits mit, denn er war Schlagzeuger.

Er fragte: »Wie geht's dir, Baby?«

Sie antwortete: »Ein Zwischenfall, eine Behelligung im Urlaub, sie kriegen mich aber wieder hin. Erzähl lieber von dir!«

Er merkte, daß er jetzt lieber doch nicht von Auftritten und Triumphen, von seiner Frau oder den Kindern erzählen wollte. Er fragte sie, wie es mit der Erkrankung angefangen habe.

»Ich ging tagelang in Athen spazieren. Ich hatte schon so viel gesehen, konnte aber nicht genug kriegen. Zum zweiten Mal ging ich die Hermesstraße hinunter und wieder hinauf, und die ist lang. Am Tempel des Hephäst – es ist übrigens der einzige in Athen, der gut erhalten ist – dachte ich, ich müsse husten. Aber was kam, war Blut, lauter Blut. Meine Augen haben viel Blut gesehen, mir schien im ersten Moment, es wolle jetzt zum Mund wieder heraus. Das ist alles. Tuberkulose, etwas spät entdeckt. Ich war seit Monaten dünner geworden und wußte nicht, warum. Aber ich hatte so viel zu tun, ich dachte, es läge an der Arbeit.«

Das Krankenhaus lag im Norden der Stadt, ein altes Gebäude mit Pinien vor den Fenstern; Helga studierte deren Äste, während sie Charles' Musik hörte.

Er wollte am nächsten Tag, nach einem Ausflug, wieder hereinsehen. »Kann ich etwas tun, dir etwas besorgen?« fragte er, bevor er ging.

»Eigentlich nicht«, lächelte sie. »Es ist nicht wichtig.«

»Jetzt sag's schon!«

»Ich hätte gern Spielkarten. Ich denke mir manchmal so etwas wie Comics aus, und im Moment ist da eine große Pokerpartie, in der die Welt auf dem Spiel steht. So etwas vertreibt die Zeit, zum Lesen bin ich zu müde. – Aber bitte nur, wenn es dich keine langen Wege kostet!«

»Dann wird der Gott der Wege mir helfen.«

Als er gegangen war, dachte Helga weiter über ihre Geschichte nach. Es sprach einiges dafür, sie glücklich enden zu lassen, einiges aber auch dagegen. Im günstigen Fall gab es am Schluß für den Bösewicht keinen Höllensturz, weil man ihn noch brauchte.

Gemessen an der Wahrheit war jede Geschichte tröstlicher Blödsinn, bestenfalls Ironie. Die Wahrheit war tragisch. Die Liebe starb, die Menschen starben. Die Welt war grausam: nicht sie war es, die unterging, sondern nur das, was Menschen in ihr für wichtig hielten. Dennoch: warum eine Geschichte nicht zu Ende bringen.

Nach einer Woche nahmen Helgas Kräfte dramatisch ab. Sie hatte nicht nur eine, sondern drei Krankheiten auf einmal, die Ärzte staunten nur so. Eine Woche lang lag sie auf der Intensivstation, dann schien es ein wenig aufwärtszugehen. Aber sie war nicht mehr sicher, ob sie hier wieder herauskam.

Nachts zerwühlte sie ihr Bett wie eh und je, daran ließ sie es nicht fehlen, und die Schwestern schüttelten die Köpfe. Tagsüber lag sie still, nahm auch keine Spielkarten mehr zur Hand, hoffte ihrem Körper durch so etwas wie Gebete noch eine Chance zu geben. Sie beobachtete dabei die winzigen Bewegungen des Bläschens im dünnen Schlauch des Tropfs.

Eines Tages klopfte es, und unverhofft kam Jean-Claude sie besuchen, der mathematische Franzose vom Schiff. Er fragte: »Wie geht's?«

Sie zuckte mit der Schulter und flüsterte: »Irgendwie habe ich Mist gebaut. Aber man wird sehen.«

Jean-Claude kam von seiner griechischen Gespielin, der er inzwischen ganz verfallen war, Helga erriet es sofort. In der übrigen Zeit leitete er jetzt in Paris eine ganze Rechenabteilung – Verwandtschaftsbeziehungen hatten geholfen. Außerdem gestand er, nebenher Romane zu schreiben, und daß er als Urenkel eines Connétable wohl auch einen Verlag finden würde.

Sie hätte lieber etwas über die Freundin gehört, aber Jean-Claude schwieg sich darüber aus. Vermutlich hatte er nur allzu ordentliche Vorstellungen darüber, was man einer Schwerkranken erzählen durfte und was nicht, oder er glaubte, daß Schwerkranke nicht neugierig seien. Immerhin, er kam und meinte es gut. Sie war dankbar für jeden, der ein wenig bleiben konnte, dankbar für jede Minute. Aber Jean-Claude redete in Floskeln und beschäftigte die Schwestern viel zu lange mit dem verdammten Blumenstrauß, statt von der Welt zu berichten – nicht aus jedem Versicherungsmathematiker wurde ein Erzähler. Sie hatte die Augen geschlossen, weil ihr mit einem Mal dämmrig wurde, er merkte es. »Dann gehe ich mal lieber, du mußt dich ausruhen«, sagte er und fügte scherzend hinzu: »Fort von hier mit Hermes – aber ich komme wieder.«

Gegen Abend geriet Helga in Wut. Mit knapp vierundzwanzig aus dem Leben gehen zu müssen war eine Zumutung. Sie war noch so neugierig, da konnte noch so viel kommen, Plötzliches und Verrücktes. Außerdem hatte sie doch einiges verstanden von der Welt, es war für diese bestimmt ganz gut, wenn sie noch eine Weile lebte. Aus demselben Grund hatte sie stets den Selbstmord abgelehnt: Das hieß verschwinden, was einem nicht gehörte. Niemanden verloren geben, auch nicht sich selbst! Ihr Zorn richtete sich, um endlich einen Gegner zu finden, gegen ihren Vater. Ich muß hier schweren Abschied nehmen, und dieser Kerl wirft das Leben in die Mülltonne. Jetzt hätte sie ihm gern eine Standpauke gehalten. Ein Erfinder und Konstrukteur, der es ablehnte, sich für das eigene Überleben etwas einfallen zu lassen. Das war Verrat, sonst gar nichts!

Ihre Wut sank wieder in sich zusammen, als es draußen dunkel wurde und die Pinien im Laternenlicht geisterhaft mit den Zweigen wedelten. Verschwendung? Ein verstiegenes Argument im Grunde, entstanden aus Eitelkeit und Todesangst. Genausogut hätte sie sagen können: Ich habe verdient, am Leben zu bleiben, weil ich acht Sprachen spreche. Nichts hatte sie verdient! Und wahrscheinlich war es richtiger zu verzeihen. Das Leben war Geschenk, glücklicher Fund, Diebesbeute; man konnte es nicht festhalten, durfte nicht einmal. Manchmal war – vielleicht – das kürzere Leben ein größeres Geschenk als das längere, wer wollte das wissen? Man konnte das nicht selbst entscheiden und wurde daher besser gar nicht erst gefragt. Das Urteil wurde woanders gefällt, Ende der Debatte.

Sie hörte ihren Namen nennen. Es war Hermes. Sie sah ihn nicht, aber er war es jedenfalls. Ihrer Geschichte nach hätte er zur Zeit in der Unterwelt sein müssen …

»Wie geht's?« fragte er.

»Nun ja«, antwortete sie, »ich sterbe sozusagen.«

»Kannst du bei den Schmerzen schlafen?«

»Ja. – Ich träume zu heftig, heißt es. Sie haben Angst, daß ich aus dem Bett falle. Deshalb wollen sie mich jetzt nachts festbinden. Aber ich habe schon immer mein Bett zerwühlt, das ist bei mir nicht gefährlich.«

»Die werden dich nicht festbinden. Denen drehen wir eine Nase«, sagte der Gott heiter, legte sacht seinen Stab auf ihre Stirn, daß sie einschlief, und nahm sie mit auf die Reise.

Achtes Kapitel

Athen Athen!

Hermes hielt sich ohne Helle in der Stadt auf – es war ihr Wunsch gewesen. Sie war bereits in Santorin, wo die anderen Götter erst später hinkommen sollten. Sie behauptete, allein und in Ruhe den Ort betrachten zu wollen, den sie vor zehn Jahren durch Helgas Augen hindurch zuerst kennengelernt hatte. Vielleicht wollte sie aber nur einmal ein paar Tage ohne Hermes sein; sie hatte angedeutet, er erdrücke sie etwas mit seiner Liebe. Und vor allem mußte frühzeitig jemand dort sein, um das große Fest vorzubereiten.

Hermes residierte unter dem Dach des Hauses Nr. 136 im ärmlicheren Teil der »Hermesstraße«. Im Erdgeschoß des ehemals ansehnlichen Eckhauses gab es eine Tankstelle, und im zweiten Stock, unmittelbar unter ihm, war der Versammlungssaal der Vereinigung griechischer Archäologen. Weil es in diesem Land viel zu graben gab, versammelten sie sich nur ganz selten; Hermes konnte auf dem Konferenztisch auf und ab spazieren und dabei in seine Straße blicken. Zugleich sah er von hier gut den Tempel des Hephäst, den einzigen guterhaltenen in Athen, ferner die Agora und die Akropolis.

Auch ihm ging Helga nicht aus dem Kopf, deren junge Seele er in den Tod begleitet hatte, obwohl er nach ihrer Geschichte zu jener Zeit in der Unterwelt hätte stecken müssen. Sie hatte, wie alle anderen Menschen auch, nie begriffen, daß eine Gottheit überall zugleich war. Aus diesem Irrtum heraus entstanden aber die schönsten Geschichten, es wäre falsch gewesen, ihn zu berichtigen.

Die Pokerpartie hätte Helga Spaß gemacht, dachte er, auch wenn der Gott, dem sie sich zugehörig fühlte, so dramatisch verlor. Daß sie vom Pokern etwas verstand, hatte Hades berichtet, der sie ab und zu auf der Insel der Seligen besuchte. Man spielte dort um Perlen, manchmal auch um Liebe, es war von beidem genug da. Helga hatte nach Hades' Meinung nur einen Fehler: sie war zu neugierig und wollte stets das Gewinnblatt sehen, was sie einiges kostete – auf der Insel der Seligen kein Problem.

Hephäst war in der Tat der beste Pokerspieler der Welt, und er hatte Hermes eine gewaltige Lehre erteilt. Da die gesamte Partie nicht nur von einem Dutzend Gottheiten, sondern auch von zehn Videokameras unablässig verfolgt worden war, konnte hinterher jede Täuschung und jeder gute Bluff rekonstruiert werden, Dummheiten aus Übermut ebenso wie solche aus Kleinmut, und jeder der betrügerischen Tricks, in denen sich Hermes hervorgetan hatte: die Verabredung mit Hades und der guten Nora aus Las Vegas, das vorgetäuschte Mischen, wenn er gab – all das sahen zwar die Zuschauer nicht, vielleicht nicht einmal Hephäst, wohl aber die Kameras, die erst nach der großen Partie ausgewertet wurden und am Ergebnis nichts mehr ändern konnten. Sie hatten am Tage danach gezeigt, daß Hermes es zu einem der geriebensten Betrüger gebracht hatte – und zugleich Klarheit darüber geliefert, wie Hephäst ihn geschlagen hatte: eben deshalb. Der Schmied mit dem Rechenschieber hatte nicht Betrugsmöglichkeiten im Auge, sondern die mathematische Wahrscheinlichkeit.

Hermes verließ das Haus, überquerte die Straße und mit einem Sprung die Gleise der Linie 31 nach Piräus, schlenderte dann zum Tempel hinüber, um Hephäst eine kleine Reverenz zu erweisen. Natürlich kann er mich jetzt nicht mehr ganz so leicht schlagen, dachte er, aber im Pokern bleibe ich ein Gott zweiter Klasse, damit muß ich nun lange leben.

Sogar Hera hatte zugesehen, angetan mit einem Kleid von der Farbe ungebackener Semmeln – vielleicht war es dieses Kleid, das Zeus bis nach Amerika getrieben hatte. Und natürlich war Ares dagewesen, der in den Schützengräben des letzten Jahrhunderts mit Spielkarten geradezu gelebt hatte. Er war immer noch gefährlich alt, weshalb alle ihn ermahnten, recht bald in den Kopf eines jungen, kräftigen Mannes überzuwechseln. »Oder einer Frau«, hatte Aphrodite hinzugefügt, die sich, nach dem verstorbenen Knidlberger, wiederum für einen Mann entschieden hatte. Ares liebte aber das Risiko. Er blieb der Gott der Krieger, auch beim Pokern, weshalb er seine Chips schnell los gewesen war und nur noch gekiebitzt hatte.

Hermes wollte nun so bald keine Karten mehr anfassen, von den Chips ganz zu schweigen, und in seinem Kopf hallte der stolze Satz des Schmiedegottes nach: »Ich bin ein System, gegen mich gewinnt man nicht!«

Nach einem Gang durch die Überreste der alten Agora (die einst sein Ort gewesen war, mehr jedenfalls als das fromme Manhattan oben auf der Akropolis) stromerte er durch die Straße des Hephäst, eine kurze Straße voller Trödelläden mit langen Verkaufsgesprächen. In ihr kehrte er um und ging durch die Astingosstraße zur Hermesstraße zurück, auf der paradoxerweise mehr Metallgeschäfte waren als in der des Hephäst. Vor einem von ihnen rotierte in einem Drehgrill ein Lamm aus schneeweißem Styropor. Die Geschöpfe Hephästs fanden so etwas schon lange nicht mehr seltsam. Der Ungeist von Multiplikation und Division ließ es zur Gewohnheit werden, alles aufzutrennen und dann nur noch einem bestimmten Bruchstück davon Aufmerksamkeit zuzuwenden. Ein Braten aus Styropor! Jedes göttliche Auge konnte sich nur abwenden.

Die Athener hatten immerhin eines richtig gemacht: sie hatten nach ihm, Hermes, die dafür weitaus geeignetste Straße benannt, eine Straße des Weltenwechsels. Sie begann am Verfassungsplatz unmittelbar unterhalb des Parlaments, das früher einmal Königspalast gewesen war, genoß eine Weile dank vornehmer Hotels, Pelzgeschäfte und Parfumläden hohes Ansehen, wurde dann kleinbürgerlicher. Es kam ein altes Kloster, von Kneipen umstellt, danach immer mehr verschlossene Geschäfte mit abweisenden, rostigen Wellblechjalousien, mittendrin noch ein »Theater an der Hermesstraße«. Die Handwerksbetriebe wurden zahlreicher, lagen meist im Keller und waren von der Straße aus über enge Steintreppen zu betreten. Immer mehr Hermetiker sah man hier, gefangene Abenteurer, unterdrückte Seher, trotzige Menschen mit brachliegender Redegabe. Ab den Ecken Philippou und Karaskaki wurde das Bild der Geschäfte noch trödlerischer; schließlich Baufirmen, Baustellen, Lagerhallen. Ein antikes Gräberfeld zur Rechten, dann das Busdepot, an dem die Hermesstraße endete, und zwei gedrungene, viereckige Schornsteine. So war sein Weg gestern gewesen, beim ersten Gang, auf dem er das alte Haus mit der Tankstelle als Residenz für sich entdeckt hatte.

Diesmal ging Hermes in umgekehrter Richtung, aber trotz der Verabredung mit Athene wenig zielbewußt. Er war jetzt da, wo er die nächsten hundert Jahre verbringen wollte, und hatte Zeit. An der Ecke Astingos setzte er sich an den Tisch vor einem Motorradshop, denn man konnte dort außer starken Maschinen und Zubehör auch ein Glas Tee bekommen.

Drei Wochen war die Wiener Pokerpartie jetzt her, und noch immer schob sich Hephästs letzter »Straight Flush« in fast jedes Bild hinein, aufgeblättert mit aufreizender Langsamkeit, säuberlich in der Reihenfolge von der Drei bis zur Sieben im Gänsemarsch, und immer Karo, Karo, gab es eine dümmere Farbe als Karo? Vor ihm auf dem Tisch hingegen der rührende letzte Schulterschluß der vier Damen, umsonst entblößt, peinlich berührt lagen sie da, eine gescheiterte Frauenriege, und konnten ihrem Gott nicht mehr helfen. Sein erster Gedanke: Ich hätte doch lieber in Las Vegas lernen sollen statt in Litauen! Dazu die freundlich erklärenden Sätze Hephästs: »Niemand ist leichter zu schlagen als ein selbstsicherer Betrüger. Ich bedaure manchmal, daß es heute fast nur noch Computerpartien gibt, in denen man außer Knöpfen nichts anfaßt. Klassische Kartenschwindler waren immer eine herrliche Beute. Schade, vielleicht warst du der letzte von ihnen!«

Eine filmreife Niederlage vor aller Augen. Jetzt war er wieder der zurückgebliebene alte Hermes, der das Wichtigste nicht verstanden hatte. Es war selbst für ihn, den Gott der listigen Selbstverkleinerung, schwer erträglich. Sein Pokerschicksal spiegelte zudem das seiner Leute, der Hermesmenschen in der ganzen Welt: Sie waren furchtlos, glaubten an ihr Glück, wagten frech den Betrug – und wurden gerade deshalb von einer überlegen kontrollierenden Logik sofort an ihren irrationalen Spielzügen erkannt, sacht ausmanövriert oder in Abenteuer getrieben, die ihnen das Genick brachen. In Hephästs System waren die Schwindler nur noch Narren, die Narren nur noch Schwindler. Vielleicht hatte er die Einladung zum Pokern deshalb angenommen, um vernichtend zu beweisen, daß Hermetiker in dieser Welt nicht mehr gebraucht wurden, und Hermes selbst auch nicht.

Athene saß schon im mondänen Dachgartenrestaurant und tatsächlich, sie rauchte! Sie trat seit dem Tod ihrer langjährigen Trägerin in eigener Gestalt auf wie Hermes, und wenn jetzt eine vom Mut der Götter wieder begleitete Welt entstand, dann wurde es ohnehin überflüssig, sich als Gottheit pedantisch zu tarnen. Das war eine erfreuliche Aussicht, denn bei Unterhaltungen zwischen Freunden ging bei dem Umweg über die fremden Köpfe viel verloren.

Athenes Kleidung war teuer, salopp und elegant, Hermes verstand, warum sie sich mit ihm nicht bei den Motorbikern hatte treffen wollen. Schon mit ihrem göttlichen Originalgesicht hätte sie dort sämtliche Unterkiefer herunterklappen lassen; es war sogar hier nicht wesentlich anders. Nachdem sie ihn wegen seiner unwandelbaren und dabei attraktiven Dunkelfarbigkeit gebührend bestaunt hatte, fragte sie, wie es in Wien gewesen sei.

»Schön. Ich bin viel Schlittschuh gelaufen.«

Da die über die Stadt Athen verhängte Sperre Hephästs erst vor zwei Tagen aufgehoben worden war, wußte sie noch nicht einmal, wer bei der Pokerpartie gesiegt hatte. Sie habe das Gerücht gehört, es sei dabei um Hermes' Freiheit und das Schicksal der ganzen Welt gegangen. Wenn das so gewesen sei, dann habe er ja wohl gewonnen.

»Verloren, verloren! Hephäst ist es, der gewonnen hat«, antwortete Hermes. »Wie einen Trottel hat er mich vorgeführt. Aber was er da gewonnen hat, war lediglich das, was *er* für das Spiel hielt. Ich habe mein eigenes in den Pausen und während des Essens gespielt. Bei hoch gewettetem Poker gibt es ja diesen vornehmen Stil, Umgangsformen und viel Konversation zwischendurch. Ich habe auf der ganzen Linie gewonnen, meine Trümpfe lagen bereit, mein Bluff hat ihm schließlich Beine und Krücken gleichzeitig weggezogen. Trotzdem hätte ich natürlich auch gern mit den Karten gewonnen. Ich bin nicht so weise, absichtlich zu verlieren. Auch wenn das jetzt einige behaupten.«

»Wie hast du ihn geblufft?«

»Am wichtigsten war, daß er überhaupt glaubte, ich wäre wegen des Pokerns gekommen. Er zweifelte keinen Moment daran – solange, bis es zu spät war.«

»Hat Anteros ihn beeinflußt?«

»Während der Partie trat er nicht mehr in Erscheinung, er war im Zorn gegangen, nachdem Eros, der arrogante Schwengel, ihn als ›Ossi‹ beschimpft hatte. Niemand weiß warum, beider Namen enden auf ›os‹! Aber seine Wirkung hatte wohl schon eingesetzt, auch bei Hephäst selbst, es hat sicherlich mitgeholfen.«

»Was waren deine Trümpfe?«

»Die anderen Götter. Ares zum Beispiel, der damit Erfahrungen gemacht hat, erklärte ihm, daß unsterbliche Menschen nicht klug und zunehmend lebensmüde, sondern ab etwa einhundertzwanzig Jahren nur noch unzugänglich und elend sein würden. Sie säßen dann in gebeugter Haltung, sprächen mit sich selbst und schlügen sich mit der Faust gegen die Stirn, weil ihnen das Leben unerträglich geworden wäre. ›Sie werden die Psychiatrie bevölkern‹, sagte er, ›aber nicht die Welt beherrschen‹. Das machte Eindruck auf Hephäst, er hatte sich das anders vorgestellt. Und dann kam Apollon plötzlich mit dieser aktuellen Forschungsnachricht …«

»Stimmt es wirklich, daß du jetzt monogam lebst und nur noch eine einzige Frau hast, die langverschollene Helle?«

Hermes war verdutzt. So brennend interessierte sie sich offenbar doch nicht für das Männerduell.

In diesem Moment betrat Apollon den Dachgarten, ebenfalls in ursprünglicher Gestalt, allerdings nicht nackt, wie es sich für den Gott des Lichts und der Transparenz gehörte. Vielmehr trug er eine sehr kriegerische Nationaltracht mit langen weißen Strümpfen und dem berühmten Röckchen. Er erregte noch mehr Aufsehen als Athene.

»Bitte ignoriert mein Äußeres! Ich habe noch zu wenig Geschick, mich mit heutiger Kleidung zu versorgen. Erst im Nationalmuseum wurde ich fündig.« Sie ignorierten wunschgemäß. Sie luden ihn ein, Platz zu nehmen.

»Wir dürfen ja jetzt wieder zusammensitzen«, sagte Hermes und kniff ein Auge zu.

»Als du ihm das mit dem Orakelspruch sagtest, brach er zusammen. Woher wußtest du eigentlich«, fragte Apollon, »daß er ihn ins Gegenteil verfälscht hat?«

»Nichts habe ich gewußt. Ich habe es einfach probiert, und er war wie gelähmt und hat es bestätigt. Wie ein erwischter Mörder.«

»Schade, daß du nicht dabei sein konntest, Athene!« sagte Apollon. »Genosse Herdhitze ließ sich auf den Stuhl fallen, die Krücke fiel ihm aus der Hand, sein Kinn begann zu zittern, dann schluchzte er wie ein Kind. Alles habe er falsch gemacht, er sei eben nicht mehr zurechtgekommen, er wolle auch nicht mehr, er sei allein und so immer weiter. Wir mußten ihn trösten und ihm sagen, er sei ein toller Kerl und müsse mit Zeus und uns zusammen weitermachen. Er antwortete, er liebe uns alle, aber er müsse jetzt unbedingt in den Tartaros. Hermes fiel schließlich das Richtige ein: Das Härten des Stahls mit Hilfe von Gänsekot, sagte er, sei eine geniale Erfindung gewesen, ganz große Klasse, und vor den schmiedeeisernen Türen von Notre-Dame könne man wirklich nur den Hut ziehen. Da hörte Hephäst auf zu weinen, lächelte mit nassem Gesicht und antwortete: ›Wo du recht hast, hast du recht.‹«

»Das Beste ist aber längst vorher passiert, in der Spielpause!« fiel Hermes ein. »Eine unverhoffte Nachricht von der Sternwarte in Sydney. Die Wissenschaft selbst ist es, die Bruder Vulkan in letzter Minute geschlagen hat.«

Da Athene beim Wort »Wissenschaft« aufhorchte, erklärte er ihr: »Es ist keine gute Nachricht, Athene. Am 14. August 2116 wird ein Meteor mit einem Durchmesser von fünf Kilometern auf der Erde aufschlagen und jedes irdische Leben auslöschen. Apollon hat unmittelbar vor der Pokerpartie davon erfahren. Der Himmelskörper wird für das sorgen, was Hephäst sich gewünscht hat. Also kann er sich zurückhalten und mit uns anderen zusammen in Würde auf das

Ende warten. Wir haben noch etwas über hundert Jahre ...«

»Wir müssen los«, unterbrach Apollon, Gott der Pünktlichkeit. »Vater wird gegen Abend in Paläa Kaimeni eintreffen, es wäre mir peinlich, wenn wir fehlten.«

Athene interessierte sich für völlig andere Dinge. Sie fragte Hermes: »Ist Helle nicht eifersüchtig, wenn du hier allein bist – und mich triffst?«

»Nein.«

»Und kannst du es aushalten, daß sie nicht hier ist?«

»Nein.«

*

Helle prüfte das Wetter. Über die Inseln von Santorin zogen langgestreckte Wolken hin, vereinzelt brach die Sonne durch. Wenigstens konnte Hades es bei dieser Bewölkung schaffen, rechtzeitig zur Begrüßung des Zeus da zu sein. Helle stand auf dem Hochplateau der Insel Paläa Kaimeni, auf der es bis gestern jahrhundertelang nur totenstill und einsam gewesen war. Eben darum eignete sie sich ja für das Treffen so gut. Der Olymp war dauerhaft von Touristen befallen, sie biwakierten an seinen heiligsten Orten.

Helle sah, wie eine kleine Segelflotte durch die Meeresstraße im Südwesten hereinfuhr und auf Paläa Kaimeni zuhielt: die Boote mit den Schankkellnern, Musikern, den Vorräten an Nektar, Ambrosia und an Menschennahrung für die, die sich dran gewöhnt hatten. Nicht zu vergessen einige Fässer Wein und Bier. Unten am Nothafen kam eben das Motorboot mit Hephäst an, sie mußte hinuntereilen, um ihm auf den Berg zu helfen.

Ursprünglich hatte er mit dem Hubschrauber kommen wollen, aber das hatten die anderen Götter sich verbeten.

Einige waren schon da. Artemis schlenderte oberhalb der »Schmidt-Wand« und studierte mit ihrem kritischen Auge die ewig rauchende Müllkippe von Phira. Hestia kümmerte sich um das so viel willkommenere Feuer hier in der Mitte des Hochplateaus. Es war allerdings schwer, Brennbares zu finden – außer einer schütteren Macchia aus Mastixsträuchern wuchs auf der Insel nichts Holziges, sie mußte den Kahn mit dem Feuerholz abwarten. Anteros erklärte gerade mit erhobenem Zeigefinger dem Eros sehr langsam die »Ausgewogenheit im guten Sinne«. Eros hörte ihm vermutlich nur deshalb zu, weil er es im Moment schick fand, eine Versöhnungsszene mit Anteros zu inszenieren. Ares hatte sich neben einer Klippe auf ein Knie niedergelassen und beobachtete mit regungsloser Geduld einen emsig wühlenden Schwarzkäfer. Auf ein Karteikärtchen notierte er: »*Raiboscelis azureus* im Frühjahr tagaktiv«. Als er wieder hinsah, hatte eine Kykladen-Eidechse (*podarcis erhardi*) das Studienobjekt im Maul und verschwand damit unter den Moosfarnen (*selaginellaceae*).

Es war nicht genau zu sagen, ob das Fest deshalb stattfand, weil die Welt sich besserte, oder ob ihr das nur möglich war durch das neue Einvernehmen unter den Göttern. Schon vor Wien hatte sich gezeigt, daß Menschen sich plötzlich auf unerklärliche Weise änderten, und in den drei Wochen seitdem hatte der Wandel die ganze Welt ergriffen. Alle, bei denen Anteros Gegenliebe in Gang gebracht hatte, fielen neuerdings durch Ruhe, Weisheit und Tatkraft auf. Alle, in deren Kopf Hermes als Gast gewesen war, vergaßen das Suchen und entdeckten das Finden, entwickelten produktive Faulheit, machten sich nicht mehr zu Opfern der Arbeit, sondern zu Freunden des Gelingens. Keiner schrieb mehr Listen all dessen, was bei einer Unternehmung vermieden werden müsse – sie setzten sich hin, dösten ein wenig und stellten sich einen Film vor, in welchem die Unternehmung gelang; dann taten sie, was sie gesehen hatten. Jean-Claude schrieb unter dem Pseudonym »Le Connétable« und hatte so viel Erfolg, daß er das Rechnen anderen überlassen konnte. Der Junge, dem Hermes im richtigen Moment Kopfschmerzen verordnet hatte, füllte inzwischen mit seiner Gitarre die Konzertsäle, Nathalie Rittberger war Bundespräsidentin, Rosangela eine gute Architektin, der Schmied aus Freystadt/Oberpfalz Seniorenmeister in den lateinamerikanischen Tänzen, der Beichtvater aus der venezianischen Kirche leitete in Paris eines der besten Varietés der Welt. Romualdas studierte Maschinenbau und Pantomime in Athen und war seinen Lehrern gefährlich weit voraus.

Die Wirkung von Hermes' Gegenwart trat allerdings erstaunlich spät ein; Anteros hatte eine Bemerkung darüber nicht unterdrücken können.

Aber auch ohne direktes göttliches Zutun sank ganz allgemein der Haßpegel, wuchs die Bereitschaft zur uneitlen, namenlosen, geheimnisvoll bleibenden Hilfe und zur Geduld mit Landfremden, Unbeholfenen und Außenseitern. Vor allem war eine respektvolle Duldung zwischen Hermetikern und Apollinikern zu bemerken. Obwohl keiner unter ihnen von dem Orakelspruch wissen konnte, war mit Händen zu greifen, daß sie sich wieder vertrugen.

Hermes, ein furchtloser Pirat, hatte gesiegt. Aber er

dachte glücklicherweise nicht daran, Chef oder auch nur so etwas wie Generalsekretär sein zu wollen. Er würde wieder herumstromern, Absonderliches aufspüren, Späße treiben, jegliche Arbeit scheuen und dennoch Gott der Götter sein, denn das Gute war dank seiner nicht mehr nur ein Böses, das man ließ: Menschen, die sich vor der Tiefe und dem Unbekanntem nicht fürchteten, die von fremden Welten angezogen wurden, Risiken liebten, hatten durch Hermes wieder einen Platz im Kosmos.

Daß die Addition sich als der Multiplikation überlegen erwies, hatte Hephäst selbst bereits eingeräumt, er sprach neuerdings lieber von Graswurzeln, Schneebällen und Farnkräutern. Seine Computer waren soeben zu dem Resultat gekommen, daß die Glanzzeit der Multiplikation vorbei sei. Nur in einigen eher primitiven Funktionen würde sie, so lehrte Hephäst nun, überhaupt noch eine Rolle spielen.

Für ein Fest gab es also Anlaß. Kein Gott würde sich künftig langweilen. Jetzt lag der Grund für all den vergangenen Überdruß der Olympier offen zutage. Nicht Welt oder Menschen als solche langweilten, sondern nur die erbarmungslos alles andere überwuchernden Produkte des vereinsamten, hinter seinen Arbeitsbergen verkommenen Hephäst. Die Zukunft sah besser aus. Wenn sie nur etwas länger gedauert hätte! Die hundertsechzehn Jahre bis zum Einschlag des Meteors waren für Götter doch arg kurz.

*

Athene hatte sich nach Anteros umgesehen und ihn an seinen großen Füßen gleich wiedererkannt, obwohl ihre letzte Begegnung lange her war. Damals hatte sie ihn gebeten, die Finger von ihr zu lassen, auch wenn sich immer wieder Götter in sie verliebten und Anteros zwingen wollten, in ihr die Gegenliebe anzufachen – einer von ihnen war Hephäst gewesen. Anteros hatte standgehalten und nichts Unerwünschtes versucht, sie wußte das zu schätzen.

»Anteros, mich interessiert, was du mit Hermes angestellt hast. Jahrtausendelang hat er mich geliebt, was mir keineswegs unangenehm war. Jetzt sucht er mich nur noch auf, um von Helle und dem Wunder der Monogamie zu reden – hast du da etwa des Guten zuviel getan?«

»Du verwirrst mich. Ich dachte, du willst die stolze Jungfrau sein und auf immer allein bleiben?«

»Im Prinzip. Aber ich mag es auch nicht, wenn das neuerdings so absolut respektiert wird. Und an Hermes liebe ich gerade, daß er alle Frauen liebt. Und daß er es sich mit mir durchaus vorstellen könnte, ohne aber darüber zu sprechen.«

»Du bist ein schwieriger Fall, Athene! Zurücknehmen kann ich nichts. Aber ich könnte ihn natürlich bei irgendeiner Gelegenheit etwas in deine Richtung ... eine Winzigkeit nur ... ich muß es mir noch überlegen. Ich bin nicht damit vertraut, Durcheinander zu stiften.«

»Übe ein bißchen«, lächelte Athene.

*

Hermes und Helle kamen von ihrem Platz in den Klippen zurück und gesellten sich wieder zu den anderen. Es war nicht die richtige Jahreszeit für ein Fest im Freien, aber Hephäst hatte es verstanden, durch unterirdische Kanäle Meer und Felsen zu erwärmen, allerdings moderat, der Schwefelgeruch wäre sonst nicht auszuhalten gewesen. Und Aiolos sorgte für einen fröhlichen warmen Wind, der ohne Einschränkung willkommen war.

Zeus war schon am Spätnachmittag angekommen, mit einem kleinen Gewitter natürlich, aber eindeutig zum Feiern, weshalb er auch sofort nach der Ankunft alle Wolken fortschob und einen sonnigen Abend spendierte. Als man ihm eine Art Konferenzplan vorlegte – schriftlich, was ihn die Stirn runzeln ließ –, machte er eine Stichprobe auf Seite achtundzwanzig und las den Satz:

»*XII 7 c: Wir müssen die Ortsgeister zur Ordnung rufen. Ständig fehlt in den Wein- und Schnapsflaschen der Menschen mehr, als eigentlich fehlen dürfte.*«

Er warf den Konferenzplan in Hestias Feuer, denn er wollte keine Erledigungen oder Beratungen und eine Tagesordnung schon gar nicht. Das Fest begann mit Musik, man hatte eigens den alten Charles, inzwischen einer der berühmtesten Schlagzeuger der Welt, aus den USA kommen lassen. Viele Götter lernten sich neu kennen – zum Teil mußten sie dazu Handbücher der Menschenwelt als *Who's Who* benutzen.

Hermes hielt Anteros fest, der ihm irgendwie aus dem Wege zu gehen schien. »Halt, ich muß mit dir sprechen!« Er dämpfte seine Stimme: »Du weißt, daß ich Athene immer geliebt habe, wenn auch platonisch. Ich habe ihren Wunsch respektiert, allein und frei zu sein. Aber jetzt, seit unserem Wiedersehen, geht mir ihre Geistesabwesenheit doch manchmal etwas zu weit. Sie hört ja kaum noch zu. Könntest du bei passender Gelegenheit ein wenig Sehnsucht bei ihr erzeugen – nach mir natürlich nur?«

»Ich werde sehen, was sich machen läßt«, antwortete Anteros und dachte bei sich: Da lieben sich zwei und verlangen von mir, den jeweils anderen verliebt zu machen. Ein ideales Geschäft, wäre ich Geschäftsmann. Noch ein anderer Gedanke keimte in ihm auf. Es gab manches, was er nie versucht hatte: warum nicht einmal in eigener Sache arbeiten? Schon seit Kaunas und Moskau war er in Helle verliebt. Vielleicht gelang es ihm, Helles Optik zu beeinflussen, seine Schuhgröße für ihre Wahrnehmung um ein paar Nummern zu verringern, der dicken Brille erotische Anziehungskraft zu verleihen? Er stapfte im Dunkeln bis zur höchsten Stelle der Insel hinauf, stand direkt über der Felswand, an der Hermes so lang gehangen hatte, und betrachtete die Flimmerlichter von Thera und Therasia. Nein, dachte er, bei Helle ist es wohl nicht zu schaffen, auch wenn ich noch langsamer arbeite als sonst.

*

Hephäst ging auf seinen Vater Zeus zu, um das zu sagen, worauf alle warteten.

»Ich habe viel angerichtet, Vater. Ich habe mir zu viel zugetraut. Ich will mich aber nicht entschuldigen, sondern dich bitten, wieder selbst zu regieren und nicht bloß Vollmachten auszustellen wie bisher. Die Welt ist dabei, besser zu werden und uns Götter damit auch besser zu unterhalten als in der Vergangenheit. Ich habe dich ungern aus deiner Ruhe gerissen, aber ich mußte einsehen, daß es nötig war. Dich kann niemand vertreten.«

Zeus nickte zustimmend, mit einer winzigen Spur Ungeduld. Alle kannten ihn darin, daß er lange Reden nur liebte, wenn er sie selbst hielt. Hier kam hinzu: er wußte, daß er durch seine Abwesenheit selbst sein Teil zur Entwicklung beigetragen hatte.

Er kürzte Hephästs Rede ab: »Selbstverständlich, Sohn, ich komme gern. Jeder Gott ist der Ruf eines anderen nach Rettung, nicht mehr, nicht weniger. Zudem wären wir, wie ich höre, ohne Helga Herdhitze und Johann Joachim Winckelmann aus Stendal gar nicht bis hierher gekommen. Daher findet ab sofort am Geburtstag der beiden, an jedem 9. Dezember, eine große Pokerpartie statt. Hades ist damit einverstanden, daß Helga für diesen Tag in die irdische Welt zurückkehrt und daran teilnimmt.«

Das zuversichtliche Wort »Hades ist einverstanden« fiel an diesem Abend öfter, und ein leicht beschwörender Unterton war nicht zu überhören, denn der Totenfürst blieb ein unberechenbarer Geselle. Jetzt aber nickte er Zeus ganz deutlich zu: zumindest die Sache mit Helga ging in Ordnung.

Zeus hatte mit einer so wohlkalkulierten Bescheidenheit und dennoch mit soviel Metall in der Stimme gesprochen, daß alle wußten: Er hatte es nicht verlernt, aufzutreten, zu entscheiden, sich Respekt zu verschaffen. Hermes ahnte aber, daß Zeus sich jetzt schon nach der sommersprossigen Nelly in Sparta und dem Bogenschützenverein in New Athens zurücksehnte. Überdies war fraglich, ob die jetzige Welt überhaupt noch einen Boß brauchte.

Hephäst war in Gnaden entlassen, er ging erleichtert zu den anderen zurück, tanzte mit Helle das Vater-Tochter-Tänzchen wie ein Bär und trank danach reichlich

Bier. Er wollte schließlich sogar singen. Da er sich aber jahrhundertelang auf Schriftlichkeit, Technik und zuletzt auf seine Datenbanken verlassen hatte, waren ihm von den Melodien nur Bruchstücke, von den Versen nur einzelne Zeilen geläufig, hauptsächlich deutsche Sachen, und er kam nicht weiter als: »Jaja, das Meer ist blau, so blau«, »Du hast ja ein Ziel vor den Augen«, »Schenkt man sich Rosen in Tirol«, danach versuchte er mit »Lala« weiterzumachen, bis auch die Melodie ihn verließ. Bewegend war, daß er überhaupt sang.

»Ich weiß, ich kann es nicht«, rief er Hermes zu, »aber um die Wahrheit zu sagen, ich konnte auch nie rechnen. Und ihr, meine Lieben, das habe ich gemerkt, könnt nicht in Steinflechten lesen und nicht weissagen.«

Alles lachte. Hermes rief: »Nicht einmal auf Schlaf verzichten können wir. So ist es. Endlich lernst du, was ›hermetisch‹ heißt – bitte zucke bei dem Wort in Zukunft nicht mehr zusammen. Ja, Hephäst kann nicht rechnen, aber er ist da, und das allein bedeutet etwas. Auch Hermes kann gar nichts, aber daß er existiert, kann etwas bewirken. Apoll ist mehr als ein pedantischer Traum, ein Kellner nur dann ein guter Kellner, wenn er keiner ist, ein Schriftsteller…«

»Genug, du Durcheinanderbringer!« riefen die Götter. »Wir wußten über dich alles Wichtige, solange du selbst nichts dazu sagen konntest.«

»Ihr durchschaut mich, ihr seid mir über«, antwortete Hermes ehrerbietig. »Jetzt, da ihr alle wieder im Spiel seid, werde ich euer Bote sein wie früher, und ich verspreche euch: kein bißchen zuverlässiger. Hades ist einverstanden und gibt mir mein Fluggerät zurück. – Wo ist Apoll? Ich wollte ihn etwas fragen.«

»Hier bin ich«, antwortete der Gesuchte und stand vom Feuer auf. »Was willst du wissen?«

»Du hattest kaum mehr Verbindung zur allerneuesten Forschung und Wissenschaft. Wie hast du es in Wien trotzdem geschafft, an die alles entscheidende Nachricht über die kommende Katastrophe heranzukommen?«

Apollon, der Gott der Tadellosigkeit und der lauteren Wahrheit, holte Luft.

»Ich habe sie erfunden.«

Es erhob sich ein unauslöschliches Gelächter, das zweite schon innerhalb von dreitausend Jahren. Wenn Götter unauslöschlich lachen, wird es laut. Fünfzehn Schafe flüchteten panisch in die Klippen. Die Touristen auf der Nachbarinsel glaubten an den bevorstehenden Ausbruch des Postkartenvulkans – Mutige holten die Kameras heraus, Furchtsame hasteten zum Boot. Sogar in Phira, auf den Steinbänken rund um das Kriegerdenkmal der »Taverna Mythos«, hoben einige Menschen die Köpfe, blickten auf die Bucht hinaus und fragten sich, was es an einem so einsamen Ort so laut zu lachen gebe.

Schlußbemerkung

Die Götter- und Heldengeschichten der Völker waren nie ganz festgeschrieben, schon weil sie in einer Zeit entwikkelt und weitererzählt wurden, die vom Schriftlichen nicht so beherrscht war wie die unsere. Kein Erzähler fühlte sich sklavisch an das gebunden, was man ihm zuvor erzählt hatte. Nur dadurch war es so gut möglich, daß gewandelte Auffassungen über einzelne Gottheiten auch zu neuen Geschichten führten. Der Übergang von einer eher matriarchalischen zu einer eher patriarchalischen Gesellschaft änderte in der Götterwelt viel, und hinzu kam durch die Jahrhunderte eine Verfeinerung der Lebenselemente, die von einzelnen Gottheiten verkörpert wurden: So wurde aus dem Fruchtbarkeits-, Herden- und Hirtengott Hermes, ursprünglich wohl überhaupt nur Symbol des Phallus, der Gott der diebischen und rednerischen List und des sicheren Griffs, Götterbote, Hüter nächtlicher Wege, Wegkreuzungen und intuitiver Lösungen, sogar Begleiter der Seelen ins Totenreich.

Gerade weil ich das Recht in Anspruch nahm, griechische Mythologie jenseits der tradierten Geschichten frei weiterzuspinnen, möchte ich hier einige Details nennen, die ausschließlich von mir erfunden sind. Folgende Gestalten oder Vorgänge kommen in der Überlieferung garantiert nicht vor:

Daß Hephäst das Rad erfunden habe, indem er einen »Radmenschen« entwarf. Daß Hephäst die Herrschaft von Zeus übernommen oder usurpiert habe. Daß Hermes, aus welchem Grunde auch immer, irgendwo angeschmiedet worden sei (das passierte, wenn überhaupt, nur dem Prometheus). Daß Helle nicht die Tochter des Athamas, sondern des Hephäst gewesen sei (überliefert ist aber, daß die Nebelgöttin Nephéle die Mutter war). Daß Helle den

Absturz in den Hellespont überlebt habe. Daß Götter durchs rechte Ohr gehüpft seien (sie nahmen in der antiken Vorstellung aber durchaus »jemandes Gestalt an«). Daß Götter nicht in der Lage gewesen wären, zu multiplizieren und zu dividieren. Daß Hades Leuchtaugen gehabt habe. Wie Anteros Gegenliebe zu erzeugen pflegte (es dürfte aber tatsächlich ein Heiligtum in Athen gegeben haben, das ihm die Metöken, sozusagen die damaligen »ausländischen Mitbürger«, errichtet hatten). Auch aus oberflächlicher Kenntnis der griechischen Mythologie muß strikt abgelehnt werden, daß Athene jemals fähig gewesen wäre zu rauchen. Zum Schluß möchte ich noch erwähnen, daß die Liebesnacht Stendhals mit einer gewissen Minette im damaligen Haus Schadewachten Nr. 19 zu Stendal (Altmark) bisher nur von Jürgen Eggebrecht (»Huldigung der nördlichen Stämme«, erschienen unter dem Bravtitel »Vaters Haus« bei Kurt Desch 1971) erwähnt wird. Es ist zu hoffen, daß die Wissenschaft dieser brennenden Forschungsfrage bald einmal nachgeht.

München, Mai 1994   S. N.

Sten Nadolny

Die Entdeckung der Langsamkeit

Roman. 359 Seiten. SP 700

»Dieses Buch kommt, scheint's zur richtigen Zeit. Nadolnys heute ganz ungewöhnliche ruhige Gegenposition im gehetzten Betrieb der Politiker und Literaten hat etwas Haltgebendes und unangestrengt Humanes.«

Der Tagesspiegel

Netzkarte

Roman. 164 Seiten. SP 1370

»So unterschiedlich die Hauptdarsteller in seinen Büchern auch sind, eines verbindet sie: der besondere Blick auf das kleine Abenteuer und das große Erleben… Das Staunenkönnen zeichnet Sten Nadolnys Helden wie ihn selber aus, und er lehrt es seine Leser neu.«

FAZmagazin

»Der Roman ›Netzkarte‹ ist ein Debüt, so frisch, so witzig und auch so verheißungsvoll, wie es lange keines mehr gegeben hat.«

Stern

Das Erzählen und die guten Absichten

Münchner Poetikvorlesungen im Sommer 1990, eingeleitet von Wolfgang Frühwald. 136 Seiten. SP 1319

Neben den intuitiv-schöpferischen Kräften, die dem romantischen Bild des Dichters entsprechen, interessiert ihn ganz besonders die Rolle der bewußten, logisch begründbaren Erzählziele und -entscheidungen. Dementsprechend zieht er sich bei seiner Abwehr »guter Absichten« nicht hinter die unangreifbare Forderung nach schöpferischer Souveränität zurück, sondern stellt den »guten« die »notwendigen« Absichten des Erzählens entgegen. Innerhalb der Schilderung eines erfundenen Romans und seiner erfundenen Autoren gibt Nadolny einige ebenso deutliche wie selbstironisch-humorvolle Einblicke in die eigene Romanwerkstatt, sein Selbstverständnis und sein erzählerisches Programm. Die »guten Absichten« entpuppen sich bei genauerer Betrachtung als jener gesellschaftliche Anpassungs- und Absicherungsdruck, der dem Geist des Erzählens diametral entgegengesetzt ist.